W9-CJO-657

Don José prend Carmen par le bras
Par G. Vuillier

Heath's Modern Language Series

PROSPER MÉRIMÉE

CARMEN ET AUTRES NOUVELLES

Edited with Introduction, Notes, Exercises, and Vocabulary by
D. S. BLONDHEIM, PH.D.
Professor of Romance Philology
Johns Hopkins University

D. C. HEATH AND COMPANY
BOSTON NEW YORK CHICAGO LONDON
ATLANTA DALLAS SAN FRANCISCO

3 J 0

PRINTED IN U.S.A.

PREFACE

Jules Lemaître said that Mérimée's shorter stories are always worth reading, because they are perfect. The object of the present edition is to render available for English-speaking students stories of Mérimée's all of which in some sense deserve Lemaître's praise. The choice of *Carmen, Mateo Falcone,* and *L'Enlèvement de la redoute* is justified, not only by the verdict of criticism, but also by extensive use in Schools and Colleges. *La Vénus d'Ille* is here presented for the first time in a school edition; careful tests indicate that it is well adapted for such purposes.

A second reason for the appearance of this edition is the great advance in our knowledge of Mérimée which has resulted from the numerous annotated editions produced in France since 1927, after the copyright on his writings had expired. These and other works have been carefully consulted in the preparation of the present volume. Professor F. D. Cheydleur's *French Idiom List* (New York, 1929) has been a valuable guide in the selection of useful idioms for the Exercises.

A number of friendly colleagues have assisted in the production of this book. Professor H. Carrington Lancaster has made many practical suggestions; Professors G. Chinard, D. M. Robinson, and Lewis Piaget Shanks have also been helpful, as have Dr. Louise C. Seibert, Dr. Emma O. Bach, Miss Jessie R. Bowes, and especially Miss Grace H. Blondheim. Professor P. Fouché, of Strasburg, who is a native of Ille-sur-Têt, courteously furnished several valuable notes bearing on the *Vénus d'Ille*, while M. Pierre Josserand obligingly secured the illustration for that story. Professor Pierre Trahard, of Dijon, and M. Édouard Champion, of Paris, the editors of the *Œuvres complètes* of Mérimée, authorized the use of the Doré illustrations, which are reproduced from Dupouy's *Carmen* (1927) and from M. Trahard's *Prosper Mérimée de 1834 à 1853* (1928); those by G. Vuillier and A. Lunois are used by permission of the Librairies F. Ferroud and L. Carteret, of Paris, respectively.

D. S. B.

JOHNS HOPKINS UNIVERSITY
June, 1930

TABLE OF CONTENTS

INTRODUCTION[1]

Mérimée's individuality is as elusive as it is distinguished. His brilliant, many-sided personality does not fit into ordinary classifications. Like his friend and mentor, Stendhal, he occupies a somewhat isolated position. He wrote in the heyday of Romanticism, but he cannot be described as a Romanticist; he lived to see the triumph of Realism, but he cannot be styled a Realist; his work contains classic elements, but he cannot

[1] Biographical Note. — Prosper Mérimée was born in Paris in 1803, the son of parents who were both painters. He studied law, but devoted himself to literature instead, beginning his career with the *Théâtre de Clara Gazul* (1825), the work of a supposed Spanish actress, and *La Guzla* (1827), by a pretended Illyrian poet. Other plays followed, *La Jacquerie* (1828) and *La Famille de Carvajal* (1828). In 1829 appeared *La Chronique du règne de Charles IX*, which some critics consider the best French historical novel of the Romantic period; it is certainly the most accurate. Other important stories are *Mateo Falcone*, *L'Enlèvement de la redoute*, both published in 1829, *Tamango* (1829), a story of the African slave trade, *Colomba* (1840), a famous study of vengeance in Corsica, *Carmen* (1845), and *Lokis* (1869). In 1834 Mérimée had become Inspector-General of Historical Monuments, a position in which he rendered services of the first importance for the preservation of medieval buildings. Under the Second Empire, thanks to the Empress Eugénie, whom he had known as a little girl in Spain in 1830, he became a Senator (1853) and a favorite at court. After 1847 he published little in the way of imaginative literature, but produced a number of historical works, such as his *Histoire du roi don Pèdre* (1848), a life of Pedro the Cruel of Spain, which, after nearly a century, remains the best book on the subject, *Les faux Démétrius* (1854), an episode of Russian history, etc. He kept up a voluminous correspondence, which is gradually being published and reveals its author as perhaps the greatest French letter-writer of the nineteenth century. He was also one of the first to make Russian literature known in France. He died in 1870, after a long illness, saddened by the disasters of the Franco-Prussian War.

be called a Classicist. This difficulty in determining his position is in part a result of his character. Having once been ridiculed by his mother for excessive remorse over a childish fault, he tried ever after to hide any evidence of feeling. Like certain Englishmen whom he admired, he maintained an attitude of stoical reserve. He had deep emotions, but he concealed them from all but his best friends; consequently his nature is to some extent a riddle. In this respect he differed from the Romanticists, who were openly and exaggeratedly emotional.

As a further means of defense, he imitated other shy men in becoming ironical and even cynical. He not only tried to suppress his own feelings; he pretended not to believe in those of others. Though essentially a kind and helpful person, he expressed and perhaps felt distrust and even contempt for mankind. He thought humanity naturally inclined to do evil, and he looked down upon human longings and aspirations as insincere or meaningless. Such a point of view was rare in a time of romantic humanitarianism and love of liberal ideas. At a period when Byron had died for Greek independence and Hugo was exiled for free speech, Mérimée dared to write, "There is nothing that I despise and even detest so much as humanity in general."

It is difficult to tell what such remarks mean, because one is baffled by Mérimée's reserve and irony. For the same reason it is difficult to determine Mérimée's literary position. Nevertheless one may fairly say, as has been said, that his subjects are romantic, his treatment realistic, and his style classic.

If one considers his themes, one would say that he was simply a Romanticist. He chooses plots full of terror and tragedy; many of them end in cases of violent death. He even delights in the supernatural and occasionally, as in *La Vênus d'Ille*, disconcerts his readers by leaving them uncertain whether they are confronted with a miracle or with a hoax. He is equally romantic in usually placing his stories in far-off countries, frequently sunny regions, — Spain, Corsica, Roussillon, —

that contrast oddly with the gloomy events he tells of. These events are the necessary results of conflicts between simple men and women, full of fierce, primitive passion. He is again a Romanticist in his choice of such characters, in his admiration for the wild, unbridled energy of José Navarro, of Mateo Falcone. He does not, however, represent them as giving full vent to their feelings; like him, they are impassive in manner, calmly but relentlessly pursuing their ends.

In this suppression of emotional outpourings Mérimée resembles the Realists. Like them, he devotes himself rather to cold observation, to psychological analysis, set forth in a few brief, telling strokes. Romantic "local color," — the use of details characteristic of country and period, laid on hastily and superficially, — is replaced by thorough, scientific study of manners and environment. This effort to avoid obtruding himself upon his readers goes so far that the author disappears and leaves the stage entirely to his characters.

Herein Mérimée resembles not only the Realists, but also the great Classicists. He has, indeed, been called the "Classicist of Romanticism," not only because of his interest in the facts of life as they are, but especially because of his remarkable style. He ranks among the greatest masters of modern French prose. His style is a perfect expression of what is best in his personality. His reserve, for instance, becomes a brevity which is sometimes excessive. Nevertheless it enables him in a few words to portray his characters so vividly that we seem to see them before us in the flesh. Into twenty pages, as has been remarked, he puts the matter of a volume.

His style is not merely concise; it is also admirably correct. Here we see the accomplished man of the world, the courtly Senator who never makes a misstep. There is something of the old-fashioned gentleman in another aspect of his work; like Scott, he does not wish to seem a professional writer, and presents his works as the stories an archæologist tells about his travels. He enjoys, indeed, bringing all possible aspects of his own life into his work, in an ironic way that only a few of his friends could understand. He not only introduces his archæological interests, but also his historical and linguistic studies, his journeys, his acquaintances.

It is not easy to say whether the women in his stories are drawn from his acquaintances or not. We do know, however, that he was unfortunate in love more than once, and this fact may explain why his important feminine characters are hard, calculating, endowed with a diabolical charm. Carmen is vampire-like, almost heartless, but Mérimée's consummate art keeps her human, enables us to understand why José loved her as he did. Though the story is a little burdened with learning, it is a masterpiece, perhaps the greatest of Mérimée's works. He was in good part responsible for the success of the opera which Bizet based upon the libretto of Meilhac and Halévy (1875); *Carmen* is stated to have been for years the most popular opera in Europe and America. In 1926 the story was represented in a series of cinema pictures by a French company. *Mateo Falcone*, with its equally cruel subject, is just as remarkable. One of the earliest modern short stories ever written, it has been called "the most powerful short story in the world." Gustave Planche, a severe critic, said that it would suffice to assure Mérimée an eminent place in French literature. *L'Enlèvement de la redoute* is notable as an instantaneous photograph of a battle; so eminent a critic as Sainte-Beuve called it "sublime." *La Vênus d'Ille*, the last of the stories in this volume, was thought by Mérimée himself to be his *chef d'œuvre*. Familiar in English literature as the theme of William Morris' *The Ring Given to Venus* in his *Earthly Paradise* (1870), the story was made the basis of an opera, *Die baskische Venus*, by H. H. Wetzler, first performed in Leipzig in 1928. Like the narratives which precede it, *La Vênus d'Ille*, in its simplicity and interest, is well adapted to introduce the American reader to the works of one of the greatest French writers of his time.

[Students interested in reading further studies of the stories in this volume will do well to consult the following:

On *Carmen* — Sainte-Beuve, *Causeries du lundi*, VII, 371–386; P. Groussac, *Une énigme littéraire* (Paris, 1903), 263–303.

On *Mateo Falcone* — G. Courtillier, *L'Inspiration de Mateo Falcone*, in *Revue d'histoire littéraire*, 1920, 161–193.

On *L'Enlèvement de la redoute* — L. Pinvert, *Mérimée et le combat de Schwardino*, in *Revue des études historiques*, mai-juin, 1914.

On *La Vénus d'Ille* — A. Monglond, *Au pays de la Vénus d'Ille*, in *Revue d'histoire littéraire*, 1922, 19–46.

The only English biography is G. H. Johnstone, *Prosper Mérimée; a Mask and a Face* (London, 1926); see also Walter Pater's essay in his *Miscellaneous Studies* (London, 1910), 11–37, originally published in the *Fortnightly Review*, Dec., 1890. The *Bibliographie des œuvres de Prosper Mérimée* of P. Trahard and P. Josserand (Paris, Champion, 1929) is extremely useful.]

CARMEN ET AUTRES NOUVELLES

CARMEN

I

1. J'avais toujours soupçonné les géographes de ne savoir ce qu'ils disent, lorsqu'ils placent le champ de bataille de Munda dans le pays des Bastuli-Pœni, près de la moderne Monda, à quelque deux lieues au nord de Marbella. D'après mes propres conjectures sur le texte de 5 l'anonyme auteur du *Bellum Hispaniense*, et quelques renseignements recueillis dans l'excellente bibliothèque du duc d'Osuna, je pensais qu'il fallait chercher aux environs de Montilla le lieu mémorable où, pour la dernière fois, César joua quitte ou double contre les champions de la république. 10 Me trouvant en Andalousie au commencement de l'automne de 1830, je fis une assez longue excursion pour éclaircir les doutes qui me restaient encore. Un mémoire que je publierai prochainement ne laissera plus, je l'espère, aucune incertitude dans l'esprit de tous les archéologues de 15 bonne foi. En attendant que ma dissertation résolve enfin le problème géographique qui tient toute l'Europe savante en suspens, je veux vous raconter une petite histoire; elle ne préjuge rien sur l'intéressante question de l'emplacement de Munda. 20

J'avais loué à Cordoue un guide et deux chevaux, et m'étais mis en campagne avec les *Commentaires de César* et quelques chemises pour tout bagage. Certain jour, errant dans la partie élevée de la plaine de Cachena, harassé de fatigue, mourant de soif, brûlé par un soleil de 25 plomb, je donnais au diable de bon cœur César et les fils de

Pompée, lorsque j'aperçus, assez loin du sentier que je suivais, une petite pelouse verte parsemée de joncs et de roseaux. Cela m'annonçait le voisinage d'une source. En effet, en m'approchant, je vis que la prétendue pelouse était un marécage où se perdait un ruisseau, sortant, comme il semblait, d'une gorge étroite entre deux hauts contreforts de la sierra de Cabra. Je conclus qu'en remontant je trouverais de l'eau plus fraîche, moins de sangsues et de grenouilles, et peut-être un peu d'ombre au milieu des rochers. A l'entrée de la gorge, mon cheval hennit, et un autre cheval, que je ne voyais pas, lui répondit aussitôt. A peine eus-je fait une centaine de pas, que la gorge, s'élargissant tout à coup, me montra une espèce de cirque naturel parfaitement ombragé par la hauteur des escarpements qui l'entouraient. Il était impossible de rencontrer un lieu qui promît au voyageur une halte plus agréable. Au pied de rochers à pic, la source s'élançait en bouillonnant, et tombait dans un petit bassin tapissé d'un sable blanc comme la neige. Cinq à six beaux chênes verts, toujours à l'abri du vent et rafraîchis par la source, s'élevaient sur ses bords, et la couvraient de leur épais ombrage; enfin, autour du bassin, une herbe fine, lustrée, offrait un lit meilleur qu'on n'en eût trouvé dans aucune auberge à dix lieues à la ronde.

A moi n'appartenait pas l'honneur d'avoir découvert un si beau lieu. Un homme s'y reposait déjà, et sans doute dormait, lorsque j'y pénétrai. Réveillé par les hennissements, il s'était levé, et s'était rapproché de son cheval, qui avait profité du sommeil de son maître pour faire un bon repas de l'herbe aux environs. C'était un jeune gaillard, de taille moyenne, mais d'apparence robuste, au regard sombre et fier. Son teint, qui avait dû être beau, était devenu, par l'action du soleil, plus foncé que ses cheveux. D'une main il tenait le licol de sa monture, de l'autre une espingole de cuivre. J'avouerai que d'abord l'espingole et l'air farouche du porteur me surprirent quelque peu; mais je ne croyais plus aux voleurs, à force d'en entendre parler et de n'en rencontrer jamais. D'ailleurs, j'avais vu tant d'honnêtes fermiers s'armer jusqu'aux dents pour aller au marché, que la vue d'une arme à feu ne m'autorisait pas à mettre en doute la moralité de l'inconnu. — Et puis, me disais-je, que ferait-il de mes chemises et de mes *Commentaires* Elzévir ? Je saluai donc l'homme à l'espingole d'un signe de tête familier, et je lui demandai en souriant si j'avais troublé son sommeil. Sans me répondre, il me toisa de la tête aux pieds; puis, comme satisfait de son examen, il considéra avec la même attention mon guide, qui s'avançait. Je vis celui-ci pâlir et s'arrêter en montrant une terreur évidente. Mauvaise rencontre ! me dis-je. Mais la prudence me conseilla aussitôt de ne laisser voir aucune inquiétude. Je mis pied à terre; je dis au guide de débrider, et, m'agenouillant au bord de la source, j'y plongeai ma tête et mes mains; puis je bus une bonne gorgée, couché à plat ventre, comme les mauvais soldats de Gédéon.

J'observais cependant mon guide et l'inconnu. Le premier s'approchait bien à contre-cœur; l'autre semblait n'avoir pas de mauvais desseins contre nous, car il avait rendu la liberté à son cheval, et son espingole, qu'il tenait d'abord horizontale, était maintenant dirigée vers la terre.

Ne croyant pas devoir me formaliser du peu de cas qu'on avait paru faire de ma personne, je m'étendis sur l'herbe, et, d'un air dégagé, je demandai à l'homme à l'espingole s'il n'avait pas un briquet sur lui. En même temps je tirais mon étui à cigares. L'inconnu, toujours sans parler, fouilla dans sa poche, prit son briquet, et s'empressa de me faire du feu. Évidemment il s'humanisait; car il s'assit en face de moi, toutefois sans quitter son arme. Mon cigare allumé, je choisis le meilleur de ceux qui me restaient, et je 5 lui demandai s'il fumait.

— Oui, monsieur, répondit-il.

C'étaient les premiers mots qu'il faisait entendre, et je remarquai qu'il ne prononçait pas l'*s* à la manière andalouse, d'où je conclus que c'était un voyageur comme moi, 10 moins archéologue seulement.

— Vous trouverez celui-ci assez bon, lui dis-je en lui présentant un véritable régalia de la Havane.

Il me fit une légère inclination de tête, alluma son cigare au mien, me remercia d'un autre signe de tête, puis se mit 15 à fumer avec l'apparence d'un très vif plaisir.

— Ah ! s'écria-t-il en laissant échapper lentement sa première bouffée par la bouche et les narines, comme il y avait longtemps que je n'avais fumé !

En Espagne, un cigare donné et reçu établit des relations 20 d'hospitalité, comme en Orient le partage du pain et du sel. Mon homme se montra plus causant que je ne l'avais espéré. D'ailleurs, bien qu'il se dît habitant du partido de Montilla, il paraissait connaître le pays assez mal. Il ne savait pas le nom de la charmante vallée où nous nous 25 trouvions; il ne pouvait nommer aucun village des alentours; enfin, interrogé par moi s'il n'avait pas vu aux environs des murs détruits, de larges tuiles à rebords, des pierres sculptées, il confessa qu'il n'avait jamais fait attention à pareilles choses. En revanche, il se montra expert en 30 matière de chevaux. Il critiqua le mien, ce qui n'était pas difficile; puis il me fit la généalogie du sien, qui sortait du fameux haras de Cordoue: noble animal, en effet, si dur à la fatigue, à ce que prétendait son maître, qu'il avait fait une fois trente lieues dans un jour, au galop ou au grand trot. Au milieu de sa tirade, l'inconnu s'arrêta brusquement, comme surpris et fâché d'en avoir trop dit. « C'est que j'étais très pressé d'aller à Cordoue, reprit-il avec quelque embarras. J'avais à solliciter les juges pour un procès ... » En parlant, il regardait mon guide Antonio, qui baissait les yeux.

2. L'ombre et la source me charmèrent tellement, que je me souvins de quelques tranches d'excellent jambon que mes amis de Montilla avaient mis dans la besace de mon guide. Je les fis apporter, et j'invitai l'étranger à prendre sa part de la collation impromptu. S'il n'avait pas fumé depuis longtemps, il me parut vraisemblable qu'il n'avait pas mangé depuis quarante-huit heures au moins. Il dévorait comme un loup affamé. Je pensai que ma rencontre avait été providentielle pour le pauvre diable. Mon guide, cependant, mangeait peu, buvait encore moins, et ne parlait pas du tout, bien que, depuis le commencement de notre voyage, il se fût révélé à moi comme un bavard sans pareil. La présence de notre hôte semblait le gêner, et une certaine méfiance les éloignait l'un de l'autre sans que j'en devinasse positivement la cause.

Déjà les dernières miettes du pain et du jambon avaient disparu; nous avions fumé chacun un second cigare; j'ordonnai au guide de brider nos chevaux, et j'allais prendre congé de mon nouvel ami, lorsqu'il me demanda où je comptais passer la nuit.

Avant que j'eusse fait attention à un signe de mon guide, j'avais répondu que j'allais à la venta del Cuervo.

— Mauvais gîte pour une personne comme vous, monsieur ... J'y vais, et, si vous me permettez de vous accompagner, nous ferons route ensemble.

— Très volontiers, dis-je en montant à cheval.

Mon guide, qui me tenait l'étrier, me fit un nouveau signe des yeux. J'y répondis en haussant les épaules, comme pour l'assurer que j'étais parfaitement tranquille, et 5 nous nous mîmes en chemin.

Les signes mystérieux d'Antonio, son inquiétude, quelques mots échappés à l'inconnu, surtout sa course de trente lieues et l'explication peu plausible qu'il en avait donnée, avaient déjà formé mon opinion sur le compte de 10 mon compagnon de voyage. Je ne doutai pas que je n'eusse affaire à un contrebandier, peut-être à un voleur; mais que m'importait ? Je connaissais assez le caractère espagnol pour être très sûr de n'avoir rien à craindre d'un homme qui avait mangé et fumé avec moi. Sa présence 15 même était une protection assurée contre toute mauvaise rencontre. D'ailleurs, j'étais bien aise de savoir ce que c'est qu'un brigand. On n'en voit pas tous les jours, et il y a un certain charme à se trouver auprès d'un être dangereux, surtout lorsqu'on le sent doux et apprivoisé.

20 J'espérais amener par degrés l'inconnu à me faire des confidences, et, malgré les clignements d'yeux de mon guide, je mis la conversation sur les voleurs de grand chemin. Bien entendu que j'en parlai avec respect. Il y avait alors en Andalousie un fameux bandit nommé José 25 Maria, dont les exploits étaient dans toutes les bouches. « Si j'étais à côté de José Maria ? » me disais-je . . . Je racontai les histoires que je savais de ce héros, toutes à sa louange d'ailleurs, et j'exprimai hautement mon admiration pour sa bravoure et sa générosité.

30 — José Maria n'est qu'un drôle, dit froidement l'étranger.

« Se rend-il justice, ou bien est-ce excès de modestie de sa part ? » me demandai-je mentalement; car, à force de considérer mon compagnon, j'étais parvenu à lui appliquer le signalement de José Maria, que j'avais lu affiché aux portes de mainte ville d'Andalousie. — Oui, c'est bien lui . . . Cheveux blonds, yeux bleus, grande bouche, belles dents, 5 les mains petites; une chemise fine, une veste de velours à boutons d'argent, des guêtres de peau blanche, un cheval bai . . . Plus de doute ! Mais respectons son incognito.

Nous arrivâmes à la venta. Elle était telle qu'il me l'avait dépeinte, c'est-à-dire une des plus misérables que 10 j'eusse encore rencontrées. Une grande pièce servait de cuisine, de salle à manger et de chambre à coucher. Sur une pierre plate, le feu se faisait au milieu de la chambre, et la fumée sortait par un trou pratiqué dans le toit, ou plutôt s'arrêtait, formant un nuage à quelques pieds au- 15 dessus du sol. Le long du mur, on voyait étendues par terre cinq ou six vieilles couvertures de mulets; c'étaient les lits des voyageurs. A vingt pas de la maison, ou plutôt de l'unique pièce que je viens de décrire, s'élevait une espèce de hangar servant d'écurie. Dans ce charmant 20 séjour, il n'y avait d'autres êtres humains, du moins pour le moment, qu'une vieille femme et une petite fille de dix à douze ans, toutes les deux de couleur de suie et vêtues d'horribles haillons. — Voilà tout ce qui reste, me dis-je, de la population de l'antique Munda Bætica ! O César ! 25 ô Sextus Pompée ! que vous seriez surpris si vous reveniez au monde !

En apercevant mon compagnon, la vieille laissa échapper une exclamation de surprise.

— Ah ! seigneur don José ! s'écria-t-elle. 30

Don José fronça le sourcil, et leva une main d'un geste d'autorité qui arrêta la vieille aussitôt. Je me tournai vers mon guide, et, d'un signe imperceptible, je lui fis comprendre qu'il n'avait rien à m'apprendre sur le compte de l'homme avec qui j'allais passer la nuit. Le souper fut meilleur que je ne m'y attendais. On nous servit, sur une petite table haute d'un pied, un vieux coq fricassé avec du riz et force piments, puis des piments à l'huile, enfin du *gaspacho*, espèce de salade de piments. Trois plats ainsi épicés nous obligèrent de recourir souvent à une outre de vin de Montilla qui se trouva délicieux. Après avoir mangé, avisant une mandoline accrochée contre la muraille, — il y a partout des mandolines en Espagne, — je demandai à la petite fille qui nous servait, si elle savait en jouer.

— Non, répondit-elle; mais don José en joue si bien!

— Soyez assez bon, lui dis-je, pour me chanter quelque chose; j'aime à la passion votre musique nationale.

— Je ne puis rien refuser à un monsieur si honnête, qui me donne de si excellents cigares, s'écria don José d'un air de bonne humeur.

Et, s'étant fait donner la mandoline, il chanta en s'accompagnant. Sa voix était rude, mais pourtant agréable, l'air mélancolique et bizarre; quant aux paroles, je n'en compris pas un mot.

— Si je ne me trompe, lui dis-je, ce n'est pas un air espagnol que vous venez de chanter. Cela ressemble aux *zorzicos* que j'ai entendus dans les *Provinces*, et les paroles doivent être en langue basque.

— Oui, répondit don José d'un air sombre.

Il posa la mandoline à terre, et, les bras croisés, il se mit à contempler le feu qui s'éteignait avec une singulière expression de tristesse. Éclairée par une lampe posée sur la petite table, sa figure, à la fois noble et farouche, me rappelait le Satan de Milton. Comme lui peut-être, mon compagnon songeait au séjour qu'il avait quitté, à l'exil qu'il avait encouru par une faute. J'essayai de ranimer la conversation, mais il ne répondit pas, absorbé qu'il était dans ses tristes pensées. Déjà la vieille s'était cou- 5 chée dans un coin de la salle, à l'abri d'une couverture trouée tendue sur une corde. La petite fille l'avait suivie dans cette retraite réservée au beau sexe. Mon guide alors, se levant, m'invita à le suivre à l'écurie; mais, à ce mot, don José, comme réveillé en sursaut, lui demanda 10 d'un ton brusque où il allait.

— A l'écurie, répondit le guide.

— Pour quoi faire ? les chevaux ont à manger. Couche ici, monsieur le permettra.

— Je crains que le cheval de Monsieur ne soit malade; 15 je voudrais que Monsieur le vît: peut-être saura-t-il ce qu'il faut lui faire.

Il était évident qu'Antonio voulait me parler en particulier; mais je ne me souciais pas de donner des soupçons à don José, et, au point où nous en étions, il me semblait 20 que le meilleur parti à prendre était de montrer la plus grande confiance. Je répondis donc à Antonio que je n'entendais rien aux chevaux, et que j'avais envie de dormir. Don José le suivit à l'écurie, d'où bientôt il revint seul. Il me dit que le cheval n'avait rien, mais que mon 25 guide le trouvait un animal si précieux, qu'il le frottait avec sa veste pour le faire transpirer, et qu'il comptait passer la nuit dans cette douce occupation. Cependant, je m'étais étendu sur les couvertures de mulets, soigneusement enveloppé dans mon manteau, pour ne pas les tou- 30 cher. Après m'avoir demandé pardon de la liberté qu'il prenait de se mettre auprès de moi, don José se coucha devant la porte, non sans avoir renouvelé l'amorce de son espingole, qu'il eut soin de placer sous la besace qui lui servait d'oreiller. Cinq minutes après nous être mutuellement souhaité le bonsoir, nous étions l'un et l'autre profondément endormis.

3. Je me croyais assez fatigué pour pouvoir dormir dans un pareil gîte; mais, au bout d'une heure, de très désagréables démangeaisons m'arrachèrent à mon premier somme. Dès que j'en eus compris la nature, je me levai, persuadé qu'il valait mieux passer le reste de la nuit à la belle étoile que sous ce toit inhospitalier. Marchant sur la pointe du pied, je gagnai la porte, j'enjambai par-dessus la couche de don José, qui dormait du sommeil du juste, et je fis si bien que je sortis de la maison sans qu'il s'éveillât. Auprès de la porte était un large banc de bois; je m'étendis dessus, et m'arrangeai de mon mieux pour achever ma nuit. J'allais fermer les yeux pour la seconde fois, quand il me sembla voir passer devant moi l'ombre d'un homme et l'ombre d'un cheval, marchant l'un et l'autre sans faire le moindre bruit. Je me mis sur mon séant, et je crus reconnaître Antonio. Surpris de le voir hors de l'écurie à pareille heure, je me levai et marchai à sa rencontre. Il s'était arrêté, m'ayant aperçu d'abord.

— Où est-il ? me demanda Antonio à voix basse.

— Dans la venta; il dort; il n'a pas peur des punaises. Pourquoi donc emmenez-vous ce cheval ?

Je remarquai alors que, pour ne pas faire de bruit en sortant du hangar, Antonio avait soigneusement enveloppé les pieds de l'animal avec les débris d'une vieille couverture.

— Parlez plus bas, me dit Antonio, au nom de Dieu ! Vous ne savez donc pas qui est cet homme-là. C'est José

Navarro, le plus insigne bandit de l'Andalousie. Toute la journée je vous ai fait des signes que vous n'avez pas voulu comprendre.

— Bandit ou non, que m'importe ? répondis-je; il ne nous a pas volés, et je parierais qu'il n'en a pas envie.

— A la bonne heure; mais il y a deux cents ducats pour qui le livrera. Je sais un poste de lanciers à une lieue et demie d'ici, et avant qu'il soit jour, j'amènerai quelques gaillards solides. J'aurais pris son cheval, mais il est si méchant que nul que le Navarro ne peut en approcher.

— Que le diable vous emporte ! lui dis-je. Quel mal vous a fait ce pauvre homme pour le dénoncer ? D'ailleurs, êtes-vous sûr qu'il soit le brigand que vous dites ?

— Parfaitement sûr; tout à l'heure il m'a suivi dans l'écurie et m'a dit : « Tu as l'air de me connaître, si tu dis à ce bon monsieur qui je suis, je te fais sauter la cervelle. » Restez, monsieur, restez auprès de lui; vous n'avez rien à craindre. Tant qu'il vous saura là, il ne se méfiera de rien.

Tout en parlant, nous nous étions déjà assez éloignés de la venta pour qu'on ne pût entendre les fers du cheval. Antonio l'avait débarrassé en un clin d'œil des guenilles dont il lui avait enveloppé les pieds; il se préparait à enfourcher sa monture. J'essayai prières et menaces pour le retenir.

— Je suis un pauvre diable, monsieur, me disait-il; deux cents ducats ne sont pas à perdre, surtout quand il s'agit de délivrer le pays de pareille vermine. Mais prenez garde : si le Navarro se réveille, il sautera sur son espingole, et gare à vous ! Moi, je suis trop avancé pour reculer; arrangez-vous comme vous pourrez.

Le drôle était en selle; il piqua des deux, et dans l'obscurité je l'eus bientôt perdu de vue.

J'étais fort irrité contre mon guide et passablement inquiet. Après un instant de réflexion, je me décidai et rentrai dans la venta. Don José dormait encore, réparant sans doute en ce moment les fatigues et les veilles de plu-
5 sieurs journées aventureuses. Je fus obligé de le secouer rudement pour l'éveiller. Jamais je n'oublierai son regard farouche et le mouvement qu'il fit pour saisir son espingole, que, par mesure de précaution, j'avais mise à quelque distance de sa couche.

10 — Monsieur, lui dis-je, je vous demande pardon de vous éveiller; mais j'ai une sotte question à vous faire: seriez-vous bien aise de voir arriver ici une demi-douzaine de lanciers ?

Il sauta en pieds, et d'une voix terrible:

15 — Qui vous l'a dit ? me demanda-t-il.

— Peu importe d'où vient l'avis, pourvu qu'il soit bon.

— Votre guide m'a trahi, mais il me le payera ! Où est-il ?

— Je ne sais . . . Dans l'écurie, je pense . . . mais quelqu'un m'a dit . . .

20 — Qui vous a dit ? . . . Ce ne peut être la vieille . . .

— Quelqu'un que je ne connais pas . . . Sans plus de paroles, avez-vous, oui ou non, des motifs pour ne pas attendre les soldats ? Si vous en avez, ne perdez pas de temps, sinon bonsoir, et je vous demande pardon d'avoir
25 interrompu votre sommeil.

— Ah ! votre guide ! votre guide ! Je m'en étais méfié d'abord . . . mais . . . son compte est bon ! . . . Adieu, monsieur. Dieu vous rende le service que je vous dois. Je ne suis pas tout à fait aussi mauvais que vous me croyez . . .
30 oui, il y a encore en moi quelque chose qui mérite la pitié d'un galant homme . . . Adieu, monsieur . . . Je n'ai qu'un regret, c'est de ne pouvoir m'acquitter envers vous.

— Pour prix du service que je vous ai rendu, promettez-moi, don José, de ne soupçonner personne, de ne pas songer à la vengeance. Tenez, voilà des cigares pour votre route; bon voyage!

Et je lui tendis la main.

Il me la serra sans répondre, prit son espingole et sa besace, et, après avoir dit quelques mots à la vieille dans un argot que je ne pus comprendre, il courut au hangar. Quelques instants après, je l'entendais galoper dans la campagne.

Pour moi, je me recouchai sur mon banc, mais je ne me rendormis point. Je me demandais si j'avais eu raison de sauver de la potence un voleur, et peut-être un meurtrier, et cela seulement parce que j'avais mangé avec lui du jambon et du riz à la valencienne. N'avais-je pas trahi mon guide qui soutenait la cause des lois; ne l'avais-je pas exposé à la vengeance d'un scélérat? Mais les devoirs de l'hospitalité!... Préjugé de sauvage, me disais-je; j'aurai à répondre de tous les crimes que le bandit va commettre... Pourtant est-ce un préjugé que cet instinct de conscience qui résiste à tous les raisonnements? Peut-être, dans la situation délicate où je me trouvais, ne pouvais-je m'en tirer sans remords. Je flottais encore dans la plus grande incertitude au sujet de la moralité de mon action, lorsque je vis paraître une demi-douzaine de cavaliers avec Antonio, qui se tenait prudemment à l'arrière-garde. J'allai au-devant d'eux, et les prévins que le bandit avait pris la fuite depuis plus de deux heures. La vieille, interrogée par le brigadier, répondit qu'elle connaissait le Navarro, mais que, vivant seule, elle n'aurait jamais osé risquer sa vie en le dénonçant. Elle ajouta que son habitude, lorsqu'il venait chez elle, était de partir toujours au milieu de la nuit. Pour moi, il me fallut aller, à quelques lieues de là, exhiber mon passeport et signer une déclaration devant un alcade, après quoi on me permit de reprendre mes recherches archéologiques. Antonio me gardait rancune, soupçonnant que c'était moi qui l'avais empêché de gagner les deux cents ducats. Pourtant nous nous séparâmes bons amis à Cordoue; là, je lui donnai une gratification aussi forte que l'état de mes finances pouvait me le permettre.

II

4. Je passai quelques jours à Cordoue. On m'avait indiqué certain manuscrit de la bibliothèque des dominicains, où je devais trouver des renseignements intéressants sur l'antique Munda. Fort bien accueilli par les bons pères, je passais les journées dans leur couvent, et le soir je me promenais par la ville. A Cordoue, vers le coucher du soleil, il y a quantité d'oisifs sur le quai qui borde la rive droite du Guadalquivir.

Un soir je fumais, appuyé sur le parapet du quai, lorsqu'une femme, remontant l'escalier qui conduit à la rivière, vint s'asseoir près de moi. Elle avait dans les cheveux un gros bouquet de jasmin, dont les pétales exhalent le soir une odeur enivrante. Elle était simplement, peut-être pauvrement vêtue, tout en noir, comme la plupart des grisettes dans la soirée. Les femmes comme il faut ne portent le noir que le matin; le soir elles s'habillent à la *francesa*. En arrivant auprès de moi, elle laissa glisser sur ses épaules la mantille qui lui couvrait la tête, et, *à l'obscure clarté qui tombe des étoiles*, je vis qu'elle était petite, jeune, bien faite, et qu'elle avait de très

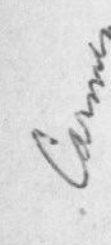

grands yeux. Je jetai mon cigare aussitôt. Elle comprit cette attention d'une politesse toute française, et se hâta de me dire qu'elle aimait beaucoup l'odeur du tabac, et que même elle fumait, quand elle trouvait des *papelitos* bien doux. Par bonheur, j'en avais de tels dans mon 5 étui, et je m'empressai de lui en offrir. Elle daigna en prendre un, et l'alluma à un bout de corde enflammé qu'un enfant nous apporta moyennant un sou. Mêlant nos fumées, nous causâmes si longtemps que nous nous trouvâmes presque seuls sur le quai. Je crus n'être point 10 indiscret en lui offrant d'aller prendre des glaces à la *nevería*. Après une hésitation modeste elle accepta; mais avant de se décider, elle désira savoir quelle heure il était. Je fis sonner ma montre, et cette sonnerie parut l'étonner beaucoup.

15 — Quelles inventions on a chez vous, messieurs les étrangers! De quel pays êtes-vous, monsieur? Anglais sans doute?

— Français et votre grand serviteur. Et vous, mademoiselle, ou madame, vous êtes probablement de Cor- 20 doue?

— Non.

— Vous êtes du moins Andalouse. Il me semble le reconnaître à votre doux parler.

— Si vous remarquez si bien l'accent du monde, vous 25 devez bien deviner qui je suis.

— Je crois que vous êtes du pays de Jésus, à deux pas du paradis. (J'avais appris cette métaphore, qui désigne l'Andalousie, de mon ami Francisco Sevilla, picador bien connu.)

30 — Bah! le paradis . . . les gens d'ici disent qu'il n'est pas fait pour nous.

— Alors, vous seriez donc Mauresque, ou ... je m'arrêtai, n'osant dire juive.

— Allons, allons! vous voyez bien que je suis bohémienne; voulez-vous que je vous dise *la baji?* Avez-5 vous entendu parler de la Carmencita? C'est moi.

J'étais alors un tel mécréant, il y a de cela quinze ans, que je ne reculai pas d'horreur en me voyant à côté d'une sorcière. « Bon! me dis-je; la semaine passée, j'ai soupé avec un voleur de grands chemins, allons aujourd'hui pren-10 dre des glaces avec une servante du diable. En voyage il faut tout voir. » J'avais encore un autre motif pour cultiver sa connaissance. Sortant du collège, je l'avouerai à ma honte, j'avais perdu quelque temps à étudier les sciences occultes et même plusieurs fois j'avais tenté de 15 conjurer l'esprit de ténèbres. Guéri depuis longtemps de la passion de semblables recherches, je n'en conservais pas moins un certain attrait de curiosité pour toutes les superstitions, et me faisais une fête d'apprendre jusqu'où s'était élevé l'art de la magie parmi les bohémiens.

20 Tout en causant, nous étions entrés dans la *nevería*, et nous étions assis à une petite table éclairée par une bougie renfermée dans un globe de verre. J'eus alors tout le loisir d'examiner ma *gitana* pendant que quelques honnêtes gens s'ébahissaient, en prenant leurs glaces, de me voir 25 en si bonne compagnie.

Je doute fort que mademoiselle Carmen fût de race pure, du moins elle était infiniment plus jolie que toutes les femmes de sa nation que j'aie jamais rencontrées. Pour qu'une femme soit belle, il faut, disent les Espagnols, 30 qu'elle réunisse trente *si*, ou, si l'on veut, qu'on puisse la définir au moyen de dix adjectifs applicables chacun à trois parties de sa personne. Par exemple, elle doit avoir trois choses noires: les yeux, les paupières et les sourcils; trois fines: les doigts, les lèvres, les cheveux, etc. Voyez Brantôme pour le reste. Ma bohémienne ne pouvait prétendre à tant de perfections. Sa peau, d'ailleurs parfaitement unie, approchait fort de la teinte du cuivre. 5 Ses yeux étaient obliques, mais admirablement fendus; ses lèvres un peu fortes, mais bien dessinées et laissant voir des dents plus blanches que des amandes sans leur peau. Ses cheveux, peut-être un peu gros, étaient noirs, à reflets bleus comme l'aile d'un corbeau, longs et luisants. Pour 10 ne pas vous fatiguer d'une description trop prolixe, je vous dirai en somme qu'à chaque défaut elle réunissait une qualité qui ressortait peut-être plus fortement par le contraste. C'était une beauté étrange et sauvage, une figure qui étonnait d'abord, mais qu'on ne pouvait oublier. 15 Ses yeux surtout avaient une expression à la fois voluptueuse et farouche que je n'ai trouvée depuis à aucun regard humain. Œil de bohémien, œil de loup, c'est un dicton espagnol qui dénote une bonne observation. Si vous n'avez pas le temps d'aller au Jardin des Plantes pour 20 étudier le regard d'un loup, considérez votre chat quand il guette un moineau.

On sent qu'il eût été ridicule de se faire tirer la bonne aventure dans un café. Aussi je priai la jolie sorcière de me permettre de l'accompagner à son domicile; elle y con- 25 sentit sans difficulté, mais elle voulut connaître encore la marche du temps, et me pria de nouveau de faire sonner ma montre.

— Est-elle vraiment d'or? dit-elle en la considérant avec une excessive attention. 30

Quand nous nous remîmes en marche, il était nuit close; la plupart des boutiques étaient fermées et les rues presque désertes. Nous passâmes le pont du Guadalquivir, et à l'extrémité du faubourg nous nous arrêtâmes devant une maison qui n'avait nullement l'apparence d'un palais. Un enfant nous ouvrit. La bohémienne lui dit quelques mots dans une langue à moi inconnue, que je sus depuis être la *rommani* ou *chipe calli*, l'idiome des gitanos. Aussitôt l'enfant disparut, nous laissant dans une chambre assez vaste, meublée d'une petite table, de deux tabourets et d'un coffre. Je ne dois point oublier une jarre d'eau, un tas d'oranges et une botte d'ognons.

5. Dès que nous fûmes seuls, la bohémienne tira de son coffre des cartes qui paraissaient avoir beaucoup servi, un aimant, un caméléon desséché, et quelques autres objets nécessaires à son art. Puis elle me dit de faire la croix dans ma main gauche avec une pièce de monnaie, et les cérémonies magiques commencèrent. Il est inutile de vous rapporter ses prédictions, et, quant à sa manière d'opérer, il était évident qu'elle n'était pas sorcière à demi.

Malheureusement nous fûmes bientôt dérangés. La porte s'ouvrit tout à coup avec violence, et un homme, enveloppé jusqu'aux yeux dans un manteau brun, entra dans la chambre en apostrophant la bohémienne d'une façon peu gracieuse. Je n'entendais pas ce qu'il disait, mais le ton de sa voix indiquait qu'il était de fort mauvaise humeur. A sa vue, la gitana ne montra ni surprise ni colère, mais elle accourut à sa rencontre, et, avec une volubilité extraordinaire, lui adressa quelques phrases dans la langue mystérieuse dont elle s'était déjà servie devant moi. Le mot *payllo*, souvent répété, était le seul mot que je comprisse. Je savais que les bohémiens désignent ainsi tout homme étranger à leur race. Supposant qu'il s'agissait de moi, je m'attendais à une explication délicate;

déjà j'avais la main sur le pied d'un des tabourets, et je syllogisais à part moi pour deviner le moment précis où il conviendrait de le jeter à la tête de l'intrus. Celui-ci repoussa rudement la bohémienne, et s'avança vers moi; puis, reculant d'un pas: 5

— Ah ! monsieur, dit-il, c'est vous !

Je le regardai à mon tour, et reconnus mon ami don José. En ce moment, je regrettais un peu de ne pas l'avoir laissé pendre.

— Eh ! c'est vous, mon brave ! m'écriai-je en riant le moins 10 jaune que je pus; vous avez interrompu mademoiselle au moment où elle m'annonçait des choses bien intéressantes.

— Toujours la même ! Ça finira, dit-il entre ses dents, attachant sur elle un regard farouche.

Cependant la bohémienne continuait à lui parler dans 15 sa langue. Elle s'animait par degrés. Son œil s'injectait de sang et devenait terrible, ses traits se contractaient, elle frappait du pied. Il me sembla qu'elle le pressait vivement de faire quelque chose à quoi il montrait de l'hésitation. Ce que c'était, je croyais ne le comprendre que trop 20 à la voir passer et repasser rapidement sa petite main sous son menton. J'étais tenté de croire qu'il s'agissait d'une gorge à couper, et j'avais quelques soupçons que cette gorge ne fût la mienne.

A tout ce torrent d'éloquence, don José ne répondit que 25 par deux ou trois mots prononcés d'un ton bref. Alors la bohémienne lui lança un regard de profond mépris; puis, s'asseyant à la turque dans un coin de la chambre, elle choisit une orange, la pela et se mit à la manger.

Don José me prit le bras, ouvrit la porte et me conduisit 30 dans la rue. Nous fîmes environ deux cents pas dans le plus profond silence. Puis, étendant la main:

— Toujours tout droit, dit-il, et vous trouverez le pont.

Aussitôt il me tourna le dos et s'éloigna rapidement. Je revins à mon auberge un peu penaud et d'assez mauvaise humeur. Le pire fut qu'en me déshabillant, je
5 m'aperçus que ma montre me manquait.

Diverses considérations m'empêchèrent d'aller la réclamer le lendemain, ou de solliciter M. le corrégidor pour qu'il voulût bien la faire chercher. Je terminai mon travail sur le manuscrit des dominicains et je partis pour
10 Séville. Après plusieurs mois de courses errantes en Andalousie, je voulus retourner à Madrid, et il me fallut repasser par Cordoue. Je n'avais pas l'intention d'y faire un long séjour, car j'avais pris en grippe cette belle ville. Cependant quelques amis à revoir, quelques commissions
15 à faire devaient me retenir au moins trois ou quatre jours dans l'antique capitale des princes musulmans.

Dès que je reparus au couvent des dominicains, un des pères, qui m'avait toujours montré un vif intérêt dans mes recherches sur l'emplacement de Munda, m'accueillit
20 les bras ouverts, en s'écriant :

— Loué soit le nom de Dieu ! Soyez le bienvenu, mon cher ami. Nous vous croyions tous mort, et moi, qui vous parle, j'ai récité bien des *Pater* et des *Ave*, que je ne regrette pas, pour le salut de votre âme. Ainsi vous n'êtes
25 pas assassiné, car pour volé nous savons que vous l'êtes.

— Comment cela ? lui demandai-je un peu surpris.

— Oui, vous savez bien, cette belle montre à répétition que vous faisiez sonner dans la bibliothèque, quand nous vous disions qu'il était temps d'aller au chœur. Eh bien ! elle est retrouvée, on vous la rendra.

30 — C'est-à-dire, interrompis-je un peu décontenancé, que je l'avais égarée . . .

— Le coquin est sous les verrous, et, comme on savait qu'il était homme à tirer un coup de fusil à un chrétien pour lui prendre une piécette, nous mourions de peur qu'il ne vous eût tué. J'irai avec vous chez le corrégidor, et nous vous ferons rendre votre belle montre. Et puis, avisez-vous de dire là-bas que la justice ne sait pas son métier en Espagne !

— Je vous avoue, lui dis-je, que j'aimerais mieux perdre ma montre que de témoigner en justice pour faire pendre un pauvre diable, surtout parce que . . . parce que . . .

— Oh ! n'ayez aucune inquiétude; il est bien recommandé, et on ne peut le pendre deux fois. Quand je dis pendre, je me trompe. C'est un hidalgo que votre voleur; il sera donc *garrotté* après-demain sans rémission. Vous voyez qu'un vol de plus ou de moins ne changera rien à son affaire. Plût à Dieu qu'il n'eût que volé ! mais il a commis plusieurs meurtres, tous plus horribles les uns que les autres.

— Comment se nomme-t-il ?

— On le connaît dans le pays sous le nom de José Navarro; mais il a encore un autre nom basque, que ni vous ni moi ne prononcerons jamais. Tenez, c'est un homme à voir, et vous qui aimez à connaître les singularités du pays, vous ne devez pas négliger d'apprendre comment en Espagne les coquins sortent de ce monde. Il est en chapelle, et le père Martinez vous y conduira.

Mon dominicain insista tellement pour que je visse les apprêts du « *petit pendement pien choli,* » que je ne pus m'en défendre. J'allai voir le prisonnier, muni d'un paquet de cigares qui, je l'espérais, devaient lui faire excuser mon indiscrétion.

On m'introduisit auprès de don José, au moment où il

prenait son repas. Il me fit un signe de tête assez froid, et me remercia poliment du cadeau que je lui apportais. Après avoir compté les cigares du paquet que j'avais mis entre ses mains, il en choisit un certain nombre, et me 5 rendit le reste, observant qu'il n'avait pas besoin d'en prendre davantage.

Je lui demandai si, avec un peu d'argent, ou par le crédit de mes amis, je pourrais obtenir quelque adoucissement à son sort. D'abord il haussa les épaules en souriant 10 avec tristesse; bientôt, se ravisant, il me pria de faire dire une messe pour le salut de son âme.

— Voudriez-vous, ajouta-t-il timidement, voudriez-vous en faire dire une autre pour une personne qui vous a offensé ?

— Assurément, mon cher, lui dis-je; mais personne, 15 que je sache, ne m'a offensé en ce pays.

Il me prit la main et la serra d'un air grave. Après un moment de silence, il reprit:

— Oserai-je encore vous demander un service ?... Quand vous reviendrez dans votre pays, peut-être passe-20 rez-vous par la Navarre ? Au moins vous passerez par Vitoria, qui n'en est pas fort éloignée.

— Oui, lui dis-je, je passerai certainement par Vitoria; mais il n'est pas impossible que je me détourne pour aller à Pampelune, et, à cause de vous, je crois que je ferais 25 volontiers ce détour.

— Eh bien! si vous allez à Pampelune, vous y verrez plus d'une chose qui vous intéressera... C'est une belle ville... Je vous donnerai cette médaille (il me montrait une petite médaille d'argent qu'il portait au cou), 30 vous l'envelopperez dans du papier... il s'arrêta un instant pour maîtriser son émotion... et vous la remettrez ou vous la ferez remettre à une bonne femme dont je vous dirai l'adresse. — Vous direz que je suis mort, vous ne direz pas comment.

Je promis d'exécuter sa commission. Je le revis le lendemain, et je passai une partie de la journée avec lui. C'est de sa bouche que j'ai appris les tristes aventures qu'on va lire. 5

III

6. Je suis né, dit-il, à Elizondo, dans la vallée de Baztan. Je m'appelle don José Lizarrabengoa, et vous connaissez assez l'Espagne, monsieur, pour que mon nom vous dise aussitôt que je suis Basque et vieux chrétien. Si je prends 10 le *don*, c'est que j'en ai le droit, et, si j'étais à Elizondo, je vous montrerais ma généalogie sur parchemin. On voulait que je fusse d'église, et l'on me fit étudier, mais je ne profitais guère. J'aimais trop à jouer à la paume, c'est ce qui m'a perdu. Quand nous jouons à la paume, nous 15 autres Navarrais, nous oublions tout. Un jour que j'avais gagné, un gars de l'Alava me chercha querelle; nous prîmes nos *maquilas*, et j'eus encore l'avantage; mais cela m'obligea de quitter le pays. Je rencontrai des dragons, et je m'engageai dans le régiment d'Almanza, cava- 20 lerie. Les gens de nos montagnes apprennent vite le métier militaire. Je devins bientôt brigadier, et on me promettait de me faire maréchal des logis, quand, pour mon malheur, on me mit de garde à la manufacture de tabacs de Séville. Si vous êtes allé à Séville, vous aurez 25 vu ce grand bâtiment-là, hors des remparts, près du Guadalquivir. Il me semble en voir encore la porte et le corps de garde auprès. Quand ils sont de service, les Espagnols jouent aux cartes, ou dorment; moi, comme un

franc Navarrais, je tâchais toujours de m'occuper. Je faisais une chaîne avec du fil de laiton, pour tenir mon épinglette. Tout d'un coup les camarades disent: « Voilà la cloche qui sonne; les filles vont rentrer à l'ouvrage. »
5 Vous saurez, monsieur, qu'il y a bien quatre à cinq cents femmes occupées dans la manufacture. Ce sont elles qui roulent les cigares dans une grande salle, où les hommes n'entrent pas sans une permission du *vingt-quatre*, parce qu'elles se mettent à leur aise, les jeunes surtout, quand il
10 fait chaud. A l'heure où les ouvrières rentrent, après leur dîner, bien des jeunes gens vont les voir passer, et leur en content de toutes les couleurs. Il y a peu de ces demoiselles qui refusent une mantille de taffetas, et les amateurs, à cette pêche-là, n'ont qu'à se baisser pour
15 prendre le poisson. Pendant que les autres regardaient, moi, je restais sur mon banc, près de la porte. J'étais jeune alors; je pensais toujours au pays, et je ne croyais pas qu'il y eût de jolies filles sans jupes bleues et sans nattes tombant sur les épaules. D'ailleurs, les Anda-
20 louses me faisaient peur; je n'étais pas encore fait à leurs manières: toujours à railler, jamais un mot de raison. J'étais donc le nez sur ma chaîne, quand j'entends des bourgeois qui disaient: Voilà la gitanilla! Je levai les yeux, et je la vis. C'était un vendredi, et je ne l'oublierai
25 jamais. Je vis cette Carmen que vous connaissez, chez qui je vous ai rencontré il y a quelques mois.

Elle avait un jupon rouge fort court qui laissait voir des bas de soie blancs avec plus d'un trou, et des souliers mignons de maroquin rouge attachés avec des rubans
30 couleur de feu. Elle écartait sa mantille afin de montrer ses épaules et un gros bouquet de cassie qui sortait de sa chemise. Elle avait encore une fleur de cassie dans le coin

Courtesy of MM. Trahard and Champion, editors of Mérimée's Œuvres complètes

LA MANUFACTURE DE TABACS DE SÉVILLE, par Gustave Doré

de la bouche, et elle s'avançait en se balançant sur ses hanches comme une pouliche du haras de Cordoue. Dans mon pays, une femme en ce costume aurait obligé le monde à se signer. A Séville, chacun lui adressait quelque compliment gaillard sur sa tournure; elle répondait à chacun, faisant les yeux en coulisse, le poing sur la hanche, effrontée comme une vraie bohémienne qu'elle était. D'abord elle ne me plut pas, et je repris mon ouvrage; mais elle, suivant l'usage des femmes et des chats qui ne viennent pas quand on les appelle et qui viennent quand on ne les appelle pas, s'arrêta devant moi et m'adressa la parole:

— Compère, me dit-elle à la façon andalouse, veux-tu me donner ta chaîne pour tenir les clefs de mon coffre-fort ?

— C'est pour attacher mon épinglette, lui répondis-je.

— Ton épinglette ! s'écria-t-elle en riant. Ah ! monsieur fait de la dentelle, puisqu'il a besoin d'épingles !

Tout le monde qui était là se mit à rire, et moi je me sentais rougir, et je ne pouvais trouver rien à lui répondre.

— Allons, mon cœur, reprit-elle, fais-moi sept aunes de dentelle noire pour une mantille, épinglier de mon âme !

Et prenant la fleur de cassie qu'elle avait à la bouche, elle me la lança, d'un mouvement du pouce, juste entre les deux yeux. Monsieur, cela me fit l'effet d'une balle qui m'arrivait . . . Je ne savais où me fourrer, je demeurais immobile comme une planche. Quand elle fut entrée dans la manufacture, je vis la fleur de cassie qui était tombée à terre entre mes pieds; je ne sais ce qui me prit, mais je la ramassai sans que mes camarades s'en aperçussent et je la mis précieusement dans ma veste. Première sottise !

Deux ou trois heures après, j'y pensais encore, quand

arrive dans le corps de garde un portier tout haletant, la figure renversée. Il nous dit que, dans la grande salle des cigares, il y avait une femme assassinée, et qu'il fallait y envoyer la garde. Le maréchal me dit de prendre deux hommes et d'y aller voir. Je prends mes deux hommes et je monte. Figurez-vous, monsieur, qu'entré dans la salle je trouve d'abord trois cents femmes en chemise, ou peu s'en faut, toutes criant, hurlant, gesticulant, faisant un vacarme à ne pas entendre Dieu tonner. D'un côté, il y en avait une, les quatre fers en l'air, couverte de sang, avec un X sur la figure qu'on venait de lui marquer en deux coups de couteau. En face de la blessée, que secouraient les meilleurs de la bande, je vois Carmen tenue par cinq ou six commères. La femme blessée criait: « Confession ! confession ! je suis morte ! » Carmen ne disait rien; elle serrait les dents, et roulait des yeux comme un caméléon. « Qu'est-ce que c'est ? » demandai-je. J'eus grand'peine à savoir ce qui s'était passé, car toutes les ouvrières me parlaient à la fois. Il paraît que la femme blessée s'était vantée d'avoir assez d'argent en poche pour acheter un âne au marché de Triana. « Tiens, dit Carmen qui avait une langue, tu n'as donc pas assez d'un balai ? » L'autre, blessée du reproche, peut-être parce qu'elle se sentait véreuse sur l'article, lui répond qu'elle ne se connaissait pas en balais, n'ayant pas l'honneur d'être bohémienne ni filleule de Satan, mais que mademoiselle Carmencita ferait bientôt connaissance avec son âne, quand M. le corrégidor la mènerait à la promenade avec deux laquais par derrière pour l'émoucher. « Eh bien, moi, dit Carmen, je te ferai des abreuvois à mouches sur la joue, et je veux y peindre un damier. » Là-dessus, vli ! vlan ! elle commence, avec le couteau dont elle coupait le bout des cigares, à lui dessiner des croix de Saint-André sur la figure.

Le cas était clair; je pris Carmen par le bras: — Ma sœur, lui dis-je poliment, il faut me suivre. Elle me lança un regard comme si elle me reconnaissait; mais elle dit d'un air résigné: — Marchons. Où est ma mantille? Elle la mit sur sa tête de façon à ne montrer qu'un seul de ses grands yeux, et suivit mes deux hommes, douce comme un mouton. Arrivés au corps de garde, le maréchal des logis dit que c'était grave, et qu'il fallait la mener à la prison. C'était encore moi qui devais la conduire. Je la mis entre deux dragons, et je marchais derrière comme un brigadier doit faire en semblable rencontre. Nous nous mîmes en route pour la ville. D'abord la bohémienne avait gardé le silence; mais dans la rue du Serpent, — vous la connaissez, elle mérite bien son nom par les détours qu'elle fait, — dans la rue du Serpent, elle commence par laisser tomber sa mantille sur ses épaules, afin de me montrer son minois enjôleur, et, se tournant vers moi autant qu'elle pouvait, elle me dit:

— Mon officier, où me menez-vous?

— A la prison, ma pauvre enfant, lui répondis-je le plus doucement que je pus, comme un bon soldat doit parler à un prisonnier, surtout à une femme.

— Hélas! que deviendrai-je? Seigneur officier, ayez pitié de moi. Vous êtes si jeune, si gentil!... Puis d'un ton plus bas: Laissez-moi m'échapper, dit-elle, je vous donnerai un morceau de la *bar lachi*, qui vous fera aimer de toutes les femmes.

La *bar lachi*, monsieur, c'est la pierre d'aimant, avec laquelle les bohémiens prétendent qu'on fait quantité de sortilèges quand on sait s'en servir. Faites-en boire à une femme une pincée râpée dans un verre de vin blanc, elle ne résiste plus. Moi, je lui répondis le plus sérieusement que je pus:

— Nous ne sommes pas ici pour dire des balivernes; il faut aller à la prison, c'est la consigne, et il n'y a pas de remède.

7. Nous autres gens du pays basque, nous avons un accent qui nous fait reconnaître facilement des Espagnols; en revanche il n'y en a pas un qui puisse seulement apprendre à dire *baï, jaona.* Carmen donc n'eut pas de peine à deviner que je venais des Provinces. Vous saurez que les bohémiens, monsieur, comme n'étant d'aucun pays, voyageant toujours, parlent toutes les langues, et la plupart sont chez eux en Portugal, en France, dans les Provinces, en Catalogne, partout; même avec les Maures et les Anglais, ils se font entendre. Carmen savait assez bien le basque.

— *Laguna ene bihotsarena*, camarade de mon cœur, me dit-elle tout à coup, êtes-vous du pays?

Notre langue, monsieur, est si belle, que, lorsque nous l'entendons en pays étranger, cela nous fait tressaillir...
— Je voudrais avoir un confesseur des Provinces, ajouta plus bas le bandit.

Il reprit après un silence:

— Je suis d'Elizondo, lui répondis-je en basque, fort ému de l'entendre parler ma langue.

— Moi, je suis d'Etchalar, dit-elle. (C'est un pays à quatre heures de chez nous.) J'ai été emmenée par des bohémiens à Séville. Je travaillais à la manufacture pour gagner de quoi retourner en Navarre, près de ma pauvre mère qui n'a que moi pour soutien, et un petit *barratcea* avec vingt pommiers à cidre! Ah! si j'étais au pays, devant la montagne blanche ! On m'a insultée parce que je ne suis pas de ce pays de filous, marchands d'oranges pourries; et ces gueuses se sont mises toutes contre moi, parce que je leur ai dit que tous leurs *jaques* de Séville, avec leurs couteaux, ne feraient pas peur à un gars de chez nous avec son béret bleu et son *maquila*. Camarade, mon ami, ne ferez-vous rien pour une payse ?

Elle mentait, monsieur, elle a toujours menti. Je ne sais pas si dans sa vie cette fille-là a jamais dit un mot de vérité; mais, quand elle parlait, je la croyais: c'était plus fort que moi. Elle estropiait le basque, et je la crus Navarraise; ses yeux seuls et sa bouche et son teint la disaient bohémienne. J'étais fou, je ne faisais plus attention à rien. Je pensais que, si des Espagnols s'étaient avisés de mal parler du pays, je leur aurais coupé la figure, tout comme elle venait de faire à sa camarade. Bref, j'étais comme un homme ivre; je commençais à dire des bêtises, j'étais tout près d'en faire.

— Si je vous poussais, et si vous tombiez, mon pays, reprit-elle en basque, ce ne seraient pas ces deux conscrits de Castillans qui me retiendraient . . .

Ma foi, j'oubliai la consigne et tout, et je lui dis:

— Eh bien, m'amie, ma payse, essayez, et que Notre-Dame de la Montagne vous soit en aide !

En ce moment, nous passions devant une de ces ruelles étroites comme il y en a tant à Séville. Tout à coup Carmen se retourne et me lance un coup de poing dans la poitrine. Je me laissai tomber exprès à la renverse. D'un bond, elle saute par-dessus moi et se met à courir en nous montrant une paire de jambes ! . . . On dit jambes de Basque: les siennes en valaient bien d'autres . . . aussi vites que bien tournées. Moi, je me relève aussitôt, mais je mets ma lance en travers, de façon à barrer la rue, si bien que, de prime abord, les camarades furent arrêtés au moment de la poursuivre. Puis je me mis moi-même à courir, et eux après moi; mais l'atteindre! Il n'y avait pas de risque, avec nos éperons, nos sabres et nos lances! En moins de temps que je n'en mets à vous le dire, la prisonnière avait disparu. D'ailleurs, toutes les commères du quartier favorisaient sa fuite, et se moquaient de nous, et nous indiquaient la fausse voie. Après plusieurs marches et contre-marches, il fallut nous en revenir au corps de garde sans un reçu du gouverneur de la prison.

Mes hommes, pour n'être pas punis, dirent que Carmen m'avait parlé basque; et il ne paraissait pas trop naturel, pour dire la vérité, qu'un coup de poing d'une tant petite fille eût terrassé si facilement un gaillard de ma force. Tout cela parut louche, ou plutôt trop clair. En descendant la garde, je fus dégradé et envoyé pour un mois à la prison. C'était ma première punition depuis que j'étais au service. Adieu les galons de maréchal des logis que je croyais déjà tenir!

Mes premiers jours de prison se passèrent fort tristement. En me faisant soldat, je m'étais figuré que je deviendrais tout au moins officier: Longa, Mina, mes compatriotes, sont bien capitaines généraux; Chapalangarra, qui est un négro comme Mina, et réfugié comme lui dans votre pays, Chapalangarra était colonel, et j'ai joué à la paume vingt fois avec son frère, qui était un pauvre diable comme moi. Maintenant je me disais: Tout le temps que tu as servi sans punition, c'est du temps perdu. Te voilà mal noté; pour te remettre bien dans l'esprit des chefs, il te faudra travailler dix fois plus que lorsque tu es venu comme conscrit! Et pourquoi me suis-je fait punir?

Pour une coquine de bohémienne qui s'est moquée de moi, et qui, dans ce moment, est à voler dans quelque coin de la ville. Pourtant je ne pouvais m'empêcher de penser à elle. Le croiriez-vous, monsieur? ses bas de soie troués 5 qu'elle me faisait voir tout en plein en s'enfuyant, je les avais toujours devant les yeux. Je regardais par les barreaux de la prison dans la rue, et, parmi toutes les femmes qui passaient, je n'en voyais pas une seule qui valût cette diable de fille-là. Et puis, malgré moi, je sentais la fleur 10 de cassie qu'elle m'avait jetée, et qui, sèche, gardait toujours sa bonne odeur ... S'il y a des sorcières, cette fille-là en était une!

Un jour, le geôlier entre et me donne un pain d'Alcalà.

— Tenez, dit-il, voilà ce que votre cousine vous en- 15 voie.

Je pris le pain, fort étonné, car je n'avais pas de cousine à Séville. C'est peut-être une erreur, pensai-je en regardant le pain; mais il était si appétissant, il sentait si bon, que, sans m'inquiéter de savoir d'où il venait et à 20 qui il était destiné, je résolus de le manger. En voulant le couper, mon couteau rencontra quelque chose de dur. Je regarde, et je trouve une petite lime anglaise qu'on avait glissée dans la pâte avant que le pain fût cuit. Il y avait encore dans le pain une pièce d'or de deux piastres. 25 Plus de doute alors, c'était un cadeau de Carmen. Pour les gens de sa race, la liberté est tout, et ils mettraient le feu à une ville pour s'épargner un jour de prison. D'ailleurs, la commère était fine, et avec ce pain-là on se moquait des geôliers. En une heure, le plus gros barreau 30 était scié avec la petite lime, et avec la pièce de deux piastres, chez le premier fripier, je changeais ma capote d'uniforme pour un habit bourgeois. Vous pensez bien qu'un homme qui avait déniché maintes fois des aiglons dans nos rochers ne s'embarrassait guère de descendre dans la rue d'une fenêtre haute de moins de trente pieds; mais je ne voulais pas m'échapper. J'avais encore mon honneur de soldat, et déserter me semblait un grand crime. Seulement, je fus touché de cette marque de souvenir. Quand on est en prison, on aime à penser qu'on a dehors un ami qui s'intéresse à vous. La pièce d'or m'offusquait un peu, j'aurais bien voulu la rendre; mais où trouver mon créancier ? Cela ne me semblait pas facile.

8. Après la cérémonie de la dégradation, je croyais n'avoir plus rien à souffrir; mais il me restait encore une humiliation à dévorer: ce fut à ma sortie de prison, lorsqu'on me commanda de service et qu'on me mit en faction comme un simple soldat. Vous ne pouvez vous figurer ce qu'un homme de cœur éprouve en pareille occasion. Je crois que j'aurais aimé autant à être fusillé. Au moins on marche seul, en avant de son peloton; on se sent quelque chose; le monde vous regarde.

Je fus mis en faction à la porte du colonel. C'était un jeune homme riche, bon enfant, qui aimait à s'amuser. Tous les jeunes officiers étaient chez lui, et force bourgeois, des femmes aussi, des actrices, à ce qu'on disait. Pour moi, il me semblait que toute la ville s'était donné rendez-vous à sa porte pour me regarder. Voilà qu'arrive la voiture du colonel, avec son valet de chambre sur le siège. Qu'est-ce que je vois descendre ? La gitanilla. Elle était parée, cette fois, comme une châsse, pomponnée, attifée, tout or et tout rubans. Une robe à paillettes, des souliers bleus à paillettes aussi, des fleurs et des galons partout. Elle avait un tambour de basque à la main. Avec elle il y avait deux autres bohémiennes, une jeune et une

vieille. Il y a toujours une vieille pour les mener, puis un vieux avec une guitare, bohémien aussi, pour jouer et les faire danser. Vous savez qu'on s'amuse souvent à faire venir des bohémiennes dans les sociétés, afin de leur faire danser
5 la *romalis*, c'est leur danse, et souvent bien autre chose.

Carmen me reconnut, et nous échangeâmes un regard. Je ne sais, mais, en ce moment, j'aurais voulu être à cent pieds sous terre.

— *Agur laguna*, dit-elle. Mon officier, tu montes la
10 garde comme un conscrit !

Et, avant que j'eusse trouvé un mot à répondre, elle était dans la maison.

Toute la société était dans le patio, et, malgré la foule, je voyais à peu près tout ce qui se passait à travers la
15 grille. J'entendais les castagnettes, le tambour, les rires et les bravos; parfois j'apercevais sa tête quand elle sautait avec son tambour. Puis j'entendais encore des officiers qui lui disaient bien des choses qui me faisaient monter le rouge à la figure. Ce qu'elle répondait, je n'en
20 savais rien. C'est de ce jour-là, je pense, que je me mis à l'aimer pour tout de bon, car l'idée me vint trois ou quatre fois d'entrer dans le patio, et de donner de mon sabre dans le ventre à tous ces freluquets qui lui contaient fleurettes. Mon supplice dura une bonne heure; puis les
25 bohémiens sortirent, et la voiture les ramena. Carmen, en passant, me regarda encore avec les yeux que vous savez, et me dit très bas:

— Pays, quand on aime la bonne friture, on en va manger à Triana, chez Lillas Pastia.

30 Légère comme un cabri, elle s'élança dans la voiture, le cocher fouetta ses mules, et toute la bande joyeuse s'en fut je ne sais où.

Courtesy of MM. Trahard and Champion, editors of Mérimée's Œuvres complètes

GITANE DANSANT, par Gustave Doré

Vous devinez bien qu'en descendant ma garde j'allai à Triana; mais d'abord je me fis raser et je me brossai comme pour un jour de parade. Elle était chez Lillas Pastia, un vieux marchand de friture, bohémien, noir 5 comme un Maure, chez qui beaucoup de bourgeois venaient manger du poisson frit, surtout, je crois, depuis que Carmen y avait pris ses quartiers.

— Lillas, dit-elle sitôt qu'elle me vit, je ne fais plus rien de la journée. Demain il fera jour! Allons, pays, allons 10 nous promener.

Elle mit sa mantille devant son nez, et nous voilà dans la rue, sans savoir où j'allais.

— Mademoiselle, lui dis-je, je crois que j'ai à vous remercier d'un présent que vous m'avez envoyé quand j'étais 15 en prison. J'ai mangé le pain, la lime me servira pour affiler ma lance, et je la garde comme souvenir de vous; mais l'argent, le voilà.

— Tiens! Il a gardé l'argent, s'écria-t-elle en éclatant de rire. Au reste, tant mieux, car je ne suis guère en fonds; 20 mais qu'importe? chien qui chemine ne meurt pas de famine. Allons, mangeons tout. Tu me régales.

Nous avions repris le chemin de Séville. A l'entrée de la rue du Serpent, elle acheta une douzaine d'oranges, qu'elle me fit mettre dans mon mouchoir. Un peu plus 25 loin, elle acheta encore un pain, du saucisson, une bouteille de manzanilla, puis enfin elle entra chez un confiseur. Là, elle jeta sur le comptoir la pièce d'or que je lui avais rendue, une autre encore qu'elle avait dans sa poche, avec quelque argent blanc; enfin elle me demanda tout ce que j'avais. 30 Je n'avais qu'une piécette et quelques cuartos, que je lui donnai, fort honteux de n'avoir pas davantage. Je crus qu'elle voulait emporter toute la boutique. Elle prit tout ce qu'il y avait de plus beau et de plus cher, *yemas*, *turon*, fruits confits, tant que l'argent dura. Tout cela, il fallut encore que je le portasse dans des sacs de papier. Vous connaissez peut-être la rue du Candilejo, où il y a une tête du roi don Pedro le Justicier. Elle aurait dû m'inspirer des réflexions. Nous nous arrêtâmes, dans cette rue-là, devant une vieille maison. Elle entra dans l'allée, et frappa au rez-de-chaussée. Une bohémienne, vraie servante de Satan, vint nous ouvrir. Carmen lui dit quelques mots en rommani. La vieille grogna d'abord. Pour l'apaiser, Carmen lui donna deux oranges et une poignée de bonbons, et lui permit de goûter au vin. Puis elle lui mit sa mante sur le dos et la conduisit à la porte, qu'elle ferma avec la barre de bois. Dès que nous fûmes seuls, elle se mit à danser et à rire comme une folle, en chantant:

— Tu es mon *rom*, je suis ta *romi*.

Moi, j'étais au milieu de la chambre, chargé de toutes ses emplettes, ne sachant où les poser. Elle jeta tout par terre, et me sauta au cou, en me disant:

— Je paye mes dettes, je paye mes dettes! c'est la loi des *calés!*

Ah! monsieur, cette journée-là! cette journée-là!... quand j'y pense, j'oublie celle de demain.

Le bandit se tut un instant; puis, après avoir rallumé son cigare, il reprit:

Nous passâmes ensemble toute la journée, mangeant, buvant, et le reste. Quand elle eut mangé des bonbons comme un enfant de six ans, elle en fourra des poignées dans la jarre d'eau de la vieille. « C'est pour lui faire du sorbet, » disait-elle. Elle écrasait des yemas en les lançant contre la muraille. « C'est pour que les mouches

nous laissent tranquilles, » disait-elle . . . Il n'y a pas de tour ni de bêtise qu'elle ne fît. Je lui dis que je voudrais la voir danser; mais où trouver des castagnettes ? Aussitôt elle prend la seule assiette de la vieille, la casse en
5 morceaux, et la voilà qui danse la romalis en faisant claquer les morceaux de faïence aussi bien que si elle avait eu des castagnettes d'ébène ou d'ivoire. On ne s'ennuyait pas auprès de cette fille-là, je vous en réponds. Le soir vint, et j'entendis les tambours qui battaient la
10 retraite.

— Il faut que j'aille au quartier pour l'appel, lui dis-je.

— Au quartier ? dit-elle d'un air de mépris; tu es donc un nègre, pour te laisser mener à la baguette ? Tu es un vrai canari, d'habit et de caractère. Va, tu as un cœur
15 de poulet.

Je restai, résigné d'avance à la salle de police. Le matin, ce fut elle qui parla la première de nous séparer.

— Écoute, Joseito, dit-elle; t'ai-je payé ? D'après notre loi, je ne te devais rien, puisque tu es un *payllo;*
20 mais tu es un joli garçon, et tu m'as plu. Nous sommes quittes. Bonjour.

Je lui demandai quand je la reverrais.

— Quand tu seras moins niais, répondit-elle en riant. Puis, d'un ton plus sérieux: Sais-tu, mon fils, que je crois
25 que je t'aime un peu ? Mais cela ne peut durer. Chien et loup ne font pas longtemps bon ménage. Peut-être que, si tu prenais la loi d'Égypte, j'aimerais à devenir ta romi. Mais ce sont des bêtises; cela ne se peut pas. Bah ! mon garçon, crois-moi, tu en es quitte à bon compte.
30 Tu as rencontré le diable, oui, le diable; il n'est pas toujours noir, et il ne t'a pas tordu le cou. Je suis habillée de laine, mais je ne suis pas mouton. Va mettre un cierge

devant ta Majari; elle l'a bien gagnée. Allons, adieu encore une fois. Ne pense plus à Carmencita, ou elle te ferait épouser une veuve à jambes de bois.

En parlant ainsi, elle défaisait la barre qui fermait la porte, et une fois dans la rue elle s'enveloppa dans sa mantille et me tourna les talons. 5

9. Elle disait vrai. J'aurais été sage de ne plus penser à elle; mais, depuis cette journée dans la rue du Candilejo, je ne pouvais plus songer à autre chose. Je me promenais tout le jour, espérant la rencontrer. J'en demandais 10 des nouvelles à la vieille et au marchand de friture. L'un et l'autre répondaient qu'elle était partie pour Lalorò, c'est ainsi qu'ils appellent le Portugal. Probablement c'était d'après les instructions de Carmen qu'ils parlaient de la sorte, mais je ne tardai pas à savoir qu'ils mentaient. 15 Quelques semaines après ma journée de la rue du Candilejo, je fus de faction à une des portes de la ville. A peu de distance de cette porte, il y avait une brèche qui s'était faite dans le mur d'enceinte; on y travaillait pendant le jour, et la nuit on y mettait un factionnaire pour 20 empêcher les fraudeurs. Pendant le jour, je vis Lillas Pastia passer et repasser autour du corps de garde, et causer avec quelques-uns de mes camarades; tous le connaissaient, et ses poissons et ses beignets encore mieux. Il s'approcha de moi et me demanda si j'avais des nou- 25 velles de Carmen.

— Non, lui dis-je.

— Eh bien, vous en aurez, compère.

Il ne se trompait pas. La nuit, je fus mis de faction à la brèche. Dès que le brigadier se fut retiré, je vis venir 30 à moi une femme. Le cœur me disait que c'était Carmen. Cependant je criai:

— Au large ! On ne passe pas !

— Ne faites donc pas le méchant, me dit-elle en se faisant connaître à moi.

— Quoi ! vous voilà, Carmen !

— Oui, mon pays. Parlons peu, parlons bien. Veux-tu gagner un douro ? Il va venir des gens avec des paquets; laisse-les faire.

— Non, répondis-je. Je dois les empêcher de passer; c'est la consigne.

— La consigne ! la consigne ! Tu n'y pensais pas rue du Candilejo.

— Ah ! répondis-je, tout bouleversé par ce seul souvenir, cela valait bien la peine d'oublier la consigne; mais je ne veux pas de l'argent des contrebandiers.

— Voyons; si tu ne veux pas d'argent, veux-tu que nous allions encore dîner chez la vieille Dorothée ?

— Non ! dis-je à moitié étranglé par l'effort que je faisais. Je ne puis pas.

— Fort bien. Si tu es si difficile, je sais à qui m'adresser. J'offrirai à ton officier d'aller chez Dorothée. Il a l'air d'un bon enfant, et il fera mettre en sentinelle un gaillard qui ne verra que ce qu'il faudra voir. Adieu, canari. Je rirai bien le jour où la consigne sera de te pendre.

J'eus la faiblesse de la rappeler, et je promis de laisser passer toute la Bohême, s'il le fallait, pourvu que j'obtinsse la seule récompense que je désirais. Elle me jura aussitôt de me tenir parole dès le lendemain, et courut prévenir ses amis, qui étaient à deux pas. Il y en avait cinq, dont était Pastia, tous bien chargés de marchandises anglaises. Carmen faisait le guet. Elle devait avertir avec ses castagnettes dès qu'elle apercevrait la ronde, mais elle n'en eut pas besoin. Les fraudeurs firent leur affaire en un instant.

Le lendemain, j'allai rue du Candilejo. Carmen se fit attendre, et vint d'assez mauvaise humeur.

— Je n'aime pas les gens qui se font prier, dit-elle. Tu m'as rendu un plus grand service la première fois, sans savoir si tu y gagnerais quelque chose. Hier, tu as marchandé avec moi. Je ne sais pas pourquoi je suis venue, car je ne t'aime plus. Tiens, va-t'en, voilà un douro pour ta peine.

Peu s'en fallut que je ne lui jetasse la pièce à la tête, et je fus obligé de faire un effort violent sur moi-même pour ne pas la battre. Après nous être disputés pendant une heure, je sortis furieux. J'errai quelque temps par la ville, marchant deçà et delà comme un fou; enfin j'entrai dans une église, et, m'étant mis dans le coin le plus obscur, je pleurai à chaudes larmes. Tout d'un coup j'entends une voix:

— Larmes de dragon! j'en veux faire un philtre.

Je lève les yeux, c'était Carmen en face de moi.

— Eh bien, mon pays, m'en voulez-vous encore? me dit-elle. Il faut bien que je vous aime, malgré que j'en aie, car, depuis que vous m'avez quittée, je ne sais ce que j'ai. Voyons, maintenant c'est moi qui te demande si tu veux venir rue du Candilejo.

Nous fîmes donc la paix; mais Carmen avait l'humeur comme est le temps chez nous. Jamais l'orage n'est si près dans nos montagnes que lorsque le soleil est le plus brillant. Elle m'avait promis de me revoir une autre fois chez Dorothée, et elle ne vint pas. Et Dorothée me dit de plus belle qu'elle était allée à Laloró pour les affaires d'Égypte.

Sachant déjà par expérience à quoi m'en tenir là-dessus, je cherchais Carmen partout où je croyais qu'elle pouvait être, et je passais vingt fois par jour dans la rue du Candilejo. Un soir, j'étais chez Dorothée, que j'avais presque apprivoisée en lui payant de temps à autre quelque verre d'anisette, lorsque Carmen entra suivie d'un jeune homme, lieutenant dans notre régiment.

— Va-t'en vite, me dit-elle en basque.

Je restai stupéfait, la rage dans le cœur.

— Qu'est-ce que tu fais ici ? me dit le lieutenant. Décampe, hors d'ici !

Je ne pouvais faire un pas; j'étais comme perclus. L'officier, en colère, voyant que je ne me retirais pas, et que je n'avais pas même ôté mon bonnet de police, me prit au collet et me secoua rudement. Je ne sais ce que je lui dis. Il tira son épée, et je dégaînai. La vieille me saisit le bras, et le lieutenant me donna un coup au front, dont je porte encore la marque. Je reculai, et d'un coup de coude je jetai Dorothée à la renverse; puis, comme le lieutenant me poursuivait, je lui mis la pointe au corps, et il s'enferra. Carmen alors éteignit la lampe, et dit dans sa langue à Dorothée de s'enfuir. Moi-même je me sauvai dans la rue, et me mis à courir sans savoir où. Il me semblait que quelqu'un me suivait. Quand je revins à moi, je trouvai que Carmen ne m'avait pas quitté.

— Grand niais de canari ! me dit-elle, tu ne sais faire que des bêtises. Aussi bien, je te l'ai dit que je te porterais malheur. Allons, il y a remède à tout, quand on a pour bonne amie une flamande de Rome. Commence par mettre ce mouchoir sur ta tête, et jette-moi ce ceinturon. Attends-moi dans cette allée. Je reviens dans deux minutes.

Elle disparut, et me rapporta bientôt une mante rayée qu'elle était allée chercher je ne sais où. Elle me fit quitter mon uniforme, et mettre la mante par-dessus ma chemise. Ainsi accoutré, avec le mouchoir dont elle avait bandé la plaie que j'avais à la tête, je ressemblais assez à un paysan valencien, comme il y en a à Séville, qui viennent vendre leur orgeat de *chufas*. Puis elle me mena dans une maison assez semblable à celle de Dorothée, au fond d'une petite ruelle. Elle et une autre bohémienne me lavèrent, me pansèrent mieux que n'eût pu le faire un chirurgien-major, me firent boire je ne sais quoi; enfin, on me mit sur un matelas, et je m'endormis.

Probablement ces femmes avaient mêlé dans ma boisson quelques-unes de ces drogues assoupissantes dont elles ont le secret, car je ne m'éveillai que fort tard le lendemain. J'avais un grand mal de tête et un peu de fièvre. Il fallut quelque temps pour que le souvenir me revînt de la terrible scène où j'avais pris part la veille. Après avoir pansé ma plaie, Carmen et son amie, accroupies toutes les deux sur les talons auprès de mon matelas, échangèrent quelques mots en *chipe calli*, qui paraissaient être une consultation médicale. Puis toutes les deux m'assurèrent que je serais guéri avant peu, mais qu'il fallait quitter Séville le plus tôt possible; car, si l'on m'y attrapait, j'y serais fusillé sans rémission.

— Mon garçon, me dit Carmen, il faut que tu fasses quelque chose; maintenant que le roi ne te donne plus ni riz ni merluche, il faut que tu songes à gagner ta vie. Tu es trop bête pour voler *à pastesas;* mais tu es leste et fort: si tu as du cœur, va-t'en à la côte, et fais-toi contrebandier. Ne t'ai-je pas promis de te faire pendre? Cela vaut mieux que d'être fusillé. D'ailleurs, si tu sais t'y prendre, tu vivras comme un prince, aussi longtemps que les miñons et les gardes-côtes ne te mettront pas la main sur le collet.

10. Ce fut de cette façon engageante que cette diable de
5 fille me montra la nouvelle carrière qu'elle me destinait, la seule, à vrai dire, qui me restât, maintenant que j'avais encouru la peine de mort. Vous le dirai-je, monsieur ? elle me détermina sans beaucoup de peine. Il me semblait que je m'unissais à elle plus intimement par cette vie de
10 hasards et de rébellion. Désormais je crus m'assurer son amour. J'avais entendu souvent parler de quelques contrebandiers qui parcouraient l'Andalousie, montés sur un bon cheval, l'espingole au poing, leur maîtresse en croupe. Je me voyais déjà trottant par monts et par vaux avec
15 la gentille bohémienne derrière moi. Quand je lui parlais de cela, elle riait à se tenir les côtes, et me disait qu'il n'y a rien de si beau qu'une nuit passée au bivouac, lorsque chaque rom se retire avec sa romi sous sa petite tente formée de trois cerceaux, avec une couverture par-dessus.

20 — Si je te tiens jamais dans la montagne, lui disais-je, je serai sûr de toi ! Là, il n'y a pas de lieutenant pour partager avec moi.

— Ah ! tu es jaloux, répondit-elle. Tant pis pour toi. Comment es-tu assez bête pour cela ? Ne vois-tu pas que
25 je t'aime, puisque je ne t'ai jamais demandé d'argent ?

Lorsqu'elle parlait ainsi, j'avais envie de l'étrangler.

Pour le faire court, monsieur, Carmen me procura un habit bourgeois, avec lequel je sortis de Séville sans être reconnu. J'allai à Jerez avec une lettre de Pastia pour un
30 marchand d'anisette chez qui se réunissaient des contrebandiers. On me présenta à ces gens-là, dont le chef, surnommé le Dancaïre, me reçut dans sa troupe. Nous

Courtesy of MM. Trahard and Champion, editors of Mérimée's Œuvres complètes

CONTREBANDIER DE RONDA ET SON AMIE
Par Gustave Doré

partîmes pour Gaucin, où je retrouvai Carmen, qui m'y avait donné rendez-vous. Dans les expéditions, elle servait d'espion à nos gens, et de meilleur il n'y en eut jamais. Elle revenait de Gibraltar, et déjà elle avait arrangé avec 5 un patron de navire l'embarquement de marchandises anglaises que nous devions recevoir sur la côte. Nous allâmes les attendre près d'Estepona, puis nous en cachâmes une partie dans la montagne; chargés du reste, nous nous rendîmes à Ronda. Carmen nous y avait pré- 10 cédés. Ce fut elle encore qui nous indiqua le moment où nous entrerions en ville. Ce premier voyage et quelques autres après furent heureux. La vie de contrebandier me plaisait mieux que la vie de soldat; je faisais des cadeaux à Carmen. J'avais de l'argent et une maîtresse. Je n'avais 15 guère de remords, car, comme disent les bohémiens: Gale avec plaisir ne démange pas. Partout nous étions bien reçus; mes compagnons me traitaient bien, et même me témoignaient de la considération. La raison, c'était que j'avais tué un homme, et parmi eux il y en avait qui n'a- 20 vaient pas un pareil exploit sur la conscience.

Notre troupe, qui se composait de huit ou dix hommes, ne se réunissait guère que dans les moments décisifs, et d'ordinaire nous étions dispersés deux à deux, trois à trois, dans les villes et les villages. Chacun de nous prétendait 25 avoir un métier: celui-ci était chaudronnier, celui-là maquignon; moi, j'était marchand de merceries, mais je ne me montrais guère dans les gros endroits, à cause de ma mauvaise affaire de Séville. Un jour, ou plutôt une nuit, notre rendez-vous était au bas de Véger. Le Dancaïre et 30 moi nous nous y trouvâmes avant les autres. Il paraissait fort gai.

— Nous allons avoir un camarade de plus, me dit-il.

Carmen vient de faire un de ses meilleurs tours. Elle vient de faire échapper son rom qui était au presidio à Tarifa.

Je commençais déjà à comprendre le bohémien, que parlaient presque tous mes camarades, et ce mot de rom me causa un saisissement.

— Comment ! son mari ! elle est donc mariée ? demandai-je au capitaine.

— Oui, répondit-il, à Garcia le Borgne, un bohémien aussi futé qu'elle. Le pauvre garçon était aux galères. Carmen a si bien embobeliné le chirurgien du presidio, qu'elle en a obtenu la liberté de son rom. Ah ! cette fille-là vaut son pesant d'or. Il y a deux ans qu'elle cherche à le faire évader. Rien n'a réussi, jusqu'au moment où l'on s'est avisé de changer le major. Avec celui-ci, il paraît qu'elle a trouvé bien vite le moyen de s'entendre.

Vous vous imaginez le plaisir que me fit cette nouvelle. Je vis bientôt Garcia le Borgne; c'était bien le plus vilain monstre que la Bohême ait nourri: noir de peau et plus noir d'âme, c'était le plus franc scélérat que j'aie rencontré dans ma vie. Carmen vint avec lui, et, lorsqu'elle l'appelait son rom devant moi, il fallait voir les yeux qu'elle me faisait, et ses grimaces quand Garcia tournait la tête. J'étais indigné, et je ne lui parlais pas de la nuit. Le matin nous avions fait nos ballots, et nous étions déjà en route, quand nous nous aperçûmes qu'une douzaine de cavaliers étaient à nos trousses. Les fanfarons Andalous, qui ne parlaient que de tout massacrer, firent aussitôt piteuse mine. Ce fut un sauve-qui-peut général. Le Dancaïre, Garcia, un joli garçon d'Ecija, qui s'appelait le Remendado, et Carmen ne perdirent pas la tête. Le reste avait abandonné les mulets, et s'était jeté dans les ravins où les chevaux ne pouvaient les suivre. Nous ne pouvions conserver nos bêtes, et nous nous hâtâmes de défaire le meilleur de notre butin, et de le charger sur nos épaules, puis nous essayâmes de nous sauver au travers des rochers par les pentes les plus raides. Nous jetions nos ballots devant nous, et nous les suivions de notre mieux en glissant sur les talons. Pendant ce temps-là, l'ennemi nous canardait; c'était la première fois que j'entendais siffler les balles, et cela ne me fit pas grand'chose. Quand on est en vue d'une femme, il n'y a pas de mérite à se moquer de la mort. Nous nous échappâmes, excepté le pauvre Remendado, qui reçut un coup de feu dans les reins. Je jetai mon paquet, et j'essayai de le prendre.

— Imbécile ! me cria Garcia, qu'avons-nous affaire d'une charogne ? achève-le et ne perds pas les bas de coton.

— Jette-le ! me criait Carmen.

La fatigue m'obligea de le déposer un moment à l'abri d'un rocher. Garcia s'avança, et lui lâcha son espingole dans la tête.

— Bien habile qui le reconnaîtrait maintenant, dit-il en regardant sa figure que douze balles avaient mise en morceaux.

Voilà, monsieur, la belle vie que j'ai menée. Le soir, nous nous trouvâmes dans un hallier, épuisés de fatigue, n'ayant rien à manger et ruinés par la perte de nos mulets. Que fit cet infernal Garcia ? il tira un paquet de cartes de sa poche, et se mit à jouer avec le Dancaïre à la lueur d'un feu qu'ils allumèrent. Pendant ce temps-là, moi, j'étais couché, regardant les étoiles, pensant au Remendado, et me disant que j'aimerais autant être à sa place. Carmen était accroupie près de moi, et de temps en temps elle faisait un roulement de castagnettes en chantonnant.

Puis, s'approchant comme pour me parler à l'oreille, elle m'embrassa, presque malgré moi, deux ou trois fois.

— Tu es le diable, lui disais-je.

— Oui, me répondait-elle.

Après quelques heures de repos, elle s'en fut à Gaucin, 5 et le lendemain matin un petit chevrier vint nous porter du pain. Nous demeurâmes là tout le jour, et la nuit nous nous rapprochâmes de Gaucin. Nous attendions des nouvelles de Carmen. Rien ne venait. Au jour, nous voyons un muletier qui menait une femme bien habillée, avec un 10 parasol, et une petite fille qui paraissait sa domestique. Garcia nous dit:

— Voilà deux mules et deux femmes que saint Nicolas nous envoie; j'aimerais mieux quatre mules; n'importe, j'en fais mon affaire! 15

Il prit son espingole, et descendit vers le sentier en se cachant dans les broussailles. Nous le suivions, le Dancaïre et moi, à peu de distance. Quand nous fûmes à portée, nous nous montrâmes, et nous criâmes au muletier de s'arrêter. La femme, en nous voyant, au lieu de s'ef- 20 frayer, et notre toilette aurait suffi pour cela, fait un grand éclat de rire.

— Ah! les *lillipendi* qui me prennent pour une *erañi!*

C'était Carmen, mais si bien déguisée, que je ne l'aurais pas reconnue parlant une autre langue. Elle sauta en bas 25 de sa mule, et causa quelque temps à voix basse avec le Dancaïre et Garcia, puis elle me dit:

— Canari, nous nous reverrons avant que tu sois pendu. Je vais à Gibraltar pour les affaires d'Égypte. Vous entendrez bientôt parler de moi. 30

11. Nous nous séparâmes après qu'elle nous eut indiqué un lieu où nous pourrions trouver un abri pour quelques jours. Cette fille était la providence de notre troupe. Nous reçûmes bientôt quelque argent qu'elle nous envoya, et un avis qui valait mieux pour nous: c'était que tel jour partiraient deux milords anglais, allant de Gibraltar à 5 Grenade par tel chemin. A bon entendeur, salut. Ils avaient de belles et bonnes guinées. Garcia voulait les tuer, mais le Dancaïre et moi nous nous y opposâmes. Nous ne leur prîmes que l'argent et les montres, outre les chemises, dont nous avions grand besoin.

10 Monsieur, on devient coquin sans y penser. Une jolie fille vous fait perdre la tête, on se bat pour elle, un malheur arrive, il faut vivre à la montagne, et de contrebandier on devient voleur avant d'avoir réfléchi. Nous jugeâmes qu'il ne faisait pas bon pour nous dans les environs de 15 Gibraltar après l'affaire des milords, et nous nous enfonçâmes dans la sierra de Ronda. — Vous m'avez parlé de José Maria; tenez, c'est là que j'ai fait connaissance avec lui. Il menait sa maîtresse dans ses expéditions. C'était une jolie fille, sage, modeste, de bonnes manières; jamais 20 un mot malhonnête, et un dévouement!... En revanche, il la rendait bien malheureuse. Il était toujours à courir après toutes les filles, et la malmenait, puis quelquefois il s'avisait de faire le jaloux. Une fois, il lui donna un coup de couteau. Eh bien, elle ne l'en aimait que davantage. 25 Les femmes sont ainsi faites, les Andalouses surtout. Celle-là était fière de la cicatrice qu'elle avait au bras, et la montrait comme la plus belle chose du monde. Et puis, José Maria, par-dessus le marché, était le plus mauvais camarade!... Dans une expédition que nous fîmes, il s'arrangea 30 si bien, que tout le profit lui en demeura, à nous les coups et l'embarras de l'affaire. Mais je reprends mon histoire. Nous n'entendions plus parler de Carmen. Le Dancaïre dit:

Courtesy of MM. Trahard and Champion, editors of Mérimée's Œuvres complètes

CONTREBANDIERS DANS LA SIERRA DE RONDA
Par Gustave Doré

— Il faut qu'un de nous aille à Gibraltar pour en avoir des nouvelles; elle doit avoir préparé quelque affaire. J'irais bien, mais je suis trop connu à Gibraltar.

Le Borgne dit:

5 — Moi aussi, on m'y connaît, j'y ai fait tant de farces aux Écrevisses; et, comme je n'ai qu'un œil, je suis difficile à déguiser.

— Il faut donc que j'y aille ? dis-je à mon tour, enchanté à la seule idée de revoir Carmen; voyons, que 10 faut-il faire ?

Les autres me dirent:

— Fais tant que de t'embarquer ou de passer par Saint-Roc, comme tu aimeras le mieux, et, lorsque tu seras à Gibraltar, demande sur le port où demeure une marchande 15 de chocolat qui s'appelle la Rollona; quand tu l'auras trouvée, tu sauras d'elle ce qui se passe là-bas.

Il fut convenu que nous partirions tous les trois pour la sierra de Gaucin, que j'y laisserais mes deux compagnons, et que je me rendrais à Gibraltar comme un marchand de 20 fruits. A Ronda, un homme qui était à nous m'avait procuré un passeport; à Gaucin, on me donna un âne: je le chargeai d'oranges et de melons, et je me mis en route. Arrivé à Gibraltar, je trouvai qu'on y connaissait bien la Rollona, mais elle était morte ou elle était allée à *finibus* 25 *terræ*, et sa disparition expliquait, à mon avis, comment nous avions perdu notre moyen de correspondre avec Carmen. Je mis mon âne dans une écurie, et, prenant mes oranges, j'allais par la ville comme pour les vendre, mais, en effet, pour voir si je ne rencontrerais pas quelque 30 figure de connaissance. Il y a là force canaille de tous les pays du monde, et c'est la tour de Babel, car on ne saurait faire dix pas dans une rue sans entendre parler autant de langues. Je voyais bien des gens d'Égypte, mais je n'osais guère m'y fier; je les tâtais, et ils me tâtaient. Nous devinions bien que nous étions des coquins; l'important était de savoir si nous étions de la même bande. Après deux jours passés en courses inutiles, je n'avais rien appris 5 touchant la Rollona ni Carmen, et je pensais à retourner auprès de mes camarades après avoir fait quelques emplettes, lorsqu'en me promenant dans une rue, au coucher du soleil, j'entends une voix de femme d'une fenêtre qui me dit: « Marchand d'oranges ! . . . » Je lève la tête, et je 10 vois à un balcon Carmen, accoudée avec un officier en rouge, épaulettes d'or, cheveux frisés, tournure d'un gros milord. Pour elle, elle était habillée superbement: un châle sur ses épaules, un peigne d'or, toute en soie; et la bonne pièce, toujours la même ! riait à se tenir les côtes. 15 L'Anglais, en baragouinant l'espagnol, me cria de monter, que madame voulait des oranges; et Carmen me dit en basque:

— Monte, et ne t'étonne de rien.

Rien, en effet, ne devait m'étonner de sa part. Je ne 20 sais si j'eus plus de joie que de chagrin en la retrouvant. Il y avait à la porte un grand domestique anglais, poudré, qui me conduisit dans un salon magnifique. Carmen me dit aussitôt en basque:

— Tu ne sais pas un mot d'espagnol, tu ne me connais 25 pas.

Puis, se tournant vers l'Anglais:

— Je vous le disais bien, je l'ai tout de suite reconnu pour un Basque; vous allez entendre quelle drôle de langue. Comme il a l'air bête, n'est-ce pas ? On dirait 30 un chat surpris dans un garde-manger.

— Et toi, lui dis-je dans ma langue, tu as l'air d'une

effrontée coquine, et j'ai bien envie de te balafrer la figure devant ton galant.

— Mon galant ! dit-elle, tiens, tu as deviné cela tout seul ? Et tu es jaloux de cet imbécile-là ? Tu es encore 5 plus niais qu'avant nos soirées de la rue du Candilejo. Ne vois-tu pas, sot que tu es, que je fais en ce moment les affaires d'Égypte, et de la façon la plus brillante ? Cette maison est à moi, les guinées de l'écrevisse seront à moi; je le mène par le bout du nez, je le mènerai d'où il ne 10 sortira jamais.

— Et moi, lui dis-je, si tu fais encore les affaires d'Égypte de cette manière-là, je ferai si bien que tu ne recommenceras plus.

— Ah ! oui-dà ! Es-tu mon rom, pour me commander ? 15 Le Borgne le trouve bon, qu'as-tu à y voir ? Ne devrais-tu pas être bien content d'être le seul qui se puisse dire mon *minchorrô ?*

— Qu'est-ce qu'il dit ? demanda l'Anglais.

— Il dit qu'il a soif et qu'il boirait bien un coup, ré-20 pondit Carmen.

Et elle se renversa sur un canapé en éclatant de rire à sa traduction.

Monsieur, quand cette fille-là riait, il n'y avait pas moyen de parler raison. Tout le monde riait avec elle. 25 Ce grand Anglais se mit à rire aussi, comme un imbécile qu'il était, et ordonna qu'on m'apportât à boire.

Pendant que je buvais:

— Vois-tu cette bague qu'il a au doigt ? dit-elle; si tu veux, je te la donnerai.

30 Moi je répondis:

— Je donnerais un doigt pour tenir ton milord dans la montagne, chacun un maquila au poing.

— Maquila, qu'est-ce que cela veut dire ? demanda l'Anglais.

— Maquila, dit Carmen riant toujours, c'est une orange. N'est-ce pas un bien drôle de mot pour une orange ? Il dit qu'il voudrait vous faire manger du maquila. 5

— Oui ? dit l'Anglais. Eh bien ! apporte encore demain du maquila.

Pendant que nous parlions, le domestique entra et dit que le dîner était prêt. Alors l'Anglais se leva, me donna une piastre, et offrit son bras à Carmen, comme si elle ne 10 pouvait pas marcher seule. Carmen, riant toujours, me dit :

— Mon garçon, je ne puis t'inviter à dîner; mais demain, dès que tu entendras le tambour pour la parade, viens ici avec des oranges. Tu trouveras une chambre 15 mieux meublée que celle de la rue du Candilejo, et tu verras si je suis toujours ta Carmencita. Et puis nous parlerons des affaires d'Égypte.

Je ne répondis rien, et j'étais dans la rue que l'Anglais me criait : 20

— Apportez demain du maquila ! et j'entendais les éclats de rire de Carmen.

12. Je sortis, ne sachant ce que je ferais. Je ne dormis guère, et le matin je me trouvais si en colère contre cette traîtresse, que j'avais résolu de partir de Gibraltar sans la 25 revoir; mais, au premier roulement de tambour, tout mon courage m'abandonna : je pris ma natte d'oranges et je courus chez Carmen. Sa jalousie était entr'ouverte, et je vis son grand œil noir qui me guettait. Le domestique poudré m'introduisit aussitôt; Carmen lui donna une 30 commission, et, dès que nous fûmes seuls, elle partit d'un de ses éclats de rire de crocodile, et se jeta à mon cou. Je ne l'avais jamais vue si belle. Parée comme une madone, parfumée . . . des meubles de soie, des rideaux brodés . . . ah ! . . . et moi fait comme un voleur que j'étais.

— Minchorrô ! disait Carmen, j'ai envie de tout casser 5 ici, de mettre le feu à la maison, et de m'enfuir à la sierra.

Et c'étaient des tendresses ! . . . et puis des rires ! . . . et elle dansait, et elle déchirait ses falbalas: jamais singe ne fit plus de gambades, de grimaces, de diableries. Quand elle eut repris son sérieux:

10 — Écoute, me dit-elle, il s'agit de l'Égypte. Je veux qu'il me mène à Ronda, où j'ai une sœur religieuse . . . (Ici nouveaux éclats de rire.) Nous passons par un endroit que je te ferai dire. Vous tombez sur lui: pillé rasibus ! Le mieux serait de l'escoffier; mais, ajouta-t-elle 15 avec un sourire diabolique qu'elle avait dans de certains moments, et ce sourire-là, personne n'avait alors envie de l'imiter, — sais-tu ce qu'il faudrait faire ? Que le Borgne paraisse le premier. Tenez-vous un peu en arrière. L'Écrevisse est brave et adroit: il a de bons pistolets . . . 20 Comprends-tu ? . . .

Elle s'interrompit par un nouvel éclat de rire qui me fit frissonner.

— Non, lui dis-je: je hais Garcia, mais c'est mon camarade. Un jour peut-être je t'en débarrasserai, mais nous 25 réglerons nos comptes à la façon de mon pays. Je ne suis Égyptien que par hasard et pour certaines choses; je serai toujours franc Navarrais, comme dit le proverbe.

Elle reprit:

— Tu es une bête, un niais, un vrai *payllo*. Tu es comme 30 le nain qui se croit grand quand il a pu cracher loin. Tu ne m'aimes pas, va-t'en.

Quand elle me disait: Va-t'en, je ne pouvais jamais m'en

aller. Je promis de partir, de retourner auprès de mes camarades, et d'attendre l'Anglais. Je demeurai encore deux jours à Gibraltar. Elle eut l'audace de venir me voir déguisée dans mon auberge. Je partis; moi aussi j'avais mon projet. Je retournai à notre rendez-vous, sachant le lieu et l'heure où l'Anglais et Carmen devaient passer. Je trouvai le Dancaïre et Garcia qui m'attendaient. Nous passâmes la nuit dans un bois auprès d'un feu de pommes de pin qui flambait à merveille. Je proposai à Garcia de jouer aux cartes. Il accepta. A la seconde partie, je lui dis qu'il trichait; il se mit à rire. Je lui jetai les cartes à la figure. Il voulut prendre son espingole; je mis le pied dessus, et je lui dis: « On dit que tu sais jouer du couteau comme le meilleur jaque de Malaga; veux-tu t'essayer avec moi ? » Le Dancaïre voulut nous séparer. J'avais donné deux ou trois coups de poing à Garcia. La colère l'avait rendu brave; il avait tiré son couteau, moi le mien. Nous dîmes tous deux au Dancaïre de nous laisser place libre et franc jeu. Il vit qu'il n'y avait pas moyen de nous arrêter, et il s'écarta. Garcia était déjà ployé en deux comme un chat prêt à s'élancer contre une souris. Il tenait son chapeau de la main gauche pour parer, son couteau en avant. C'est leur garde andalouse. Moi, je me mis à la navarraise, droit en face de lui, le bras gauche levé, la jambe gauche en avant, le couteau le long de la cuisse droite. Je me sentais plus fort qu'un géant. Il se lança sur moi comme un trait; je tournai sur le pied gauche, et il ne trouva plus rien devant lui; mais je l'atteignis à la gorge, et le couteau entra si avant, que ma main était sous son menton. Je retournai la lame si fort, qu'elle se cassa. C'était fini. La lame sortit de la plaie lancée par un bouillon de sang gros comme le bras. Il tomba sur le nez, raide comme un pieu.

— Qu'as-tu fait ? me dit le Dancaïre.

— Écoute, lui dis-je: nous ne pouvions vivre ensemble. J'aime Carmen, et je veux être seul. D'ailleurs, Garcia était un coquin, et je me rappelle ce qu'il a fait au pauvre Remendado. Nous ne sommes plus que deux, mais nous sommes de bons garçons. Voyons, veux-tu de moi pour ami, à la vie, à la mort ?

Le Dancaïre me tendit la main. C'était un homme de cinquante ans.

— Au diable les amourettes ! s'écria-t-il. Si tu lui avais demandé Carmen, il te l'aurait vendue pour une piastre. Nous ne sommes plus que deux; comment ferons-nous demain ?

— Laisse-moi faire tout seul, lui répondis-je. Maintenant je me moque du monde entier.

Nous enterrâmes Garcia, et nous allâmes placer notre camp deux cents pas plus loin. Le lendemain, Carmen et son Anglais passèrent avec deux muletiers et un domestique. Je dis au Dancaïre:

— Je me charge de l'Anglais. Fais peur aux autres, ils ne sont pas armés.

L'Anglais avait du cœur. Si Carmen ne lui eût poussé le bras, il me tuait. Bref, je reconquis Carmen en ce jour-là, et mon premier mot fut de lui dire qu'elle était veuve. Quand elle sut comment cela s'était passé:

— Tu seras toujours un *lillipendi!* me dit-elle. Garcia devait te tuer. Ta garde navarraise n'est qu'une bêtise, et il en a mis à l'ombre de plus habiles que toi. C'est que son temps était venu. Le tien viendra.

— Et le tien, répondis-je, si tu n'es pas pour moi une vraie romi.

— A la bonne heure, dit-elle; j'ai vu plus d'une fois

dans du marc de café que nous devions finir ensemble. Bah ! arrive qui plante !

Et elle fit claquer ses castagnettes, ce qu'elle faisait toujours quand elle voulait chasser quelque idée importune.

On s'oublie quand on parle de soi. Tous ces détails-là 5 vous ennuient sans doute, mais j'ai bientôt fini. La vie que nous menions dura assez longtemps. Le Dancaïre et moi nous nous étions associés quelques camarades plus sûrs que les premiers, et nous nous occupions de contrebande, et aussi parfois, il faut bien l'avouer, nous arrêtions sur 10 la grande route, mais à la dernière extrémité, et lorsque nous ne pouvions faire autrement. D'ailleurs, nous ne maltraitions pas les voyageurs, et nous nous bornions à leur prendre leur argent. Pendant quelques mois, je fus content de Carmen; elle continuait à nous être utile pour 15 nos opérations, en nous avertissant des bons coups que nous pourrions faire. Elle se tenait, soit à Malaga, soit à Cordoue, soit à Grenade; mais, sur un mot de moi, elle quittait tout, et venait me retrouver dans une venta isolée, ou même au bivouac. Une fois seulement, c'était à Malaga, 20 elle me donna quelque inquiétude. Je sus qu'elle avait jeté son dévolu sur un négociant fort riche, avec lequel probablement elle se proposait de recommencer la plaisanterie de Gibraltar. Malgré tout ce que le Dancaïre put me dire pour m'arrêter, je partis, et j'entrai dans Malaga en plein 25 jour. Je cherchai Carmen, et je l'emmenai aussitôt. Nous eûmes une verte explication.

— Sais-tu, me dit-elle, que, depuis que tu es mon rom pour tout de bon, je t'aime moins que lorsque tu étais mon minchorrô ? Je ne veux pas être tourmentée, ni sur- 30 tout commandée. Ce que je veux, c'est être libre et faire ce qui me plaît. Prends garde de me pousser à bout. Si tu m'ennuies, je trouverai quelque bon garçon qui te fera comme tu as fait au Borgne.

Le Dancaïre nous raccommoda; mais nous nous étions dit des choses qui nous restaient sur le cœur, et nous n'é-
5 tions plus comme auparavant. Peu après, un malheur nous arriva. La troupe nous surprit. Le Dancaïre fut tué, ainsi que deux de mes camarades; deux autres furent pris. Moi, je fus grièvement blessé, et, sans mon bon cheval, je demeurais entre les mains des soldats. Exténué
10 de fatigue, ayant une balle dans le corps, j'allai me cacher dans un bois avec le seul compagnon qui me restât. Je m'évanouis en descendant de cheval, et je crus que j'allais crever dans les broussailles comme un lièvre qui a reçu du plomb. Mon camarade me porta dans une grotte
15 que nous connaissions, puis il alla chercher Carmen. Elle était à Grenade, et aussitôt elle accourut. Pendant quinze jours, elle ne me quitta pas d'un instant. Elle ne ferma pas l'œil; elle me soigna avec une adresse et des attentions que jamais femme n'a eues pour l'homme le plus
20 aimé. Dès que je pus me tenir sur mes jambes, elle me mena à Grenade dans le plus grand secret. Les bohémiennes trouvent partout des asiles sûrs, et je passai plus de six semaines dans une maison, à deux portes du corrégidor qui me cherchait. Plus d'une fois, regardant derrière
25 un volet, je le vis passer. Enfin je me rétablis; mais j'avais fait bien des réflexions sur mon lit de douleur, et je projetais de changer de vie. Je parlai à Carmen de quitter l'Espagne, et de chercher à vivre honnêtement dans le Nouveau-Monde. Elle se moqua de moi.

30 — Nous ne sommes pas faits pour planter des choux, dit-elle; notre destin, à nous, c'est de vivre aux dépens des *payllos*. Tiens, j'ai arrangé une affaire avec Nathan

ben-Joseph de Gibraltar. Il a des cotonnades qui n'attendent que toi pour passer. Il sait que tu es vivant. Il compte sur toi. Que diraient nos correspondants de Gibraltar, si tu leur manquais de parole ?

Je me laissai entraîner, et je repris mon vilain commerce. 5

13. Pendant que j'étais caché à Grenade, il y eut des courses de taureaux où Carmen alla. En revenant, elle parla beaucoup d'un picador très adroit nommé Lucas. Elle savait le nom de son cheval, et combien lui coûtait sa veste brodée. Je n'y fis pas attention. Juanito, le 10 camarade qui m'était resté, me dit, quelques jours après, qu'il avait vu Carmen avec Lucas chez un marchand du Zacatin. Cela commença à m'alarmer. Je demandai à Carmen comment et pourquoi elle avait fait connaissance avec le picador. 15

— C'est un garçon, me dit-elle, avec qui on peut faire une affaire. Rivière qui fait du bruit a de l'eau ou des cailloux. Il a gagné douze cents réaux aux courses. De deux choses l'une: ou bien il faut avoir cet argent; ou bien, comme c'est un bon cavalier et un gaillard de cœur, 20 on peut l'enrôler dans notre bande. Un tel et un tel sont morts, tu as besoin de les remplacer. Prends-le avec toi.

— Je ne veux, répondis-je, ni de son argent, ni de sa personne, et je te défends de lui parler.

— Prends garde, me dit-elle; lorsqu'on me défie de 25 faire une chose, elle est bientôt faite !

Heureusement, le picador partit pour Malaga, et moi, je me mis en devoir de faire entrer les cotonnades du juif. J'eus fort à faire dans cette expédition-là, Carmen aussi, et j'oubliai Lucas; peut-être aussi l'oublia-t-elle, pour le 30 moment du moins. C'est vers ce temps, monsieur, que je vous rencontrai, d'abord près de Montilla, puis après à

Cordoue. Je ne vous parlerai pas de notre dernière entrevue. Vous en savez peut-être plus long que moi. Carmen vous vola votre montre; elle voulait encore votre argent, et surtout cette bague que je vois à votre doigt, et qui, 5 dit-elle, est un anneau magique qu'il lui importait beaucoup de posséder. Nous eûmes une violente dispute, et je la frappai. Elle pâlit et pleura. C'était la première fois que je la voyais pleurer, et cela me fit un effet terrible. Je lui demandai pardon, mais elle me bouda pendant tout 10 un jour, et, quand je repartis pour Montilla, elle ne voulut pas m'embrasser. — J'avais le cœur gros, lorsque, trois jours après, elle vint me trouver l'air riant et gaie comme un pinson. Tout était oublié, et nous avions l'air d'amoureux de deux jours. Au moment de nous séparer, elle 15 me dit:

— Il y a une fête à Cordoue, je vais la voir, puis je saurai les gens qui s'en vont avec de l'argent, et je te le dirai.

Je la laissai partir. Seul, je pensai à cette fête et à ce changement d'humeur de Carmen. Il faut qu'elle se soit 20 vengée déjà, me dis-je, puisqu'elle est revenue la première. Un paysan me dit qu'il y avait des taureaux à Cordoue. Voilà mon sang qui bouillonne, et, comme un fou, je pars, et je vais à la place. On me montra Lucas, et, sur le banc contre la barrière, je reconnus Carmen. Il 25 me suffit de la voir une minute pour être sûr de mon fait. Lucas, au premier taureau, fit le joli cœur, comme je l'avais prévu. Il arracha la cocarde du taureau, et la porta à Carmen, qui s'en coiffa sur-le-champ. Le taureau se chargea de me venger. Lucas fut culbuté avec son 30 cheval sur la poitrine, et le taureau par-dessus tous les deux. Je regardai Carmen, elle n'était déjà plus à sa place. Il m'était impossible de sortir de celle où j'étais, et je fus obligé d'attendre la fin des courses. Alors j'allai à la maison que vous connaissez, et je m'y tins coi toute la soirée et une partie de la nuit. Vers deux heures du matin, Carmen revint, et fut un peu surprise de me voir.

— Viens avec moi, lui dis-je. 5

— Eh bien ! dit-elle, partons !

J'allai prendre mon cheval, je la mis en croupe, et nous marchâmes tout le reste de la nuit sans nous dire un seul mot. Nous nous arrêtâmes au jour dans une venta isolée, assez près d'un petit ermitage. Là je dis à Carmen: 10

— Écoute, j'oublie tout. Je ne te parlerai de rien; mais jure-moi une chose: c'est que tu vas me suivre en Amérique, et que tu t'y tiendras tranquille.

— Non, dit-elle d'un ton boudeur, je ne veux pas aller en Amérique. Je me trouve bien ici. 15

— C'est parce que tu es près de Lucas; mais, songes-y bien, s'il guérit, ce ne sera pas pour faire de vieux os. Au reste, pourquoi m'en prendre à lui ? Je suis las de tuer tous tes amants; c'est toi que je tuerai.

Elle me regarda fixement de son regard sauvage, et me 20 dit:

— J'ai toujours pensé que tu me tuerais. La première fois que je t'ai vu, je venais de rencontrer un prêtre à la porte de ma maison. Et cette nuit, en sortant de Cordoue, n'as-tu rien vu ? Un lièvre a traversé le chemin entre les 25 pieds de ton cheval. C'est écrit.

— Carmencita, lui demandais-je, est-ce que tu ne m'aimes plus ?

Elle ne répondit rien. Elle était assise les jambes croisées sur une natte et faisait des traits par terre avec 30 son doigt.

— Changeons de vie, Carmen, lui dis-je d'un ton suppliant. Allons vivre quelque part où nous ne serons jamais séparés. Tu sais que nous avons, pas loin d'ici, sous un chêne, cent vingt onces enterrées . . . Puis, nous avons des fonds encore chez le juif ben-Joseph.

5 Elle se mit à sourire, et me dit:

— Moi d'abord, toi ensuite. Je sais que cela doit arriver ainsi.

— Réfléchis, repris-je; je suis au bout de ma patience et de mon courage; prends ton parti, ou je prendrai le 10 mien.

Je la quittai et j'allai me promener du côté de l'ermitage. Je trouvai l'ermite qui priait. J'attendis que sa prière fût finie; j'aurais bien voulu prier, mais je ne pouvais pas. Quand il se releva, j'allai à lui.

15 — Mon père, lui dis-je, voulez-vous prier pour quelqu'un qui est en grand péril ?

— Je prie pour tous les affligés, dit-il.

— Pouvez-vous dire une messe pour une âme qui va peut-être paraître devant son Créateur ?

20 — Oui, répondit-il en me regardant fixement.

Et, comme il y avait dans mon air quelque chose d'étrange, il voulut me faire parler:

— Il me semble que je vous ai vu, dit-il.

Je mis une piastre sur son banc.

25 — Quand direz-vous la messe ? lui demandai-je.

— Dans une demi-heure. Le fils de l'aubergiste de là-bas va venir la servir. Dites-moi, jeune homme, n'avez-vous pas quelque chose sur la conscience qui vous tourmente ? voulez-vous écouter les conseils d'un chrétien ?

30 Je me sentais près de pleurer. Je lui dis que je reviendrais, et je me sauvai. J'allai me coucher sur l'herbe jusqu'à ce que j'entendisse la cloche. Alors je m'ap-

prochai, mais je restai en dehors de la chapelle. Quand la messe fut dite, je retournai à la venta. J'espérais que Carmen se serait enfuie; elle aurait pu prendre mon cheval et se sauver . . . mais je la retrouvai. Elle ne voulait pas qu'on pût dire que je lui avais fait peur. Pendant mon 5 absence, elle avait défait l'ourlet de sa robe pour en retirer le plomb. Maintenant elle était devant une table, regardant dans une terrine pleine d'eau le plomb qu'elle avait fait fondre, et qu'elle venait d'y jeter. Elle était si occupée de sa magie, qu'elle ne s'aperçut pas d'abord de 10 mon retour. Tantôt elle prenait un morceau de plomb et le tournait de tous les côtés d'un air triste, tantôt elle chantait quelqu'une de ces chansons magiques où elles invoquent Marie Padilla, la maîtresse de don Pedro, qui fut, dit-on, la *Bari Crallisa*, ou la grande reine des bohé- 15 miens.

— Carmen, lui dis-je, voulez-vous venir avec moi ?

Elle se leva, jeta sa sébile, et mit sa mantille sur sa tête comme prête à partir. On m'amena mon cheval, elle monta en croupe, et nous nous éloignâmes. 20

— Ainsi, lui dis-je, ma Carmen, après un bout de chemin, tu veux bien me suivre, n'est-ce pas ?

— Je te suis à la mort, oui, mais je ne vivrai plus avec toi.

Nous étions dans une gorge solitaire; j'arrêtai mon 25 cheval.

— Est-ce ici ? dit-elle.

Et d'un bond elle fut à terre. Elle ôta sa mantille, la jeta à ses pieds, et se tint immobile un poing sur la hanche, me regardant fixement. 30

— Tu veux me tuer, je le vois bien, dit-elle; c'est écrit, mais tu ne me feras pas céder.

— Je t'en prie, lui dis-je, sois raisonnable. Écoute-moi ! tout le passé est oublié. Pourtant, tu le sais, c'est toi qui m'as perdu ; c'est pour toi que je suis devenu un voleur et un meurtrier. Carmen ! ma Carmen ! laisse-moi te sauver 5 et me sauver avec toi.

— José, répondit-elle, tu me demandes l'impossible. Je ne t'aime plus ; tu m'aimes encore, et c'est pour cela que tu veux me tuer. Je pourrais bien encore te faire quelque mensonge ; mais je ne veux pas m'en donner la 10 peine. Tout est fini entre nous. Comme mon rom, tu as le droit de tuer ta romi ; mais Carmen sera toujours libre. Calli elle est née, calli elle mourra.

— Tu aimes donc Lucas ? lui demandai-je.

— Oui, je l'ai aimé, comme toi, un instant, moins que 15 toi peut-être. A présent, je n'aime plus rien, et je me hais pour t'avoir aimé.

Je me jetai à ses pieds, je lui pris les mains, je les arrosai de mes larmes. Je lui rappelai tous les moments de bonheur que nous avions passés ensemble. Je lui offris de 20 rester brigand pour lui plaire. Tout, monsieur, tout ; je lui offris tout, pourvu qu'elle voulût m'aimer encore !

Elle me dit :

— T'aimer encore, c'est impossible. Vivre avec toi, je ne le veux pas.

25 La fureur me possédait. Je tirai mon couteau. J'aurais voulu qu'elle eût peur et me demandât grâce, mais cette femme était un démon.

— Pour la dernière fois, m'écriai-je, veux-tu rester avec moi ?

30 — Non ! non ! non ! dit-elle en frappant du pied.

Et elle tira de son doigt une bague que je lui avais donnée, et la jeta dans les broussailles.

Je la frappai deux fois. C'était le couteau du Borgne que j'avais pris, ayant cassé le mien. Elle tomba au second coup sans crier. Je crois voir encore son grand œil noir me regarder fixement; puis il devint trouble, et se ferma. Je restai anéanti une bonne heure assis devant ce cadavre. 5
Puis, je me rappelai que Carmen m'avait dit souvent qu'elle aimerait à être enterrée dans un bois. Je lui creusai une fosse avec mon couteau, et je l'y déposai. Je cherchai longtemps sa bague, et je la trouvai à la fin. Je la mis dans la fosse auprès d'elle, avec une petite croix. Peut- 10
être ai-je eu tort. Ensuite je montai sur mon cheval, je galopai jusqu'à Cordoue, et au premier corps de garde je me fis connaître. J'ai dit que j'avais tué Carmen; mais je n'ai pas voulu dire où était son corps. L'ermite était un saint homme. Il a prié pour elle! Il a dit une messe 15
pour son âme... Pauvre enfant! Ce sont les *Calé* qui sont coupables, pour l'avoir élevée ainsi.

1845.

MATEO FALCONE

14. En sortant de Porto-Vecchio et se dirigeant au nord-ouest, vers l'intérieur de l'île, on voit le terrain s'élever assez rapidement, et, après trois heures de marche par des sentiers tortueux, obstrués par de gros quartiers de 5 rocs, et quelquefois coupés par des ravins, on se trouve sur le bord d'un *mâquis* très étendu. Le mâquis est la patrie des bergers corses et de quiconque s'est brouillé avec la justice. Il faut savoir que le laboureur corse, pour s'épargner la peine de fumer son champ, met le feu 10 à une certaine étendue de bois: tant pis si la flamme se répand plus loin que besoin n'est; arrive que pourra, on est sûr d'avoir une bonne récolte en semant sur cette terre fertilisée par les cendres des arbres qu'elle portait. Les épis enlevés, car on laisse la paille, qui donnerait de 15 la peine à recueillir, les racines qui sont restées en terre sans se consumer poussent, au printemps suivant, des cépées très épaisses qui, en peu d'années, parviennent à une hauteur de sept ou huit pieds. C'est cette manière de taillis fourré que l'on nomme mâquis. Différentes 20 espèces d'arbres et d'arbrisseaux le composent, mêlés et confondus comme il plaît à Dieu. Ce n'est que la hache à la main que l'homme s'y ouvrirait un passage, et l'on voit des mâquis si épais et si touffus, que les mouflons eux-mêmes ne peuvent y pénétrer.

25 Si vous avez tué un homme, allez dans le mâquis de Porto-Vecchio, et vous y vivrez en sûreté, avec un bon fusil, de la poudre et des balles; n'oubliez pas un man-

teau brun garni d'un capuchon, qui sert de couverture et de matelas. Les bergers vous donnent du lait, du fromage et des châtaignes, et vous n'aurez rien à craindre de la justice ou des parents du mort, si ce n'est quand il vous faudra descendre à la ville pour y renouveler vos munitions.

Mateo Falcone, quand j'étais en Corse en 18 . . , avait sa maison à une demi-lieue de ce mâquis. C'était un homme assez riche pour le pays; vivant noblement, c'est-à-dire sans rien faire, du produit de ses troupeaux, que des bergers, espèces de nomades, menaient paître çà et là sur les montagnes. Lorsque je le vis, deux années après l'événement que je vais raconter, il me parut âgé de cinquante ans tout au plus. Figurez-vous un homme petit mais robuste, avec des cheveux crépus, noirs comme le jais, un nez aquilin, les lèvres minces, les yeux grands et vifs, et un teint couleur de revers de botte. Son habileté au tir du fusil passait pour extraordinaire, même dans son pays, où il y a tant de bons tireurs. Par exemple, Mateo n'aurait jamais tiré sur un mouflon avec des chevrotines; mais, à cent vingt pas, il l'abattait d'une balle dans la tête ou dans l'épaule, à son choix. La nuit, il se servait de ses armes aussi facilement que le jour, et l'on m'a cité de lui ce trait d'adresse qui paraîtra peut-être incroyable à qui n'a pas voyagé en Corse. A quatre-vingts pas, on plaçait une chandelle allumée derrière un transparent de papier, large comme une assiette. Il mettait en joue, puis on éteignait la chandelle, et, au bout d'une minute, dans l'obscurité la plus complète, il tirait et perçait le transparent trois fois sur quatre.

Avec un mérite aussi transcendant, Mateo Falcone s'était attiré une grande réputation. On le disait aussi

bon ami que dangereux ennemi: d'ailleurs serviable et faisant l'aumône, il vivait en paix avec tout le monde dans le district de Porto-Vecchio. Mais on contait de lui qu'à Corte, où il avait pris femme, il s'était débarrassé
5 fort vigoureusement d'un rival qui passait pour aussi redoutable en guerre qu'en amour: du moins on attribuait à Mateo certain coup de fusil qui surprit ce rival comme il était à se raser devant un petit miroir pendu à sa fenêtre. L'affaire assoupie, Mateo se maria. Sa femme
10 Giuseppa lui avait donné d'abord trois filles (dont il enrageait), et enfin un fils, qu'il nomma Fortunato: c'était l'espoir de sa famille, l'héritier du nom. Les filles étaient bien mariées: leur père pouvait compter au besoin sur les poignards et les escopettes de ses gendres. Le fils n'avait
15 que dix ans, mais il annonçait déjà d'heureuses dispositions.

Un certain jour d'automne, Mateo sortit de bonne heure avec sa femme pour aller visiter un de ses troupeaux dans une clairière du mâquis. Le petit Fortunato voulait l'accompagner, mais la clairière était trop loin; d'ailleurs,
20 il fallait bien que quelqu'un restât pour garder la maison; le père refusa donc: on verra s'il n'eut pas lieu de s'en repentir.

Il était absent depuis quelques heures, et le petit Fortunato était tranquillement étendu au soleil, regardant
25 les montagnes bleues, et pensant que, le dimanche prochain, il irait dîner à la ville, chez son oncle le *caporal*, quand il fut soudainement interrompu dans ses méditations par l'explosion d'une arme à feu. Il se leva et se tourna du côté de la plaine d'où partait ce bruit. D'autres
30 coups de fusil se succédèrent, tirés à intervalles inégaux, et toujours de plus en plus rapprochés; enfin, dans le sentier qui menait de la plaine à la maison de Mateo parut

un homme, coiffé d'un bonnet pointu comme en portent les montagnards, barbu, couvert de haillons, et se traînant avec peine en s'appuyant sur son fusil. Il venait de recevoir un coup de feu dans la cuisse.

Cet homme était un *bandit*, qui, étant parti de nuit pour aller chercher de la poudre à la ville, était tombé en route dans une embuscade de voltigeurs corses. Après une vigoureuse défense, il était parvenu à faire sa retraite, vivement poursuivi et tiraillant de rocher en rocher. Mais il avait peu d'avance sur les soldats, et sa blessure le mettait hors d'état de gagner le mâquis avant d'être rejoint.

Il s'approcha de Fortunato et lui dit:

— Tu es le fils de Mateo Falcone ?

— Oui.

— Moi, je suis Gianetto Sanpiero. Je suis poursuivi par les collets jaunes. Cache-moi, car je ne puis aller plus loin.

— Et que dira mon père si je te cache sans sa permission ?

— Il dira que tu as bien fait.

— Qui sait ?

— Cache-moi vite; ils viennent.

— Attends que mon père soit revenu.

— Que j'attende ? malédiction ! Ils seront ici dans cinq minutes. Allons, cache-moi, ou je te tue.

Fortunato lui répondit avec le plus grand sang-froid:

— Ton fusil est déchargé, et il n'y a plus de cartouches dans ta carchera.

— J'ai mon stylet.

— Mais courras-tu aussi vite que moi ?

Il fit un saut, et se mit hors d'atteinte.

— Tu n'es pas le fils de Mateo Falcone ! Me laisseras-tu donc arrêter devant ta maison ?

L'enfant parut touché.

— Que me donneras-tu si je te cache ? dit-il en se rap-
5 prochant.

Le bandit fouilla dans une poche de cuir qui pendait à sa ceinture, et il en tira une pièce de cinq francs qu'il avait réservée sans doute pour acheter de la poudre. Fortunato sourit à la vue de la pièce d'argent ; il s'en saisit, et
10 dit à Gianetto :

— Ne crains rien.

Aussitôt il fit un grand trou dans un tas de foin placé auprès de la maison. Gianetto s'y blottit, et l'enfant le recouvrit de manière à lui laisser un peu d'air pour re-
15 spirer, sans qu'il fût possible cependant de soupçonner que ce foin cachât un homme. Il s'avisa, de plus, d'une finesse de sauvage assez ingénieuse. Il alla prendre une chatte et ses petits, et les établit sur le tas de foin pour faire croire qu'il n'avait pas été remué depuis peu. En-
20 suite, remarquant des traces de sang sur le sentier près de la maison, il les couvrit de poussière avec soin, et, cela fait, il se recoucha au soleil avec la plus grande tranquillité.

15. Quelques minutes après, six hommes en uniforme brun à collet jaune, et commandés par un adjudant, étaient
25 devant la porte de Mateo. Cet adjudant était quelque peu parent de Falcone. (On sait qu'en Corse on suit les degrés de parenté beaucoup plus loin qu'ailleurs.) Il se nommait Tiodoro Gamba : c'était un homme actif, fort redouté des bandits dont il avait déjà traqué plusieurs.

30 — Bonjour, petit cousin, dit-il à Fortunato en l'abordant ; comme te voilà grandi ! As-tu vu passer un homme tout à l'heure ?

— Oh ! je ne suis pas encore si grand que vous, mon cousin, répondit l'enfant d'un air niais.

— Cela viendra. Mais n'as-tu pas vu passer un homme, dis-moi ?

— Si j'ai vu passer un homme ? 5

— Oui, un homme avec un bonnet pointu en velours noir, et une veste brodée de rouge et de jaune ?

— Un homme avec un bonnet pointu, et une veste brodée de rouge et de jaune ?

— Oui, réponds vite, et ne répète pas mes questions. 10

— Ce matin, M. le curé est passé devant notre porte, sur son cheval Piero. Il m'a demandé comment papa se portait, et je lui ai répondu . . .

— Ah ! petit drôle, tu fais le malin ! Dis-moi vite par où est passé Gianetto, car c'est lui que nous cherchons; 15 et, j'en suis certain, il a pris par ce sentier.

— Qui sait ?

— Qui sait ? C'est moi qui sais que tu l'as vu.

— Est-ce qu'on voit les passants quand on dort ?

— Tu ne dormais pas, vaurien; les coups de fusil t'ont 20 réveillé.

— Vous croyez donc, mon cousin, que vos fusils font tant de bruit ? L'escopette de mon père en fait bien davantage.

— Que le diable te confonde, maudit garnement ! Je 25 suis bien sûr que tu as vu le Gianetto. Peut-être même l'as-tu caché. Allons, camarades, entrez dans cette maison, et voyez si notre homme n'y est pas. Il n'allait plus que d'une patte, et il a trop de bon sens, le coquin, pour avoir cherché à gagner le mâquis en clopinant. D'ailleurs, 30 les traces de sang s'arrêtent ici.

— Et que dira papa ? demanda Fortunato en ricanant;

que dira-t-il s'il sait qu'on est entré dans sa maison pendant qu'il était sorti ?

— Vaurien ! dit l'adjudant Gamba en le prenant par l'oreille, sais-tu qu'il ne tient qu'à moi de te faire changer 5 de note ? Peut-être qu'en te donnant une vingtaine de coups de plat de sabre tu parleras enfin.

Et Fortunato ricanait toujours.

— Mon père est Mateo Falcone ! dit-il avec emphase.

— Sais-tu bien, petit drôle, que je puis t'emmener à 10 Corte ou à Bastia ? Je te ferai coucher dans un cachot, sur la paille, les fers aux pieds, et je te ferai guillotiner si tu ne dis où est Gianetto Sanpiero.

L'enfant éclata de rire à cette ridicule menace. Il répéta:

15 — Mon père est Mateo Falcone.

— Adjudant, dit tout bas un des voltigeurs, ne nous brouillons pas avec Mateo.

Gamba paraissait évidemment embarrassé. Il causait à voix basse avec ses soldats, qui avaient déjà visité toute 20 la maison. Ce n'était pas une opération fort longue, car la cabane d'un Corse ne consiste qu'en une seule pièce carrée. L'ameublement se compose d'une table, de bancs, de coffres et d'ustensiles de chasse ou de ménage. Cependant le petit Fortunato caressait sa chatte, et semblait 25 jouir malignement de la confusion des voltigeurs et de son cousin.

Un soldat s'approcha du tas de foin. Il vit la chatte, et donna un coup de baïonnette dans le foin avec négligence, et en haussant les épaules, comme s'il sentait que 30 sa précaution était ridicule. Rien ne remua; et le visage de l'enfant ne trahit pas la plus légère émotion.

L'adjudant et sa troupe se donnaient au diable; déjà

ils regardaient sérieusement du côté de la plaine, comme disposés à s'en retourner par où ils étaient venus, quand leur chef, convaincu que les menaces ne produiraient aucune impression sur le fils de Falcone, voulut faire un dernier effort et tenter le pouvoir des caresses et des présents. 5

— Petit cousin, dit-il, tu me parais un gaillard bien éveillé ! Tu iras loin. Mais tu joues un vilain jeu avec moi; et, si je ne craignais de faire de la peine à mon cousin Mateo, le diable m'emporte ! je t'emmènerais avec moi. 10

— Bah !

— Mais, quand mon cousin sera revenu, je lui conterai l'affaire, et, pour ta peine d'avoir menti, il te donnera le fouet jusqu'au sang.

— Savoir ? 15

— Tu verras... Mais, tiens... sois brave garçon, et je te donnerai quelque chose.

— Moi, mon cousin, je vous donnerai un avis: c'est que, si vous tardez davantage, le Gianetto sera dans le mâquis, et alors il faudra plus d'un luron comme vous pour aller l'y chercher. 20

L'adjudant tira de sa poche une montre d'argent qui valait bien dix écus; et, remarquant que les yeux du petit Fortunato étincelaient en la regardant, il lui dit en tenant la montre suspendue au bout de sa chaîne d'acier: 25

— Fripon ! tu voudrais bien avoir une montre comme celle-ci suspendue à ton col, et tu te promènerais dans les rues de Porto-Vecchio, fier comme un paon; et les gens te demanderaient: « Quelle heure est-il ? » et tu leur dirais: « Regardez à ma montre. » 30

— Quand je serai grand, mon oncle le caporal me donnera une montre.

— Oui; mais le fils de ton oncle en a déjà une ... pas aussi belle que celle-ci, à la vérité ... Cependant il est plus jeune que toi.

L'enfant soupira.

5 — Eh bien, la veux-tu, cette montre, petit cousin ?

Fortunato, lorgnant la montre du coin de l'œil, ressemblait à un chat à qui l'on présente un poulet tout entier. Comme il sent qu'on se moque de lui, il n'ose y porter la griffe, et de temps en temps il détourne les yeux, pour ne 10 pas s'exposer à succomber à la tentation; mais il se lèche les babines à tout moment, et il a l'air de dire à son maître: « Que votre plaisanterie est cruelle ! »

Cependant l'adjudant Gamba semblait de bonne foi en présentant sa montre. Fortunato n'avança pas la main; 15 mais il lui dit avec un sourire amer:

— Pourquoi vous moquez-vous de moi ?

— Par Dieu ! je ne me moque pas. Dis-moi seulement où est Gianetto, et cette montre est à toi.

Fortunato laissa échapper un sourire d'incrédulité; et, 20 fixant ses yeux noirs sur ceux de l'adjudant, il s'efforçait d'y lire la foi qu'il devait avoir en ses paroles.

— Que je perde mon épaulette, s'écria l'adjudant, si je ne te donne pas la montre à cette condition ! Les camarades sont témoins; et je ne puis m'en dédire.

25 En parlant ainsi, il approchait toujours la montre, tant, qu'elle touchait presque la joue pâle de l'enfant. Celui-ci montrait bien sur sa figure le combat que se livraient en son âme la convoitise et le respect dû à l'hospitalité. Sa poitrine nue se soulevait avec force, et il semblait près 30 d'étouffer. Cependant la montre oscillait, tournait, et quelquefois lui heurtait le bout du nez. Enfin, peu à peu, sa main droite s'éleva vers la montre: le bout de ses doigts

la toucha; et elle pesait tout entière dans sa main sans que l'adjudant lâchât pourtant le bout de la chaîne... Le cadran était azuré... la boîte nouvellement fourbie..., au soleil, elle paraissait toute de feu... La tentation était trop forte. 5

Fortunato éleva aussi sa main gauche, et indiqua du pouce, par-dessus son épaule, le tas de foin auquel il était adossé. L'adjudant le comprit aussitôt. Il abandonna l'extrémité de la chaîne; Fortunato se sentit seul possesseur de la montre. Il se leva avec l'agilité d'un daim, et 10 s'éloigna de dix pas du tas de foin, que les voltigeurs se mirent aussitôt à culbuter.

On ne tarda pas à voir le foin s'agiter; et un homme sanglant, le poignard à la main, en sortit; mais, comme il essayait de se lever en pied, sa blessure refroidie ne lui 15 permit plus de se tenir debout. Il tomba. L'adjudant se jeta sur lui et lui arracha son stylet. Aussitôt on le garrotta fortement, malgré sa résistance.

Gianetto, couché par terre et lié comme un fagot, tourna la tête vers Fortunato, qui s'était rapproché. 20

— Fils de...! lui dit-il avec plus de mépris que de colère.

L'enfant lui jeta la pièce d'argent qu'il en avait reçue, sentant qu'il avait cessé de la mériter; mais le proscrit n'eut pas l'air de faire attention à ce mouvement. Il dit 25 avec beaucoup de sang-froid à l'adjudant:

— Mon cher Gamba, je ne puis marcher; vous allez être obligé de me porter à la ville.

— Tu courais tout à l'heure plus vite qu'un chevreuil, repartit le cruel vainqueur; mais sois tranquille: je suis 30 si content de te tenir, que je te porterais une lieue sur mon dos sans être fatigué. Au reste, mon camarade, nous allons te faire une litière avec des branches et ta capote; et à la ferme de Crespoli nous trouverons des chevaux.

— Bien, dit le prisonnier; vous mettrez aussi un peu de paille sur votre litière, pour que je sois plus commodément.

5 Pendant que les voltigeurs s'occupaient, les uns à faire une espèce de brancard avec des branches de châtaignier, les autres à panser la blessure de Gianetto, Mateo Falcone et sa femme parurent tout d'un coup au détour d'un sentier qui conduisait au mâquis. La femme s'avançait courbée 10 péniblement sous le poids d'un énorme sac de châtaignes, tandis que son mari se prélassait, ne portant qu'un fusil à la main et un autre en bandoulière; car il est indigne d'un homme de porter d'autre fardeau que ses armes.

16. A la vue des soldats, la première pensée de Mateo fut 15 qu'ils venaient pour l'arrêter. Mais pourquoi cette idée? Mateo avait-il donc quelques démêlés avec la justice? Non. Il jouissait d'une bonne réputation. C'était, comme on dit, *un particulier bien famé;* mais il était Corse et montagnard, et il y a peu de Corses montagnards qui, en 20 scrutant bien leur mémoire, n'y trouvent quelque peccadille, telle que coups de fusil, coups de stylet et autres bagatelles. Mateo, plus qu'un autre, avait la conscience nette; car depuis plus de dix ans il n'avait dirigé son fusil contre un homme; mais toutefois il était prudent, et il se 25 mit en posture de faire une belle défense, s'il en était besoin.

— Femme, dit-il à Giuseppa, mets bas ton sac et tiens-toi prête.

Elle obéit sur-le-champ. Il lui donna le fusil qu'il 30 avait en bandoulière et qui aurait pu le gêner. Il arma celui qu'il avait à la main, et il s'avança lentement vers sa maison, longeant les arbres qui bordaient le chemin, et prêt, à la moindre démonstration hostile, à se jeter derrière le plus gros tronc, d'où il aurait pu faire feu à couvert. Sa femme marchait sur ses talons, tenant son fusil de rechange et sa giberne. L'emploi d'une bonne ménagère, en cas de combat, est de charger les armes de son mari. 5

D'un autre côté, l'adjudant était fort en peine en voyant Mateo s'avancer ainsi, à pas comptés, le fusil en avant et le doigt sur la détente.

— Si par hasard, pensa-t-il, Mateo se trouvait parent de Gianetto, ou s'il était son ami, et qu'il voulût le défendre, les bourres de ses deux fusils arriveraient à deux d'entre nous, aussi sûr qu'une lettre à la poste, et s'il me visait, nonobstant la parenté ! . . . 10

Dans cette perplexité, il prit un parti fort courageux, ce fut de s'avancer seul vers Mateo, pour lui conter l'affaire, en l'abordant comme une vieille connaissance; mais le court intervalle qui le séparait de Mateo lui parut terriblement long. 15

— Holà ! eh ! mon vieux camarade, criait-il, comment cela va-t-il, mon brave ? C'est moi, je suis Gamba, ton cousin. 20

Mateo, sans répondre un mot, s'était arrêté, et, à mesure que l'autre parlait, il relevait doucement le canon de son fusil, de sorte qu'il était dirigé vers le ciel au moment où l'adjudant le joignit.

— Bonjour, frère, dit l'adjudant en lui tendant la main. Il y a bien longtemps que je ne t'ai vu. 25

— Bonjour, frère.

— J'étais venu pour te dire bonjour en passant, et à ma cousine Pepa. Nous avons fait une longue traite aujourd'hui; mais il ne faut pas plaindre notre fatigue, car nous avons fait une fameuse prise. Nous venons d'empoigner Gianetto Sanpiero. 30

— Dieu soit loué ! s'écria Giuseppa. Il nous a volé une chèvre laitière la semaine passée.

Ces mots réjouirent Gamba.

— Pauvre diable ! dit Mateo, il avait faim.

5 — Le drôle s'est défendu comme un lion, poursuivit l'adjudant un peu mortifié; il m'a tué un de mes voltigeurs, et, non content de cela, il a cassé le bras au caporal Chardon; mais il n'y a pas grand mal, ce n'était qu'un Français . . . Ensuite, il s'était si bien caché, que le diable ne 10 l'aurait pu découvrir. Sans mon petit cousin Fortunato, je ne l'aurais jamais pu trouver.

— Fortunato ! s'écria Mateo.

— Fortunato ! répéta Giuseppa.

— Oui, le Gianetto s'était caché sous ce tas de foin 15 là-bas; mais mon petit cousin m'a montré la malice. Aussi je le dirai à son oncle le caporal, afin qu'il lui envoie un beau cadeau pour sa peine. Et son nom et le tien seront dans le rapport que j'enverrai à M. l'avocat général.

— Malédiction ! dit tout bas Mateo.

20 Ils avaient rejoint le détachement. Gianetto était déjà couché sur la litière et prêt à partir. Quand il vit Mateo en la compagnie de Gamba, il sourit d'un sourire étrange; puis, se tournant vers la porte de la maison, il cracha sur le seuil en disant:

25 — Maison d'un traître !

Il n'y avait qu'un homme décidé à mourir qui eût osé prononcer le mot de traître en l'appliquant à Falcone. Un bon coup de stylet, qui n'aurait pas eu besoin d'être répété, aurait immédiatement payé l'insulte. Cependant 30 Mateo ne fit pas d'autre geste que celui de porter sa main à son front comme un homme accablé.

Fortunato était entré dans la maison en voyant arriver

son père. Il reparut bientôt avec une jatte de lait, qu'il présenta les yeux baissés à Gianetto.

— Loin de moi ! lui cria le proscrit d'une voix foudroyante.

Puis, se tournant vers un des voltigeurs: 5

— Camarade, donne-moi à boire, dit-il.

Le soldat remit sa gourde entre ses mains, et le bandit but l'eau que lui donnait un homme avec lequel il venait d'échanger des coups de fusil. Ensuite il demanda qu'on lui attachât les mains de manière qu'il les eût croisées sur 10 sa poitrine, au lieu de les avoir liées derrière le dos.

— J'aime, disait-il, à être couché à mon aise.

On s'empressa de le satisfaire; puis l'adjudant donna le signal du départ, dit adieu à Mateo, qui ne lui répondit pas, et descendit au pas accéléré vers la plaine. 15

Il se passa près de dix minutes avant que Mateo ouvrît la bouche. L'enfant regardait d'un œil inquiet tantôt sa mère et tantôt son père, qui, s'appuyant sur son fusil, le considérait avec une expression de colère concentrée.

— Tu commences bien ! dit enfin Mateo d'une voix 20 calme, mais effrayante pour qui connaissait l'homme.

— Mon père ! s'écria l'enfant en s'avançant les larmes aux yeux comme pour se jeter à ses genoux.

Mais Mateo lui cria:

— Arrière de moi ! 25

Et l'enfant s'arrêta et sanglota, immobile, à quelques pas de son père.

Giuseppa s'approcha. Elle venait d'apercevoir la chaîne de la montre, dont un bout sortait de la chemise de Fortunato. 30

— Qui t'a donné cette montre ? demanda-t-elle d'un ton sévère.

— Mon cousin l'adjudant.

Falcone saisit la montre, et, la jetant avec force contre une pierre, il la mit en mille pièces.

— Femme, dit-il, cet enfant est-il de moi ?

5 Les joues brunes de Giuseppa devinrent d'un rouge de brique.

— Que dis-tu, Mateo ? et sais-tu bien à qui tu parles ?

— Eh bien, cet enfant est le premier de sa race qui ait fait une trahison.

10 Les sanglots et les hoquets de Fortunato redoublèrent, et Falcone tenait ses yeux de lynx toujours attachés sur lui. Enfin il frappa la terre de la crosse de son fusil, puis le rejeta sur son épaule et reprit le chemin du mâquis en criant à Fortunato de le suivre. L'enfant obéit.

15 Giuseppa courut après Mateo et lui saisit le bras.

— C'est ton fils, lui dit-elle d'une voix tremblante en attachant ses yeux noirs sur ceux de son mari, comme pour lire ce qui se passait dans son âme.

— Laisse-moi, répondit Mateo: je suis son père.

20 Giuseppa embrassa son fils et entra en pleurant dans sa cabane. Elle se jeta à genoux devant une image de la Vierge et pria avec ferveur. Cependant Falcone marcha quelques deux cents pas dans le sentier et ne s'arrêta que dans un petit ravin où il descendit. Il sonda la terre avec 25 la crosse de son fusil et la trouva molle et facile à creuser. L'endroit lui parut convenable pour son dessein.

— Fortunato, va auprès de cette grosse pierre.

L'enfant fit ce qu'il lui commandait, puis il s'agenouilla.

— Dis tes prières . . .

30 — Mon père, mon père, ne me tuez pas.

— Dis tes prières ! répéta Mateo d'une voix terrible.

L'enfant, tout en balbutiant et en sanglotant, récita le

Pater et le *Credo*. Le père, d'une voix forte, répondait *Amen!* à la fin de chaque prière.

— Sont-ce là toutes les prières que tu sais ?

GIUSEPPA PRIA AVEC FERVEUR
Par Alexandre Lunois

— Mon père, je sais encore l'*Ave Maria* et la litanie que ma tante m'a apprise. 5

— Elle est bien longue, n'importe.

L'enfant acheva la litanie d'une voix éteinte.

— As-tu fini ?

— Oh ! mon père, grâce ! pardonnez-moi ! Je ne le ferai

plus ! Je prierai tant mon cousin le caporal qu'on fera grâce au Gianetto !

Il parlait encore; Mateo avait armé son fusil et le couchait en joue en lui disant:

5 — Que Dieu te pardonne !

L'enfant fit un effort désespéré pour se relever et embrasser les genoux de son père; mais il n'en eut pas le temps. Mateo fit feu, et Fortunato tomba raide mort.

Sans jeter un coup d'œil sur le cadavre, Mateo reprit le 10 chemin de sa maison pour aller chercher une bêche afin d'enterrer son fils. Il avait fait à peine quelques pas qu'il rencontra Giuseppa, qui accourait alarmée du coup de feu.

— Qu'as-tu fait ? s'écria-t-elle.

— Justice.

15 — Où est-il ?

— Dans le ravin. Je vais l'enterrer. Il est mort en chrétien; je lui ferai chanter une messe. Qu'on dise à mon gendre Tiodoro Bianchi de venir demeurer avec nous.

1829.

L'ENLÈVEMENT DE LA REDOUTE

17. UN MILITAIRE de mes amis, qui est mort de la fièvre en Grèce, il y a quelques années, me conta un jour la première affaire à laquelle il avait assisté. Son récit me frappa tellement que je l'écrivis de mémoire aussitôt que j'en eus le loisir. Le voici: 5

— Je rejoignis le régiment le 4 septembre au soir. Je trouvai le colonel au bivouac. Il me reçut d'abord assez brusquement; mais après avoir lu la lettre de recommandation du général B . . . , il changea de manières, et m'adressa quelques paroles obligeantes. 10

Je fus présenté par lui à mon capitaine, qui revenait à l'instant même d'une reconnaissance. Ce capitaine, que je n'eus guère le temps de connaître, était un grand homme brun, d'une physionomie dure et repoussante. Il avait été simple soldat, et avait gagné ses épaulettes 15 et sa croix sur les champs de bataille. Sa voix, qui était enrouée et faible, contrastait singulièrement avec sa stature presque gigantesque. On me dit qu'il devait cette voix étrange à une balle qui l'avait percé de part en part à la bataille d'Iéna. 20

En apprenant que je sortais de l'école de Fontainebleau, il fit la grimace, et dit:

— Mon lieutenant est mort hier . . .

Je compris qu'il voulait dire: « C'est vous qui devez

le remplacer, et vous n'en êtes pas capable. » Un mot piquant me vint sur les lèvres, mais je me contins.

La lune se leva derrière la redoute de Cheverino, située à deux portées de canon de notre bivouac. Elle était large 5 et rouge comme elle est d'ordinaire à son lever. Mais, ce soir-là, elle me parut d'une grandeur extraordinaire. Pendant un instant, la redoute se détacha en noir sur le disque éclatant de la lune. Elle ressemblait au cône d'un volcan au moment de l'éruption.

10 Un vieux soldat, auprès duquel je me trouvais, remarqua la couleur de la lune.

— Elle est bien rouge, dit-il; c'est signe qu'il en coûtera bon pour l'avoir, cette fameuse redoute! J'ai toujours été superstitieux, et cet augure, dans ce moment surtout, 15 m'affecta. Je me couchai, mais je ne pus dormir. Je me levai, et je marchai quelque temps, regardant l'immense ligne de feux qui couvrait les hauteurs au delà du village de Cheverino.

Lorsque je crus que l'air frais et piquant de la nuit avait 20 assez rafraîchi mon sang, je revins auprès du feu; je m'enveloppai soigneusement dans mon manteau, et je fermai les yeux, espérant ne pas les ouvrir avant le jour. Mais le sommeil me tint rigueur. Insensiblement mes pensées prenaient une teinte lugubre. Je me disais que 25 je n'avais pas un ami parmi les cent mille hommes qui couvraient cette plaine. Si j'étais blessé, je serais dans un hôpital, traité sans égards par des chirurgiens ignorants. Ce que j'avais entendu dire des opérations chirurgicales me revint à la mémoire. Mon cœur battait avec violence, 30 et machinalement je disposai comme une espèce de cuirasse le mouchoir et le portefeuille que j'avais sur la poitrine. La fatigue m'accablait, je m'assoupissais à chaque instant, et à chaque instant quelque pensée sinistre se reproduisait avec plus de force, et me réveillait en sursaut.

Cependant la fatigue l'avait emporté, et, quand on battit la diane, j'étais tout à fait endormi. Nous nous mîmes en bataille, on fit l'appel, puis on remit les armes en faisceaux, et tout annonçait que nous allions passer une journée tranquille.

Vers trois heures, un aide de camp arriva, apportant un ordre. On nous fit reprendre les armes; nos tirailleurs se répandirent dans la plaine, nous les suivîmes lentement, et, au bout de vingt minutes, nous vîmes tous les avant-postes des Russes se replier et rentrer dans la redoute.

Une batterie d'artillerie vint s'établir à notre droite, une autre à notre gauche, mais toutes les deux bien en avant de nous. Elles commencèrent un feu très vif sur l'ennemi, qui riposta énergiquement, et bientôt la redoute de Cheverino disparut sous des nuages épais de fumée.

Notre régiment était presque à couvert du feu des Russes par un pli de terrain. Leurs boulets, rares d'ailleurs pour nous (car ils tiraient de préférence sur nos canonniers), passaient au-dessus de nos têtes, ou tout au plus nous envoyaient de la terre et de petites pierres.

Aussitôt que l'ordre de marcher en avant nous eut été donné, mon capitaine me regarda avec une attention qui m'obligea à passer deux ou trois fois la main sur ma jeune moustache d'un air aussi dégagé qu'il me fut possible. Au reste, je n'avais pas peur, et la seule crainte que j'éprouvasse, c'était que l'on ne s'imaginât que j'avais peur. Ces boulets inoffensifs contribuèrent encore à me maintenir dans mon calme héroïque. Mon amour-propre me disait que je courais un danger réel, puisque enfin j'étais sous le feu d'une batterie. J'étais enchanté d'être si à mon aise, et je pensai au plaisir de raconter la prise de la redoute de Cheverino, dans le salon de madame de B . . . , rue de Provence.

5 Le colonel passa devant notre compagnie; il m'adressa la parole: « Eh bien, vous allez en voir de grises, pour votre début. »

Je souris d'un air tout à fait martial, en brossant la manche de mon habit, sur laquelle un boulet, tombé à 10 trente pas de nous, avait envoyé un peu de poussière.

Il paraît que les Russes s'aperçurent du mauvais succès de leur boulets, car ils les remplacèrent par des obus qui pouvaient plus facilement nous atteindre dans le creux où nous étions postés. Un assez gros éclat m'enleva mon 15 schako, et tua un homme auprès de moi.

— Je vous fais mon compliment, me dit le capitaine, comme je venais de ramasser mon schako, vous en voilà quitte pour la journée. Je connaissais cette superstition militaire qui croit que l'axiome *non bis in idem* trouve son 20 application aussi bien sur un champ de bataille que dans une cour de justice. Je remis fièrement mon schako.

— C'est faire saluer les gens sans cérémonie, dis-je aussi gaiement que je pus. Cette mauvaise plaisanterie, vu la circonstance, parut excellente.

25 — Je vous félicite, reprit le capitaine, vous n'aurez rien de plus, et vous commanderez une compagnie ce soir; car je sens bien que le four chauffe pour moi. Toutes les fois que j'ai été blessé, l'officier auprès de moi a reçu quelque balle morte, et, ajouta-t-il d'un ton plus bas et 30 presque honteux, leurs noms commençaient toujours par un P.

Je fis l'esprit fort; bien des gens auraient fait comme

moi; bien des gens auraient été aussi bien que moi frappés de ces paroles prophétiques. Conscrit comme je l'étais, je sentais que je ne pouvais confier mes sentiments à personne, et que je devais toujours paraître froidement intrépide.

Au bout d'une demi-heure, le feu des Russes diminua 5 sensiblement; alors nous sortîmes de notre couvert pour marcher sur la redoute.

Notre régiment était composé de trois bataillons. Le deuxième fut chargé de tourner la redoute du côté de la gorge; les deux autres devaient donner l'assaut. J'étais 10 dans le troisième bataillon.

En sortant de derrière l'espèce d'épaulement qui nous avait protégés, nous fûmes reçus par plusieurs décharges de mousqueterie qui ne firent que peu de mal dans nos rangs. Le sifflement des balles me surprit: souvent je 15 tournais la tête, et je m'attirai ainsi quelques plaisanteries de la part de mes camarades plus familiarisés avec ce bruit.

— A tout prendre, me dis-je, une bataille n'est pas une chose si terrible.

Nous avancions au pas de course, précédés de tirail- 20 leurs; tout à coup les Russes poussèrent trois hourras, trois hourras distincts, puis demeurèrent silencieux et sans tirer.

— Je n'aime pas ce silence, dit mon capitaine; cela ne nous présage rien de bon. 25

Je trouvai que nos gens étaient un peu trop bruyants, et je ne pus m'empêcher de faire intérieurement la comparaison de leurs clameurs tumultueuses avec le silence imposant de l'ennemi.

Nous parvînmes rapidement au pied de la redoute, les 30 palissades avaient été brisées et la terre bouleversée par nos boulets. Les soldats s'élancèrent sur ces ruines nouvelles avec des cris de *Vive l'Empereur!* plus forts qu'on ne l'aurait attendu de gens qui avaient déjà tant crié.

Je levai les yeux, et jamais je n'oublierai le spectacle que je vis. La plus grande partie de la fumée s'était élevée, et 5 restait suspendue comme un dais à vingt pieds au-dessus de la redoute. Au travers d'une vapeur bleuâtre, on apercevait derrière leur parapet à demi détruit les grenadiers russes, l'arme haute, immobiles comme des statues. Je crois voir encore chaque soldat, l'œil gauche attaché sur 10 nous, le droit caché par son fusil élevé. Dans une embrasure, à quelques pieds de nous, un homme tenant une lance à feu était auprès d'un canon.

Je frissonnai, et je crus que ma dernière heure était venue.

15 — Voilà la danse qui va commencer, s'écria mon capitaine. Bonsoir!

Ce furent les dernières paroles que je l'entendis prononcer.

Un roulement de tambours retentit dans la redoute. 20 Je vis se baisser tous les fusils. Je fermai les yeux, et j'entendis un fracas épouvantable, suivi de cris et de gémissements. J'ouvris les yeux, surpris de me trouver encore au monde. La redoute était de nouveau enveloppée de fumée. J'étais entouré de blessés et de morts. Mon 25 capitaine était étendu à mes pieds: sa tête avait été broyée par un boulet, et j'étais couvert de sa cervelle et de son sang. De toute ma compagnie, il ne restait debout que six hommes et moi.

A ce carnage succéda un moment de stupeur. Le colonel, 30 mettant son chapeau au bout de son épée, gravit le premier le parapet, en criant: *Vive l'Empereur!* Il fut suivi aussitôt de tous les survivants. Je n'ai presque plus de souvenir net de ce qui suivit. Nous entrâmes dans la redoute, je ne sais comment. On se battit corps à corps au milieu d'une fumée si épaisse que l'on ne pouvait se voir. Je crois que je frappai, car mon sabre se trouva tout sanglant. Enfin j'entendis crier: « Victoire ! » et la fumée diminuant, j'aperçus du sang et des morts sous lesquels disparaissait la terre de la redoute. Les canons surtout étaient enterrés sous des tas de cadavres. Environ deux cents hommes debout, en uniforme français, étaient groupés sans ordre, les uns chargeant leurs fusils, les autres essuyant leurs baïonnettes. Onze prisonniers russes étaient avec eux.

Le colonel était renversé tout sanglant sur un caisson brisé, près de la gorge. Quelques soldats s'empressaient autour de lui: je m'approchai.

— Où est le plus ancien capitaine ? demandait-il à un sergent.

Le sergent haussa les épaules d'une manière très expressive.

— Et le plus ancien lieutenant ?

— Voici monsieur qui est arrivé d'hier, dit le sergent d'un ton tout à fait calme.

Le colonel sourit amèrement.

— Allons, monsieur, me dit-il, vous commandez en chef; faites promptement fortifier la gorge de la redoute avec ces chariots, car l'ennemi est en force; mais le général C . . . va nous faire soutenir.

— Colonel, lui dis-je, vous êtes grièvement blessé ?

— Fichu, mon cher, mais la redoute est prise.

LA VÉNUS D'ILLE

18. Je descendais le dernier coteau du Canigou, et bien que le soleil fût déjà couché, je distinguais dans la plaine les maisons de la petite ville d'Ille, vers laquelle je me dirigeais.

5 — Vous savez, dis-je au Catalan qui me servait de guide depuis la veille, vous savez sans doute où demeure M. de Peyrehorade ?

— Si je le sais ! s'écria-t-il, je connais sa maison comme la mienne; et s'il ne faisait pas si noir, je vous la montre-
10 rais. C'est la plus belle d'Ille. Il a de l'argent, oui, M. de Peyrehorade: et il marie son fils à plus riche que lui encore.

— Et ce mariage se fera-t-il bientôt ? lui demandai-je.

— Bientôt ! Il se peut que déjà les violons soient
15 commandés pour la noce. Ce soir peut-être, demain, après-demain, que sais-je ? C'est à Puygarrig que ça se fera; car c'est mademoiselle de Puygarrig que monsieur le fils épouse. Ce sera beau, oui !

J'étais recommandé à M. de Peyrehorade par mon
20 ami M. de P... C'était, m'avait-il dit, un antiquaire fort instruit et d'une complaisance à toute épreuve. Il se ferait un plaisir de me montrer toutes les ruines à dix lieues à la ronde. Or, je comptais sur lui pour visiter les environs d'Ille que je savais riches en monuments an-
25 tiques et du moyen âge. Ce mariage, dont on me parlait alors pour la première fois, dérangeait tous mes plans.

Je vais être un trouble-fête, me disais-je. Mais j'étais

attendu; annoncé par M. de P . . . , il fallait bien me présenter.

— Gageons, monsieur, me dit mon guide, comme nous étions déjà dans la plaine, gageons un cigare que je devine ce que vous allez faire chez M. de Peyrehorade ? 5

— Mais, répondis-je en lui tendant un cigare, cela n'est pas bien difficile à deviner. A l'heure qu'il est, quand on a fait six lieues dans le Canigou, la grande affaire, c'est de souper.

— Oui, mais demain ? . . . Tenez, je parierais que vous 10 venez à Ille pour voir l'idole ? J'ai deviné cela, à vous voir tirer en portrait les saints de Serrabona.

— L'idole ? Quelle idole ? Ce mot avait excité ma curiosité.

— Comment ! l'on ne vous a pas conté, à Perpignan, 15 comment M. de Peyrehorade avait trouvé une idole en terre ?

— Vous voulez dire une statue en terre cuite, en argile ?

— Non pas. Oui, bien en cuivre, et il y en a de quoi faire des gros sous. Elle vous pèse autant qu'une cloche 20 d'église. C'est bien avant dans la terre, au pied d'un olivier, que nous l'avons eue.

— Vous étiez donc présent à la découverte ?

— Oui, monsieur. M. de Peyrehorade nous dit, il y a quinze jours, à Jean Coll et à moi, de déraciner un vieil 25 olivier, qui était gelé de l'année dernière, car elle a été bien mauvaise, comme vous savez. Voilà donc qu'en travaillant, Jean Coll, qui y allait de tout cœur, il donne un coup de pioche, et j'entends bimm . . . comme s'il avait tapé sur une cloche. Qu'est-ce que c'est ? que je dis. Nous pio- 30 chons toujours, nous piochons, et voilà qu'il paraît une main noire, qui semblait la main d'un mort qui sortait de

terre. Moi, la peur me prend. Je m'en vais à monsieur, et je lui dis: — Des morts, notre maître, qui sont sous l'olivier! Faut appeler le curé. — Quels morts? qu'il me dit. Il vient, et il n'a pas plus tôt vu la main qu'il s'écrie:
5 — Un antique! un antique! — Vous auriez cru qu'il avait trouvé un trésor. Et le voilà, avec la pioche, avec les mains, qu'il se démène et qu'il faisait quasiment autant d'ouvrage que nous deux.

— Et enfin, que trouvâtes-vous?

10 — Une grande femme noire plus qu'à moitié nue, révérence parler, monsieur, tout en cuivre, et M. de Peyrehorade nous a dit que c'était une idole du temps des païens ... du temps de Charlemagne, quoi!

— Je vois ce que c'est ... Quelque bonne Vierge en
15 bronze d'un couvent détruit.

— Une bonne Vierge! ah bien! oui ... Je l'aurais bien reconnue, si ç'avait été une bonne Vierge. C'est une idole, vous dis-je; on le voit bien à son air. Elle vous fixe avec ses grands yeux blancs ... On dirait qu'elle vous
20 dévisage. On baisse les yeux, oui, en la regardant.

— Des yeux blancs? Sans doute ils sont incrustés dans le bronze. Ce sera quelque statue romaine.

— Romaine! c'est cela. M. de Peyrehorade dit que c'est une Romaine. Ah! je vois bien que vous êtes un
25 savant comme lui.

— Est-elle entière, bien conservée?

— Oh! monsieur, il ne lui manque rien. C'est encore plus beau et mieux fait que le buste de Louis-Philippe, qui est à la mairie, en plâtre peint. Mais, avec tout cela, la
30 figure de cette idole ne me revient pas. Elle a l'air méchante ... et elle l'est aussi.

— Méchante? Quelle méchanceté vous a-t-elle faite?

— Pas à moi précisément; mais vous allez voir. Nous nous étions mis à quatre pour la dresser debout, et M. de Peyrehorade, qui lui aussi tirait à la corde, bien qu'il n'ait guère plus de force qu'un poulet, le digne homme ! Avec bien de la peine nous la mettons droite. J'amassais un 5 tuileau pour la caler, quand patatras ! la voilà qui tombe à la renverse tout d'une masse. Je dis: Gare dessous ! Pas assez vite, pourtant, car Jean Coll n'a pas eu le temps de tirer sa jambe . . .

— Et il a été blessé ? 10

— Cassée net comme un échalas, sa pauvre jambe ! Pécaïre ! Quand j'ai vu cela, moi, j'étais furieux. Je voulais défoncer l'idole à coups de pioche, mais M. de Peyrehorade m'a retenu. Il a donné de l'argent à Jean Coll, qui tout de même est encore au lit, depuis quinze 15 jours que cela lui est arrivé, et le médecin dit qu'il ne marchera jamais de cette jambe-là comme de l'autre. C'est dommage, lui qui était notre meilleur coureur, et, après monsieur le fils, le plus malin joueur de paume. C'est que M. Alphonse de Peyrehorade en a été triste, 20 car c'est Coll qui faisait sa partie. Voilà qui était beau à voir, comme ils se renvoyaient les balles. Paf ! paf ! Jamais elles ne touchaient terre.

Devisant de la sorte, nous entrâmes à Ille, et je me trouvai bientôt en présence de M. de Peyrehorade. C'était 25 un petit vieillard vert encore et dispos, poudré, le nez rouge, l'air jovial et goguenard. Avant d'avoir ouvert la lettre de M. de P. . . , il m'avait installé devant une table bien servie, et m'avait présenté à sa femme et à son fils comme un archéologue illustre, qui devait tirer le Roussillon de l'ou- 30 bli où le laissait l'indifférence des savants.

Tout en mangeant de bon appétit, car rien ne dispose

Ille-sur-Têt — Rue du Comte

La maison située au fond de la rue est, paraît-il, celle dont il est question dans notre conte

mieux que l'air vif des montagnes, j'examinais mes hôtes. J'ai dit un mot de M. de Peyrehorade; je dois ajouter que c'était la vivacité même. Il parlait, mangeait, se levait, courait à sa bibliothèque, m'apportait des livres, me montrait des estampes, me versait à boire; il n'était jamais deux minutes en repos. Sa femme, un peu trop grasse, comme la plupart des Catalanes lorsqu'elles ont passé quarante ans, me parut une provinciale renforcée, uniquement occupée des soins de son ménage. Bien que le souper fût suffisant pour six personnes au moins, elle courut à la cuisine, fit tuer des pigeons, frire des miliasses, ouvrir je ne sais combien de pots de confitures. En un instant la table fut encombrée de plats et de bouteilles, et je serais certainement mort d'indigestion si j'avais goûté seulement à tout ce qu'on m'offrait. Cependant, à chaque plat que je refusais, c'étaient de nouvelles excuses. On craignait que je ne me trouvasse bien mal à Ille. Dans la province on a si peu de ressources, et les Parisiens sont si difficiles !

Au milieu des allées et venues de ses parents, M. Alphonse de Peyrehorade ne bougeait non plus qu'un terme. C'était un grand jeune homme de vingt-six ans, d'une physionomie belle et régulière, mais manquant d'expression. Sa taille et ses formes athlétiques justifiaient bien la réputation d'infatigable joueur de paume qu'on lui faisait dans le pays. Il était ce soir-là habillé avec élégance, exactement d'après la gravure du dernier numéro du journal des modes. Mais il me semblait gêné dans ses vêtements. Il était raide comme un piquet dans son col de velours, et ne se tournait que tout d'une pièce. Ses mains grosses et hâlées, ses ongles courts, contrastaient singulièrement avec son costume. C'étaient des mains de laboureur sortant des manches d'un dandy. D'ailleurs, bien qu'il me considérât de la tête aux pieds fort curieusement, en ma qualité de Parisien, il ne m'adressa qu'une seule fois la parole dans toute la soirée; ce fut pour me demander où j'avais acheté la chaîne de ma montre.

5 — Ah çà ! mon cher hôte, me dit M. de Peyrehorade, le souper tirant à sa fin, vous m'appartenez, vous êtes chez moi. Je ne vous lâche plus, sinon quand vous aurez vu tout ce que nous avons de curieux dans nos montagnes. Il faut que vous appreniez à connaître notre Roussillon, 10 et que vous lui rendiez justice. Vous ne vous doutez pas de tout ce que nous allons vous montrer. Monuments phéniciens, celtiques, romains, arabes, byzantins, vous verrez tout, depuis le cèdre jusqu'à l'hysope. Je vous mènerai partout et ne vous ferai pas grâce d'une brique.

15 Un accès de toux l'obligea de s'arrêter. J'en profitai pour lui dire que je serais désolé de le déranger dans une circonstance aussi intéressante pour sa famille. S'il voulait bien me donner ses excellents conseils sur les excursions que j'aurais à faire, je pourrais, sans qu'il pîrt la 20 peine de m'accompagner . . .

— Ah ! vous voulez parler du mariage de ce garçon-là, s'écria-t-il en m'interrompant. Bagatelle ! ce sera fait après-demain. Vous ferez la noce avec nous, en famille, car la future est en deuil d'une tante dont elle hérite. 25 Ainsi point de fête, point de bal . . . C'est dommage . . . Vous auriez vu danser nos Catalanes . . . Elles sont jolies, et peut-être l'envie vous aurait-elle pris d'imiter mon Alphonse. Un mariage, dit-on, en amène d'autres . . . Samedi, les jeunes gens mariés, je suis libre, et nous 30 nous mettons en course. Je vous demande pardon de vous donner l'ennui d'une noce de province. Pour un Parisien blasé sur les fêtes . . . et une noce sans bal encore !

Pourtant, vous verrez une mariée ... une mariée ... vous m'en direz des nouvelles ... Mais vous êtes un homme grave et vous ne regardez plus les femmes. J'ai mieux que cela à vous montrer. Je vous ferai voir quelque chose ! ... Je vous réserve une fière surprise pour demain. 5

— Mon Dieu ! lui dis-je, il est difficile d'avoir un trésor dans sa maison, sans que le public en soit instruit. Je crois deviner la surprise que vous me préparez. Mais, si c'est de votre statue qu'il s'agit, la description que mon guide m'en a faite, n'a servi qu'à exciter ma curiosité et 10 à me disposer à l'admiration.

— Ah ! il vous a parlé de l'idole, car c'est ainsi qu'ils appellent ma belle Vénus Tur ... mais je ne veux rien vous dire. Demain, au grand jour, vous la verrez, et vous me direz si j'ai raison de la croire un chef-d'œuvre. Par- 15 bleu ! vous ne pouviez arriver plus à propos ! Il y a des inscriptions, que moi, pauvre ignorant, j'explique à ma manière ... mais un savant de Paris ! ... Vous vous moquerez peut-être de mon interprétation ... car j'ai fait un mémoire ... moi qui vous parle ... vieil anti- 20 quaire de province, je me suis lancé ... Je veux faire gémir la presse ... Si vous vouliez bien me lire et me corriger, je pourrais espérer ... Par exemple, je suis bien curieux de savoir comment vous traduirez cette inscription sur le socle: CAVE ... Mais je ne veux rien vous demander 25 encore ! A demain, à demain ! Pas un mot sur la Vénus aujourd'hui !

— Tu as raison, Peyrehorade, dit sa femme, de laisser là ton idole. Tu devrais voir que tu empêches monsieur de manger. Va, monsieur a vu à Paris de bien plus belles 30 statues que la tienne. Aux Tuileries il y en a des douzaines, et en bronze aussi.

— Voilà bien l'ignorance, la sainte ignorance de la province ! interrompit M. de Peyrehorade. Comparer un antique admirable aux plates figures de Coustou !

Comme avec irrévérence
5 Parle des dieux ma ménagère !

Savez-vous que ma femme voulait que je fondisse ma statue pour en faire une cloche à notre église ? C'est qu'elle en eût été la marraine. Un chef-d'œuvre de Myron, monsieur !

10 — Chef-d'œuvre ! chef-d'œuvre ! un beau chef-d'œuvre qu'elle a fait ! casser la jambe d'un homme !

— Ma femme, vois-tu ? dit M. de Peyrehorade d'un ton résolu, et tendant vers elle sa jambe droite dans un bas de soie chinée, si ma Vénus m'avait cassé cette jambe-15 là, je ne la regretterais pas.

— Mon Dieu ! Peyrehorade, comment peut-tu dire cela ! Heureusement que l'homme va mieux . . . Et encore je ne peux pas prendre sur moi de regarder la statue qui fait des malheurs comme celui-là. Pauvre Jean Coll !

20 — Blessé par Vénus, monsieur, dit M. de Peyrehorade riant d'un gros rire, blessé par Vénus, le maraud se plaint :

Veneris nec præmia nôris.

Qui n'a été blessé par Vénus ?

M. Alphonse, qui comprenait le français mieux que le 25 latin, cligna de l'œil d'un air d'intelligence, et me regarda comme pour me demander : Et vous, Parisien, comprenez-vous ?

19. Le souper finit. Il y avait une heure que je ne mangeais plus. J'étais fatigué, et je ne pouvais parvenir à 30 cacher les fréquents bâillements qui m'échappaient.

Madame de Peyrehorade s'en aperçut la première, et remarqua qu'il était temps d'aller dormir. Alors commencèrent de nouvelles excuses sur le mauvais gîte que j'allais avoir. Je ne serais pas comme à Paris. En province on est si mal. Il fallait de l'indulgence pour les 5 Roussillonnais. J'avais beau protester qu'après une course dans les montagnes une botte de paille me serait un coucher délicieux, on me priait toujours de pardonner à de pauvres campagnards, s'ils ne me traitaient pas aussi bien qu'ils l'eussent désiré. Je montai enfin à la chambre qui m'était 10 destinée, accompagné de M. de Peyrehorade. L'escalier, dont les marches supérieures étaient en bois, aboutissait au milieu d'un corridor, sur lequel donnaient plusieurs chambres.

— A droite, me dit mon hôte, c'est l'appartement que 15 je destine à la future madame Alphonse. Votre chambre est au bout du corridor opposé. Vous sentez bien, ajouta-t-il d'un air qu'il voulait rendre fin, vous sentez bien qu'il faut isoler de nouveaux mariés. Vous êtes à un bout de la maison, eux à l'autre. 20

Nous entrâmes dans une chambre bien meublée, où le premier objet sur lequel je portai la vue, fut un lit long de sept pieds, large de six, et si haut qu'il fallait un escabeau pour s'y guinder. Mon hôte m'ayant indiqué la position de la sonnette, et s'étant assuré par lui-même que le sucrier 25 était plein, les flacons d'eau de Cologne dûment placés sur la toilette, après m'avoir demandé plusieurs fois si rien ne me manquait, me souhaita une bonne nuit et me laissa seul.

Les fenêtres étaient fermées. Avant de me déshabiller, 30 j'en ouvris une pour respirer l'air frais de la nuit, délicieux après un long souper. En face était le Canigou, d'un aspect admirable en tout temps, mais qui me parut, ce soir-là, la plus belle montagne du monde, éclairé qu'il était par une lune resplendissante. Je demeurai quelques minutes à contempler sa silhouette merveilleuse, et j'allais fermer ma 5 fenêtre, lorsque, baissant les yeux, j'aperçus la statue sur un piédestal à une vingtaine de toises de la maison. Elle était placée à l'angle d'une haie vive, qui séparait un petit jardin d'un vaste carré parfaitement uni, qui, je l'appris plus tard, était le jeu de paume de la ville. 10 Ce terrain, propriété de M. de Peyrehorade, avait été cédé par lui à la commune, sur les pressantes sollicitations de son fils.

A la distance où j'étais, il m'était difficile de distinguer l'attitude de la statue; je ne pouvais juger que de sa hau- 15 teur, qui me parut de six pieds environ. En ce moment, deux polissons de la ville passaient sur le jeu de paume, assez près de la haie, sifflant le joli air du Roussillon: *Montagnes regalades.* Ils s'arrêtèrent pour regarder la statue; un d'eux l'apostropha même à haute voix. Il 20 parlait catalan; mais j'étais dans le Roussillon depuis assez longtemps pour pouvoir comprendre à peu près tout ce qu'il disait.

— Te voilà donc, coquine! (Le terme catalan était plus énergique.) Te voilà! disait-il. C'est donc toi qui 25 as cassé la jambe à Jean Coll! Si tu étais à moi, je te casserais le cou.

— Bah! avec quoi? dit l'autre. Elle est de cuivre, et si dure qu'Étienne a cassé sa lime dessus, essayant de l'entamer. C'est du cuivre du temps des païens; c'est plus 30 dur que je ne sais quoi.

— Si j'avais mon ciseau à froid (il paraît que c'était un apprenti serrurier), je lui ferais bientôt sauter ses grands yeux blancs, comme je tirerais une amande de sa coquille. Il y a pour plus de cent sous d'argent.

Ils firent quelques pas en s'éloignant.

— Il faut que je souhaite le bonsoir à l'idole, dit le plus grand des apprentis, s'arrêtant tout à coup. 5

Il se baissa, et probablement ramassa une pierre. Je le vis deployer le bras, lancer quelque chose, et aussitôt un coup sonore retentit sur le bronze. Au même instant, l'apprenti porta la main à sa tête en poussant un cri de douleur. 10

— Elle me l'a rejetée ! s'écria-t-il.

Et mes deux polissons prirent la fuite à toutes jambes. Il était évident que la pierre avait rebondi sur le métal, et avait puni ce drôle de l'outrage qu'il faisait à la déesse.

Je fermai la fenêtre en riant de bon cœur. 15

— Encore un Vandale puni par Vénus ! Puissent tous les destructeurs de nos vieux monuments avoir ainsi la tête cassée !

Sur ce souhait charitable, je m'endormis.

Il était grand jour quand je me réveillai. Auprès de 20 mon lit étaient, d'un côté, M. de Peyrehorade, en robe de chambre; de l'autre, un domestique envoyé par sa femme, une tasse de chocolat à la main.

— Allons, debout, Parisien ! Voilà bien mes paresseux de la capitale ! disait mon hôte pendant que je m'habillais 25 à la hâte. Il est huit heures, et encore au lit ! Je suis levé, moi, depuis six heures. Voilà trois fois que je monte; je me suis approché de votre porte sur la pointe du pied. Personne. Nul signe de vie. Cela vous fera mal de trop dormir à votre âge. Et ma Vénus que vous n'avez pas 30 encore vue ! Allons, prenez-moi vite cette tasse de chocolat de Barcelone . . . Vraie contrebande . . . Du chocolat comme on n'en a pas à Paris. Prenez des forces, car, lorsque vous serez devant ma Vénus, on ne pourra plus vous en arracher.

En cinq minutes je fus prêt, c'est-à-dire à moitié rasé, 5 mal boutonné, et brûlé par le chocolat, que j'avalai bouillant. Je descendis dans le jardin, et me trouvai devant une admirable statue.

C'était bien une Vénus, et d'une merveilleuse beauté. Elle avait le haut du corps nu, comme les anciens repré- 10 sentaient d'ordinaire les grandes divinités; la main droite, levée à la hauteur du sein, était tournée, la paume en dedans, le pouce et les deux premiers doigts étendus, les deux autres légèrement ployés. L'autre main, rapprochée de la hanche, soutenait la draperie qui couvrait la partie 15 inférieure du corps. L'attitude de cette statue rappelait celle du joueur de mourre qu'on désigne, je ne sais trop pourquoi, sous le nom de Germanicus. Peut-être avait-on voulu représenter la déesse jouant au jeu de mourre.

Quoi qu'il en soit, il est impossible de voir quelque 20 chose de plus parfait que le corps de cette Vénus; rien de plus suave, de plus voluptueux que ses contours; rien de plus élégant et de plus noble que sa draperie. Je m'attendais à quelque ouvrage du bas-empire; je voyais un chef-d'œuvre du meilleur temps de la statuaire. Ce 25 qui me frappait surtout, c'était l'exquise vérité des formes, en sorte qu'on aurait pu les croire moulées sur nature, si la nature produisait d'aussi parfaits modèles.

La chevelure, relevée sur le front, paraissait avoir été dorée autrefois. La tête, petite comme celle de presque 30 toutes les statues grecques, était légèrement inclinée en avant. Quant à la figure, jamais je ne parviendrai à exprimer son caractère étrange, et dont le type ne se rapprochait de celui d'aucune statue antique dont il me souvienne. Ce n'était point cette beauté calme et sévère des sculpteurs grecs, qui, par système, donnaient à tous les traits une majestueuse immobilité. Ici, au contraire, j'observais avec surprise l'intention marquée de l'artiste de rendre la malice arrivant jusqu'à la méchanceté. Tous les traits étaient contractés légèrement: les yeux un peu obliques, la bouche relevée des coins, les narines quelque peu gonflées. Dédain, ironie, cruauté, se lisaient sur ce visage, d'une incroyable beauté cependant. En vérité, plus on regardait cette admirable statue, et plus on éprouvait un sentiment pénible, qu'une si merveilleuse beauté pût s'allier à l'absence de toute sensibilité.

— Si le modèle a jamais existé, dis-je à M. de Peyrehorade, et je doute que le ciel ait jamais produit une telle femme, que je plains ses amants ! Elle a dû se complaire à les faire mourir de désespoir. Il y a dans son expression quelque chose de féroce, et pourtant je n'ai jamais vu rien de si beau.

> — C'est Vénus tout entière à sa proie attachée !

s'écria M. de Peyrehorade, satisfait de mon enthousiasme.

Cette expression d'ironie infernale était augmentée peut-être par le contraste de ses yeux incrustés d'argent et très brillants, avec la patine d'un vert noirâtre que le temps avait donnée à toute la statue. Ces yeux brillants produisaient une certaine illusion qui rappelait la réalité, la vie. Je me souvins de ce que m'avait dit mon guide, qu'elle faisait baisser les yeux à ceux qui la regardaient. Cela était presque vrai; et je ne pus me défendre d'un mouvement de colère contre moi-même, en me sentant un peu mal à mon aise devant cette figure de bronze.

— Maintenant que vous avez tout admiré en détail, mon cher collègue en antiquaillerie, dit mon hôte, ouvrons, s'il vous plaît, une conférence scientifique. Que dites-vous de cette inscription, à laquelle vous n'avez point pris garde
5 encore ?

Il me montrait le socle de la statue, et j'y lus ces mots:

CAVE AMANTEM

— *Quid dicis, doctissime ?* me demanda-t-il en se frottant
10 les mains. Voyons si nous nous rencontrerons sur le sens de ce *cave amantem ?*

— Mais, répondis-je, il y a deux sens. On peut traduire: « Prends garde à celui qui t'aime; défie-toi des amants. » Mais, dans ce sens, je ne sais si *cave amantem* serait d'une
15 bonne latinité. En voyant l'expression diabolique de la dame, je croirais plutôt que l'artiste a voulu mettre en garde le spectateur contre cette terrible beauté. Je traduirais donc: « Prends garde à toi si elle t'aime. »

— Humph ! dit M. de Peyrehorade, oui, c'est un sens
20 admissible; mais, ne vous en déplaise, je préfère la première traduction, que je développerai pourtant. Vous connaissez l'amant de Vénus ?

— Il y en a eu plusieurs.

— Oui; mais le premier, c'est Vulcain. N'a-t-on pas
25 voulu dire: « Malgré toute ta beauté, ton air dédaigneux, tu auras un forgeron, un vilain boiteux pour amant. » Leçon profonde, monsieur, pour les coquettes !

Je ne pus m'empêcher de sourire, tant l'explication me parut tirée par les cheveux.

30 — C'est une terrible langue que le latin avec sa concision, observai-je pour éviter de contredire formellement mon

antiquaire, et je reculai de quelques pas, afin de mieux contempler la statue.

— Un instant, collègue ! dit M. de Peyrehorade en m'arrêtant par le bras, vous n'avez pas tout vu. Il y a encore une autre inscription. Montez sur le socle et regardez au bras droit. En parlant ainsi, il m'aidait à monter.

20. Je m'accrochai sans trop de façon au cou de la Vénus, avec laquelle je commençais à me familiariser. Je la regardai même un instant *sous le nez*, et la trouvai de près encore plus méchante et encore plus belle. Puis je reconnus qu'il y avait, gravés sur le bras, quelques caractères d'écriture cursive antique, à ce qu'il me sembla. A grand renfort de bésicles j'épelai ce qui suit, et cependant M. de Peyrehorade répétait chaque mot à mesure que je le prononçais, approuvant du geste et de la voix. Je lus donc :

VENERI TVRBVL . . .
EVTYCHES MYRO
IMPERIO FECIT

Après ce mot TVRBVL de la première ligne, il me sembla qu'il y avait quelques lettres effacées; mais TVRBVL était parfaitement lisible.

— Ce qui veut dire ? . . . me demanda mon hôte radieux et souriant avec malice, car il pensait bien que je ne me tirerais pas facilement de ce TVRBVL.

— Il y a un mot que je ne m'explique pas encore, lui dis-je ; tout le reste est facile. Eutychès Myron a fait cette offrande à Vénus, par son ordre.

— A merveille. Mais TVRBVL, qu'en faites-vous ? Qu'est-ce que TVRBVL ?

— TVRBVL m'embarrasse fort. Je cherche en vain quelque épithète connue de Vénus qui puisse m'aider. Voyons! que diriez-vous de TVRBVLENTA? Vénus qui trouble, qui agite... Vous vous apercevez que je 5 suis toujours préoccupé de son expression méchante. TVRBVLENTA, ce n'est point une trop mauvaise épithète pour Vénus, ajoutai-je d'un ton modeste, car je n'étais pas moi-même fort satisfait de mon explication.

— Vénus turbulente! Vénus la tapageuse! Ah! vous 10 croyez donc que ma Vénus est une Vénus de cabarets? Point du tout, monsieur; c'est une Vénus de bonne compagnie. Mais je vais vous expliquer ce TVRBVL... Au moins vous me promettez de ne point divulguer ma découverte avant l'impression de mon mémoire? C'est que, 15 voyez-vous, je m'en fais gloire, de cette trouvaille-là... Il faut bien que vous nous laissiez quelques épis à glaner, à nous autres pauvres diables de provinciaux. Vous êtes si riches, messieurs les savants de Paris!

Du haut du piédestal où j'étais toujours perché, je lui 20 promis solennellement que je n'aurais jamais l'indignité de lui voler sa découverte.

— TVRBVL... monsieur, dit-il en se rapprochant et baissant la voix de peur qu'un autre que moi ne pût l'entendre, lisez TVRBVLNERÆ.

25 — Je ne comprends pas davantage.

— Écoutez bien. A une lieue d'ici, au pied de la montagne, il y a un village qui s'appelle Boulternère. C'est une corruption du mot latin TVRBVLNERA. Rien de plus commun que ces inversions. Boulternère, monsieur, a 30 été une ville romaine. Je m'en étais toujours douté, mais jamais je n'en avais eu la preuve. La preuve, la voilà. Cette Vénus était la divinité topique de la cité de Boulternère. Et ce mot de Boulternère, que je viens de démontrer d'origine antique, prouve une chose bien plus curieuse, c'est que Boulternère, avant d'être une ville romaine, a été une ville phénicienne !

Il s'arrêta un moment pour respirer et jouir de ma surprise. Je parvins à réprimer une forte envie de rire. 5

— En effet, poursuivit-il, TVRBVLNERA est pur phénicien. TVR, prononcez TOUR . . . TOUR et SOUR, même mot, n'est-ce pas ? SOUR est le nom phénicien de Tyr; je n'ai pas besoin de vous en rappeler le sens. BVL, 10 c'est Baal, Bâl, Bel, Bul, légères différences de prononciation. Quant à NERA, cela me donne un peu de peine. Je suis tenté de croire, faute de trouver un mot phénicien, que cela vient du grec *nerós*, humide, marécageux. Ce serait donc un mot hybride. Pour justifier *nerós*, je vous 15 montrerai à Boulternère comment les ruisseaux de la montagne y forment des mares infectes. D'autre part, la terminaison NERA aurait pu être ajoutée beaucoup plus tard, en l'honneur de Nera Pivesuvia, femme de Tétricus, laquelle aurait fait quelque bien à la cité de Turbul. Mais, à 20 cause des mares, je préfère l'étymologie de *nerós*.

Il prit une prise de tabac d'un air satisfait.

— Mais laissons les Phéniciens, et revenons à l'inscription. Je traduis donc: « A Vénus de Boulternère. Myron dédie, par son ordre, cette statue son ouvrage. » 25

Je me gardai bien de critiquer son étymologie, mais je voulus à mon tour faire preuve de pénétration, et je lui dis:

— Halte-là, monsieur. Myron a consacré quelque chose, mais je ne vois nullement que ce soit cette statue. 30

— Comment ! s'écria-t-il, Myron n'était-il pas un fameux sculpteur grec ? Le talent se sera perpétué dans sa famille; c'est un de ses descendants qui aura fait cette statue Il n'y a rien de plus sûr.

— Mais, répliquai-je, je vois sur le bras un petit trou. Je pense qu'il a servi à fixer quelque chose, un bracelet, 5 par exemple, que ce Myron donna à Vénus en offrande expiatoire. Myron était un amant malheureux. Vénus était irritée contre lui; il l'apaisa en lui consacrant un bracelet d'or. Remarquez que *fecit* se prend fort souvent pour *consecravit*. Ce sont termes synonymes. Je vous en 10 montrerais plus d'un exemple si j'avais sous la main Gruter ou bien Orellius. Il est naturel qu'un amoureux voie Vénus en rêve, qu'il s'imagine qu'elle lui commande de donner un bracelet d'or à sa statue. Myron lui consacra un bracelet . . . Puis les barbares, ou bien quelque voleur 15 sacrilège . . .

— Ah ! qu'on voit bien que vous avez fait des romans ! s'écria mon hôte en me donnant la main pour descendre. Non, monsieur, c'est un ouvrage de l'école de Myron. Regardez seulement le travail, et vous en conviendrez.

20 M'étant fait une loi de ne jamais contredire à outrance les antiquaires entêtés, je baissai la tête d'un air convaincu, en disant:

— C'est un admirable morceau.

— Ah ! mon Dieu, s'écria M. de Peyrehorade, encore un 25 trait de vandalisme ! On aura jeté une pierre à ma statue !

Il venait d'apercevoir une marque blanche, un peu au-dessus du sein de la Vénus. Je remarquai une trace semblable sur les doigts de la main droite, qui, je le supposai alors, avaient été touchés dans le trajet de la pierre, ou 30 bien un fragment s'en était détaché par le choc et avait ricoché sur la main. Je contai à mon hôte l'insulte dont j'avais été témoin, et la prompte punition qui s'en était suivie. Il en rit beaucoup, et comparant l'apprenti à Diomède, il lui souhaita de voir, comme le héros grec, tous ses compagnons changés en oiseaux blancs.

La cloche du déjeuner interrompit cet entretien classique, et, de même que la veille, je fus obligé de manger comme 5 quatre. Puis vinrent des fermiers de M. de Peyrehorade; et, pendant qu'il leur donnait audience, son fils me mena voir une calèche qu'il avait achetée à Toulouse pour sa fiancée, et que j'admirai, cela va sans dire. Ensuite j'entrai avec lui dans l'écurie, où il me tint une demi-heure à me 10 vanter ses chevaux, à me faire leur généalogie, à me conter les prix qu'ils avaient gagnés aux courses du département. Enfin il en vint à me parler de sa future, par la transition d'une jument grise qu'il lui destinait.

— Nous la verrons aujourd'hui, dit-il. Je ne sais si 15 vous la trouverez jolie. Vous êtes difficiles, à Paris; mais tout le monde, ici et à Perpignan, la trouve charmante. Le bon, c'est qu'elle est fort riche. Sa tante de Prades lui a laissé son bien. Oh ! je vais être fort heureux.

Je fus profondément choqué de voir un jeune homme 20 paraître plus touché de la dot que des beaux yeux de sa future.

— Vous vous connaissez en bijoux, poursuivit M. Alphonse, comment trouvez-vous ceci ? Voici l'anneau que je lui donnerai demain. 25

En parlant ainsi, il tirait de la première phalange de son petit doigt une grosse bague enrichie de diamants, et formée de deux mains entrelacées; allusion qui me parut infiniment poétique. Le travail en était ancien, mais je jugeai qu'on l'avait retouchée pour enchâsser les diamants. 30 Dans l'intérieur de la bague se lisaient ces mots en lettres gothiques: *sempr' ab ti*, c'est-a-dire: toujours avec toi.

— C'est une jolie bague, lui dis-je; mais ces diamants ajoutés lui ont fait perdre un peu de son caractère.

— Oh! elle est bien plus belle comme cela, répondit-il en souriant. Il y a là pour douze cents francs de diamants. 5 C'est ma mère qui me l'a donnée. C'était une bague de famille, très ancienne . . . du temps de la chevalerie. Elle avait servi à ma grand'mère, qui la tenait de la sienne. Dieu sait quand cela a été fait.

— L'usage à Paris, lui dis-je, est de donner un anneau 10 tout simple, ordinairement composé de deux métaux différents, comme de l'or et du platine. Tenez, cette autre bague, que vous avez à ce doigt, serait fort convenable. Celle-ci, avec ses diamants et ses mains en relief, est si grosse, qu'on ne pourrait mettre un gant par-dessus.

15 — Oh! madame Alphonse s'arrangera comme elle voudra. Je crois qu'elle sera toujours bien contente de l'avoir. Douze cents francs au doigt, c'est agréable.

Nous devions dîner ce jour-là à Puygarrig, chez les parents de la future; nous montâmes en calèche, et nous nous 20 rendîmes au château, éloigné d'Ille d'environ une lieue et demie. Je fus présenté et accueilli comme l'ami de la famille. Je ne parlerai pas du dîner ni de la conversation qui s'ensuivit, et à laquelle je pris peu de part. M. Alphonse, placé à côté de sa future, lui disait un mot à l'oreille 25 tous les quarts d'heure. Pour elle, elle ne levait guère les yeux, et, chaque fois que son prétendu lui parlait, elle rougissait avec modestie, mais lui répondait sans embarras.

Mademoiselle de Puygarrig avait dix-huit ans; sa taille 30 souple et délicate contrastait avec les formes osseuses de son robuste fiancé. Elle était non seulement belle, mais séduisante. J'admirais le naturel parfait de toutes ses actions, de toutes ses réponses; et son air de bonté, qui pourtant n'était pas exempt d'une légère teinte de malice, me rappela, malgré moi, la Vénus de mon hôte. Dans cette comparaison, que je fis en moi-même, je me demandais si la supériorité de beauté qu'il fallait bien accorder à la statue, ne tenait pas, en grande partie, à son expression de tigresse; car l'énergie, même dans les mauvaises passions, excite toujours en nous un étonnement et une espèce d'admiration involontaire.

— Quel dommage, me dis-je, en quittant Puygarrig, qu'une si aimable personne soit riche, et que sa dot la fasse rechercher par un homme indigne d'elle!

En revenant à Ille, et ne sachant trop que dire à madame de Peyrehorade, à qui je croyais convenable d'adresser quelquefois la parole:

— Vous êtes bien esprits forts en Roussillon! m'écriai-je; comment, madame, vous faites un mariage un vendredi! A Paris nous aurions plus de superstition; personne n'oserait prendre femme un tel jour.

— Mon Dieu! ne m'en parlez pas, me dit-elle, si cela n'avait dépendu que de moi, certes on eût choisi un autre jour. Mais Peyrehorade l'a voulu, et il a fallu lui céder. Cela me fait de la peine pourtant. S'il arrivait quelque malheur? Il faut bien qu'il y ait une raison, car enfin, pourquoi tout le monde a-t-il peur du vendredi?

— Vendredi! s'écria son mari, c'est le jour de Vénus! Bon jour pour un mariage! Vous le voyez, mon cher collègue, je ne pense qu'à ma Vénus. D'honneur! c'est à cause d'elle que j'ai choisi le vendredi. Demain, si vous voulez, avant la noce, nous lui ferons un petit sacrifice; nous sacrifierons deux palombes, et si je savais où trouver de l'encens . . .

— Fi donc, Peyrehorade ! interrompit sa femme scandalisée au dernier point. Encenser une idole ! Ce serait une abomination ! Que dirait-on de nous dans le pays ?

— Au moins, dit M. de Peyrehorade, tu me permettras
5 de lui mettre sur la tête une couronne de roses et de lys:

Manibus date lilia plenis.

Vous le voyez, monsieur, la charte est un vain mot. Nous n'avons pas la liberté des cultes !

Les arrangements du lendemain furent réglés de la
10 manière suivante. Tout le monde devait être prêt et en toilette à dix heures précises. Le chocolat pris, on se rendrait en voiture à Puygarrig. Le mariage civil devait se faire à la mairie du village, et la cérémonie religieuse, dans la chapelle du château. Viendrait ensuite un dé-
15 jeuner. Après le déjeuner on passerait le temps comme l'on pourrait, jusqu'à sept heures. A sept heures, on retournerait à Ille, chez M. de Peyrehorade, où devaient souper les deux familles réunies. Ne pouvant danser, on avait voulu manger le plus possible.

20 **21.** Dès huit heures, j'étais assis devant la Vénus, un crayon à la main, recommençant pour la vingtième fois la tête de la statue, sans pouvoir parvenir à en saisir l'expression. M. de Peyrehorade allait et venait autour de moi, me donnait des conseils, me répétait ses étymologies
25 phéniciennes; puis disposait des roses du Bengale sur le piédestal de la statue, et, d'un ton tragi-comique, lui adressait des vœux pour le couple qui allait vivre sous son toit. Vers neuf heures, il rentra pour songer à sa toilette, et en même temps parut M. Alphonse, bien serré dans un
30 habit neuf, en gants blancs, souliers vernis, boutons ciselés, une rose à la boutonnière.

— Vous ferez le portrait de ma femme ? me dit-il en se penchant sur mon dessin. Elle est jolie aussi.

En ce moment commençait, sur le jeu de paume dont j'ai parlé, une partie qui, sur-le-champ, attira l'attention de M. Alphonse. Et moi, fatigué, et désespérant de rendre cette diabolique figure, je quittai bientôt mon dessin pour regarder les joueurs. Il y avait parmi eux quelques muletiers espagnols arrivés de la veille. C'étaient des Aragonais et des Navarrois, presque tous d'une adresse merveilleuse. Aussi les Illois, bien qu'encouragés par la présence et les conseils de M. Alphonse, furent-ils assez promptement battus par ces nouveaux champions. Les spectateurs nationaux étaient consternés. M. Alphonse regarda à sa montre. Il n'était encore que neuf heures et demie. Sa mère n'était pas coiffée. Il n'hésita plus; il ôta son habit, demanda une veste, et défia les Espagnols. Je le regardais faire en souriant, et un peu surpris.

— Il faut soutenir l'honneur du pays, dit-il.

Alors je le trouvai vraiment beau. Il était passionné. Sa toilette, qui l'occupait si fort tout à l'heure, n'était plus rien pour lui. Quelques minutes avant, il eût craint de tourner la tête de peur de déranger sa cravate. Maintenant il ne pensait plus à ses cheveux frisés ni à son jabot si bien plissé. Et sa fiancée ? . . . Ma foi, si cela eût été nécessaire, il aurait, je crois, fait ajourner le mariage. Je le vis chausser à la hâte une paire de sandales, retrousser ses manches, et, d'un air assuré, se mettre à la tête du parti vaincu, comme César ralliant ses soldats à Dyrrachium. Je sautai la haie, et me plaçai commodément à l'ombre d'un micocoulier, de façon à bien voir les deux camps.

Contre l'attente générale, M. Alphonse manqua la première balle; il est vrai qu'elle vint rasant la terre et lancée avec une force surprenante par un Aragonais qui paraissait être le chef des Espagnols.

C'était un homme d'une quarantaine d'années, sec et nerveux, haut de six pieds, et sa peau olivâtre avait une 5 teinte presque aussi foncée que le bronze de la Vénus.

M. Alphonse jeta sa raquette à terre avec fureur.

— C'est cette maudite bague, s'écria-t-il, qui me serre le doigt, et me fait manquer une balle sûre !

Il ôta, non sans peine, sa bague de diamants: je m'ap-10 prochais pour la recevoir; mais il me prévint, courut à la Vénus, lui passa la bague au doigt annulaire, et reprit son poste à la tête des Illois.

Il était pâle, mais calme et résolu. Dès lors, il ne fit plus une seule faute, et les Espagnols furent battus com-15 plètement. Ce fut un beau spectacle que l'enthousiasme des spectateurs. Les uns poussaient mille cris de joie en jetant leurs bonnets en l'air; d'autres lui serraient les mains, l'appelant l'honneur du pays. S'il eût repoussé une invasion, je doute qu'il eût reçu des félicitations plus 20 vives et plus sincères. Le chagrin des vaincus ajoutait encore à l'éclat de sa victoire.

— Nous ferons d'autres parties, mon brave, dit-il à l'Aragonais, d'un ton de supériorité; mais je vous rendrai des points.

25 J'aurais désiré que M. Alphonse fût plus modeste, et je fus presque peiné de l'humiliation de son rival.

Le géant espagnol ressentit profondément cette insulte. Je le vis pâlir sous sa peau basanée. Il regardait d'un air morne sa raquette en serrant les dents; puis, d'une voix 30 étouffée, il dit tout bas: *Me lo pagarás.*

La voix de M. de Peyrehorade troubla le triomphe de son fils; mon hôte, fort étonné de ne point le trouver présidant aux apprêts de la calèche neuve, le fut bien plus encore en le voyant tout en sueur, la raquette à la main. M. Alphonse courut à la maison, se lava la figure et les mains, remit son habit neuf et ses souliers vernis, et cinq minutes après, nous étions au grand trot sur la route de 5 Puygarrig. Tous les joueurs de paume illois et grand nombre de spectateurs nous suivirent avec des cris de joie. A peine les chevaux vigoureux qui nous traînaient pouvaient-ils maintenir leur avance sur ces intrépides Catalans.

Nous étions à Puygarrig, et le cortège allait se mettre 10 en marche pour la mairie, lorsque M. Alphonse, se frappant le front, me dit tout bas:

— Quelle brioche! J'ai oublié la bague! Elle est au doigt de la Vénus, que le diable puisse emporter! Ne le dites pas à ma mère au moins. Peut-être qu'elle ne s'a- 15 percevra de rien.

— Vous pourriez envoyer quelqu'un, lui dis-je.

— Bah! mon domestique est resté à Ille. Ceux-ci, je ne m'y fie guère. Douze cents francs de diamants! Cela pourrait en tenter plus d'un. D'ailleurs, que penserait-on 20 ici de ma distraction? Ils se moqueraient trop de moi. Ils m'appelleraient le mari de la statue ... Pourvu qu'on ne me la vole pas! Heureusement que l'idole fait peur à mes coquins. Ils n'osent l'approcher à longueur du bras. Bah! ce n'est rien; j'ai une autre bague. 25

Les deux cérémonies civile et religieuse s'accomplirent avec la pompe convenable. Puis, on se mit à table, où l'on but, mangea, chanta même, le tout fort longuement. Je souffrais pour la mariée de la grosse joie qui éclatait autour d'elle; pourtant elle faisait meilleure contenance que je ne 30 l'aurais espéré, et son embarras n'était ni de la gaucherie ni de l'affectation.

Peut-être le courage vient-il avec les situations difficiles.

Le déjeuner terminé quand il plut à Dieu, il était quatre heures; les hommes allèrent se promener dans le parc, qui était magnifique, ou regardèrent danser sur la pelouse du château les paysannes de Puygarrig, parées de leurs habits de fête. De la sorte, nous employâmes quelques heures. Cependant les femmes étaient fort empressées autour de la mariée, qui leur faisait admirer sa corbeille. Puis, elle changea de toilette, et je remarquai qu'elle couvrit ses beaux cheveux d'un bonnet et d'un chapeau à plumes, car les femmes n'ont rien de plus pressé que de prendre, aussitôt qu'elles le peuvent, les parures que l'usage leur défend de porter quand elles sont encore demoiselles.

Il était près de huit heures quand on se disposa à partir pour Ille. Mais d'abord eut lieu une scène pathétique. La tante de mademoiselle de Puygarrig, qui lui servait de mère, femme très âgée et fort dévote, ne devait point aller avec nous à la ville. Au départ, elle fit à sa nièce un sermon touchant sur ses devoirs d'épouse, duquel sermon résulta un torrent de larmes et des embrassements sans fin. M. de Peyrehorade comparait cette séparation à l'enlèvement des Sabines. Nous partîmes pourtant, et, pendant la route, chacun s'évertua pour distraire la mariée et la faire rire; mais ce fut en vain.

A Ille, le souper nous attendait, et quel souper! Si la grosse joie du matin m'avait choqué, je le fus bien davantage des équivoques et des plaisanteries dont le marié et la mariée surtout furent l'objet. Le marié, qui avait disparu un instant avant de se mettre à table, était pâle et d'un sérieux de glace. Il buvait à chaque instant du vieux vin de Collioure presque aussi fort que de l'eau-de-vie. J'étais à côté de lui, et me crus obligé de l'avertir:

— Prenez garde ! on dit que le vin . . .

Je ne sais quelle sottise je lui dis pour me mettre à l'unisson des convives.

Il me poussa du genou, et très bas il me dit :

— Quand on se lèvera de table . . . que je puisse vous dire deux mots.

Son ton solennel me surprit. Je le regardai plus attentivement, et je remarquai l'étrange altération de ses traits.

— Vous sentez-vous indisposé ? lui demandai-je.

— Non.

Et il se remit à boire.

Cependant, au milieu des cris et des battements de mains, un enfant de onze ans, qui s'était glissé sous la table, montrait aux assistants un joli ruban blanc et rose qu'il venait de détacher de la cheville de la mariée. On appelle cela sa jarretière. Elle fut aussitôt coupée par morceaux et distribuée aux jeunes gens, qui en ornèrent leur boutonnière, suivant un antique usage qui se conserve encore dans quelques familles patriarcales. Ce fut pour la mariée une occasion de rougir jusqu'au blanc des yeux . . . Mais son trouble fut au comble, lorsque M. de Peyrehorade, ayant réclamé le silence, lui chanta quelques vers catalans, impromptus, disait-il. En voici le sens, si je l'ai bien compris :

« Qu'est-ce donc, mes amis ? Le vin que j'ai bu me fait-il voir double ? Il y a deux Vénus ici . . . »

Le marié tourna brusquement la tête d'un air effaré, qui fit rire tout le monde.

« Oui, poursuivit M. de Peyrehorade, il y a deux Vénus sous mon toit. L'une, je l'ai trouvée dans la terre comme une truffe ; l'autre, descendue des cieux, vient de nous partager sa ceinture. »

Il voulait dire la jarretière.

« Mon fils, choisis de la Vénus romaine ou de la catalane celle que tu préfères. Le maraud prend la catalane, et sa part est la meilleure. La romaine est noire, la catalane est blanche. La romaine est froide, la catalane enflamme tout ce qui l'approche. »

Cette chute excita un tel hourra, des applaudissements si bruyants et des rires si sonores, que je crus que le plafond allait nous tomber sur la tête. Autour de la table, il n'y avait que trois visages sérieux: ceux des mariés et le mien. J'avais un grand mal de tête; et puis, je ne sais pourquoi, un mariage m'attriste toujours. Celui-là, en outre, me dégoûtait un peu.

Les derniers couplets ayant été chantés par l'adjoint du maire, et ils étaient fort lestes, je dois le dire, on passa dans le salon pour jouir du départ de la mariée, qui devait être bientôt conduite à sa chambre, car il était près de minuit.

M. Alphonse me tira dans l'embrasure d'une fenêtre, et me dit en détournant les yeux:

— Vous allez vous moquer de moi . . . Mais je ne sais ce que j'ai . . . Je suis ensorcelé ! le diable m'emporte !

— Vous avez trop bu de vin de Collioure, mon cher monsieur Alphonse, lui dis-je. Je vous avais prévenu.

— Oui, peut-être. Mais c'est quelque chose de bien plus terrible.

Il avait la voix entrecoupée. Je le crus tout à fait ivre.

— Vous savez bien mon anneau ? poursuivit-il après un silence.

— Eh bien ! on l'a pris ?

— Non.

— En ce cas, vous l'avez ?

— Non . . . Je . . . je ne puis l'ôter du doigt de cette diable de Vénus.

— Bon ! vous n'avez pas tiré assez fort.

— Si fait . . . Mais la Vénus . . . Elle a serré le doigt.

Il me regardait fixement d'un air hagard, s'appuyant à l'espagnolette pour ne pas tomber. 5

— Quel conte ! lui dis-je. Vous avez trop enfoncé l'anneau. Demain vous l'aurez avec des tenailles. Mais prenez garde de gâter la statue.

— Non, vous dis-je. Le doigt de la Vénus est retiré, reployé; elle serre la main, m'entendez-vous ? . . . C'est ma femme, apparemment, puisque je lui ai donné mon anneau . . . Elle ne veut plus le rendre. 10

J'éprouvai un frisson subit, et j'eus un instant la chair de poule. Puis, un grand soupir qu'il fit, m'envoya une bouffée de vin, et toute émotion disparut. 15

Le misérable, pensai-je, est complètement ivre.

— Vous êtes antiquaire, monsieur, ajouta le marié d'un ton lamentable; vous connaissez ces statues-là . . . Il y a peut-être quelque ressort, quelque diablerie, que je ne connais point . . . Si vous alliez voir ? 20

— Volontiers, dis-je. Venez avec moi.

— Non, j'aime mieux que vous y alliez seul.

Je sortis du salon.

Le temps avait changé pendant le souper, et la pluie commençait à tomber avec force. J'allais demander un parapluie, lorsqu'une réflexion m'arrêta. Je serais un bien grand sot, me dis-je, d'aller vérifier ce que m'a dit un homme ivre ! Peut-être, d'ailleurs, a-t-il voulu me faire quelque méchante plaisanterie pour apprêter à rire à ces honnêtes provinciaux; et le moins qu'il puisse m'en arriver, c'est d'être trempé jusqu'aux os et d'attraper un bon rhume. 25 30

22. De la porte, je jetai un coup d'œil sur la statue ruisselante d'eau, et je montai dans ma chambre sans rentrer dans le salon. Je me couchai; mais le sommeil fut long à venir. Toutes les scènes de la journée se représen-
5 taient à mon esprit. Je pensais à cette jeune fille si belle et si pure abandonnée à un ivrogne brutal. Quelle odieuse chose, me disais-je, qu'un mariage de convenance! Un maire revêt une écharpe tricolore, un curé une étole, et voilà la plus honnête fille du monde livrée au minotaure!
10 Deux êtres qui ne s'aiment pas, que peuvent-ils se dire dans un pareil moment, que deux amants achèteraient au prix de leur existence? Une femme peut-elle jamais aimer un homme qu'elle aura vu grossier une fois? Les premières impressions ne s'effacent pas, et, j'en suis sûr, ce M. Al-
15 phonse méritera bien d'être haï...

Durant mon monologue, que j'abrège beaucoup, j'avais entendu force allées et venues dans la maison, les portes s'ouvrir et se fermer, des voitures partir; puis il me semblait avoir entendu sur l'escalier les pas légers de plusieurs
20 femmes se dirigeant vers l'extrémité du corridor opposé à ma chambre. C'était probablement le cortège de la mariée qu'on menait au lit. Ensuite on avait redescendu l'escalier. La porte de madame de Peyrehorade s'était fermée. Que cette pauvre fille, me dis-je, doit être troublée et mal
25 à son aise! Je me tournais dans mon lit de mauvaise humeur. Un garçon joue un sot rôle dans une maison où s'accomplit un mariage.

Le silence régnait depuis quelque temps, lorsqu'il fut troublé par des pas lourds qui montaient l'escalier. Les
30 marches de bois craquèrent fortement.

Quel butor! m'écria-je. Je parie qu'il va tomber dans l'escalier.

Tout redevint tranquille. Je pris un livre pour changer le cours de mes idées. C'était une statistique du département, ornée d'un mémoire de M. de Peyrehorade sur les monuments druidiques de l'arrondissement de Prades. Je m'assoupis à la troisième page. 5

Je dormis mal, et me réveillai plusieurs fois. Il pouvait être cinq heures du matin, et j'étais éveillé depuis plus de vingt minutes, lorsqu'un coq chanta. Le jour allait se lever. Alors j'entendis distinctement les mêmes pas lourds, le même craquement de l'escalier que j'avais 10 entendus avant de m'endormir. Cela me parut singulier. J'essayai, en bâillant, de deviner pourquoi M. Alphonse se levait si matin. Je n'imaginais rien de vraisemblable. J'allais refermer les yeux, lorsque mon attention fut de nouveau excitée par des trépignements étranges, auxquels 15 se mêlèrent bientôt le tintement des sonnettes et le bruit de portes qui s'ouvraient avec fracas; puis je distinguai des cris confus.

— Mon ivrogne aura mis le feu quelque part ! pensais-je en sautant à bas de mon lit. 20

Je m'habillai rapidement et sortis sur le corridor. De l'extrémité opposée partaient des cris et des lamentations, et une voix déchirante dominait toutes les autres: « Mon fils ! mon fils ! » Il était évident qu'un malheur était arrivé à M. Alphonse. Je courus à la chambre nuptiale; elle 25 était pleine de monde. Le premier spectacle qui frappa ma vue, fut le jeune homme à demi vêtu, étendu en travers sur le lit, dont le bois était brisé. Il était livide, sans mouvement. Sa mère pleurait et criait à côté de lui. M. de Peyrehorade s'agitait, lui frottait les tempes d'eau de 30 Cologne, ou lui mettait des sels sous le nez. Hélas ! depuis longtemps son fils était mort. Sur un canapé, à l'autre bout de la chambre, était la mariée, agitée d'horribles convulsions. Elle poussait des cris inarticulés, et deux robustes servantes avaient toutes les peines du monde à la contenir.

— Bon Dieu ! m'écriai-je, qu'est-il donc arrivé ?

5 Je m'approchai du lit, et soulevai le corps du malheureux jeune homme; il était déjà raide et froid. Les dents serrées et la figure noircie exprimaient les plus horribles angoisses. Il paraissait assez que sa mort avait été violente et son agonie terrible. Nulle trace de sang cependant sur 10 ses habits. J'écartai sa chemise, et vis sur sa poitrine une empreinte livide qui se prolongeait sur les côtes et le dos. On eût dit qu'il avait été étreint dans un cercle de fer. Mon pied posa sur quelque chose de dur qui se trouvait sur le tapis; je me baissai et vis la bague de diamants.

15 J'entraînai M. de Peyrehorade et sa femme dans leur chambre; puis j'y fis porter la mariée.

— Vous avez encore une fille, leur dis-je, vous lui devez vos soins. — Alors je les laissai seuls.

Il ne me paraissait pas douteux que M. Alphonse n'eût 20 été victime d'un assassinat dont les auteurs avaient trouvé moyen de s'introduire la nuit dans la chambre de la marieé. Ces meurtrissures à la poitrine, leur direction circulaire, m'embarrassaient beaucoup pourtant, car un bâton ou une barre de fer n'aurait pu les produire. Tout d'un coup 25 je me souvins d'avoir entendu dire qu'à Valence, des braves se servaient de longs sacs de cuir, remplis de sable fin, pour assommer les gens dont on leur avait payé la mort. Aussitôt je me rappelai le muletier aragonais et sa menace; toutefois, j'osais à peine penser qu'il eût tiré une si terrible 30 vengeance d'une plaisanterie légère.

J'allais dans la maison, cherchant partout des traces d'effraction, et n'en trouvant nulle part. Je sortis dans le jardin pour voir si les assassins s'étaient introduits de ce côté; mais je ne trouvai aucun indice certain. La pluie de la veille avait d'ailleurs tellement détrempé le sol, qu'il n'aurait pu garder d'empreinte bien nette. J'observai pourtant quelques pas profondément imprimés dans la 5 terre; il y en avait dans deux directions contraires, mais sur une même ligne, partant de l'angle de la haie contiguë au jeu de paume, et aboutissant à la porte de la maison. Ce pouvaient être les pas de M. Alphonse, lorsqu'il était allé chercher son anneau au doigt de la statue. D'un autre 10 côté, la haie, en cet endroit, étant moins fourrée qu'ailleurs, ce devait être sur ce point que les meurtriers l'auraient franchie. Passant et repassant devant la statue, je m'arrêtai un instant pour la considérer. Cette fois, je l'avouerai, je ne pus contempler sans effroi son expression de 15 méchanceté ironique; et, la tête toute pleine des scènes horribles dont je venais d'être le témoin, il me sembla voir une divinité infernale applaudissant au malheur qui frappait cette maison.

Je regagnai ma chambre et j'y restai jusqu'à midi. 20 Alors je sortis et demandai des nouvelles de mes hôtes. Ils étaient un peu plus calmes. Mademoiselle de Puygarrig, je devrais dire la veuve de M. Alphonse, avait repris connaissance. Elle avait même parlé au procureur du roi de Perpignan, alors en tournée à Ille, et ce magistrat 25 avait reçu sa déposition. Il me demanda la mienne. Je lui dis ce que je savais, et ne lui cachai pas mes soupçons contre le muletier aragonais. Il ordonna qu'il fût arrêté sur-le-champ.

— Avez-vous appris quelque chose de madame Al- 30 phonse ? demandai-je au procureur du roi, lorsque ma déposition fut écrite et signée.

— Cette malheureuse jeune personne est devenue folle, me dit-il en souriant tristement. Folle! tout à fait folle. Voici ce qu'elle conte:

— Elle était couchée, dit-elle, depuis quelques minutes, 5 les rideaux tirés, lorsque la porte de sa chambre s'ouvrit, et quelqu'un entra. Alors madame Alphonse était dans la ruelle du lit, la figure tournée vers la muraille. Elle ne fit pas un mouvement, persuadée que c'était son mari. Au bout d'un instant, le lit cria comme s'il était chargé 10 d'un poids énorme. Elle eut grand'peur, mais n'osa pas tourner la tête. Cinq minutes, dix minutes peut-être . . . elle ne peut se rendre compte du temps, se passèrent de la sorte. Puis elle fit un mouvement involontaire, ou bien la personne qui était dans le lit en fit un, et elle sentit le 15 contact de quelque chose de froid comme la glace. Ce sont ses expressions. Elle s'enfonça dans la ruelle, tremblant de tous ses membres. Peu après la porte s'ouvrit une seconde fois, et quelqu'un entra, qui dit: « Bonsoir, ma petite femme. » Bientôt après on tira les rideaux. Elle 20 entendit un cri étouffé. La personne qui était dans le lit, à côté d'elle, se leva sur son séant et parut étendre les bras en avant. Elle tourna la tête alors . . . et vit, dit-elle, son mari à genoux auprès du lit, la tête à la hauteur de l'oreiller, entre les bras d'une espèce de géant verdâtre qui l'étreignait 25 avec force. Elle dit, et m'a répété vingt fois, pauvre femme! . . . elle dit qu'elle a reconnu . . . devinez-vous? La Vénus de bronze, la statue de M. de Peyrehorade . . . Depuis qu'elle est dans le pays, tout le monde en rêve. Mais je reprends le récit de la malheureuse folle. A ce spectacle, 30 elle perdit connaissance, et probablement depuis quelques instants elle avait perdu la raison. Elle ne peut, en aucune façon, dire combien de temps elle demeura évanouie.

Revenue à elle, elle revit le fantôme, ou la statue, comme elle dit toujours, immobile, les jambes et le bas du corps dans le lit, le buste et les bras étendus en avant, et entre ses bras son mari, sans mouvement. Un coq chanta. Alors la statue sortit du lit, laissa tomber le cadavre et sortit. Madame Alphonse se pendit à la sonnette, et vous savez le reste. 5

On amena l'Espagnol; il était calme, et se défendit avec beaucoup de sang-froid et de présence d'esprit. Du reste, il ne nia pas le propos que j'avais entendu; mais il l'expliquait, prétendant qu'il n'avait voulu dire autre chose, sinon que le lendemain, reposé qu'il serait, il aurait gagné une partie de paume à son vainqueur. Je me rappelle qu'il ajouta: 10

— Un Aragonais, lorsqu'il est outragé, n'attend pas au lendemain pour se venger. Si j'avais cru que M. Alphonse eût voulu m'insulter, je lui aurais sur-le-champ donné de mon couteau dans le ventre. 15

On compara ses souliers avec les empreintes de pas dans le jardin; ses souliers étaient beaucoup plus grands. 20

Enfin l'hôtelier chez qui cet homme était logé assura qu'il avait passé toute la nuit à frotter et à médicamenter un de ses mulets qui était malade.

D'ailleurs cet Aragonais était un homme bien famé, fort connu dans le pays, où il venait tous les ans pour son commerce. On le relâcha donc en lui faisant des excuses. 25

J'oubliais la déposition d'un domestique qui le dernier avait vu M. Alphonse vivant. C'était au moment qu'il allait entrer chez sa femme, et, appelant cet homme, il lui demanda d'un air d'inquiétude s'il savait où j'étais. Le domestique répondit qu'il ne m'avait point vu. Alors M. Alphonse fit un soupir et resta plus d'une minute 30 sans parler, puis il dit: *Allons! le diable l'aura emporté aussi!*

Je demandai à cet homme si M. Alphonse avait sa bague en diamants lorsqu'il lui parla. Le domestique hésita pour 5 répondre; enfin il dit qu'il ne le croyait pas; qu'il n'y avait fait au reste aucune attention.

— S'il avait eu cette bague au doigt, ajouta-t-il en se reprenant, je l'aurais sans doute remarquée, car je croyais qu'il l'avait donnée à madame Alphonse.

10 En questionnant cet homme je ressentais un peu de la terreur superstitieuse que la déposition de madame Alphonse avait répandue dans toute la maison. Le procureur du roi me regarda en souriant, et je me gardai bien d'insister.

15 Quelques heures après les funérailles de M. Alphonse, je me disposai à quitter Ille. La voiture de M. de Peyrehorade devait me conduire à Perpignan. Malgré son état de faiblesse, le pauvre vieillard voulut m'accompagner jusqu'à la porte de son jardin. Nous le traversâmes en 20 silence, lui se traînant à peine, appuyé sur mon bras. Au moment de nous séparer, je jetai un dernier regard sur la Vénus. Je prévoyais bien que mon hôte, quoiqu'il ne partageât point les terreurs et les haines qu'elle inspirait à une partie de sa famille, voudrait se défaire d'un objet qui 25 lui rappellerait sans cesse un malheur affreux. Mon intention était de l'engager à la placer dans un musée. J'hésitais pour entrer en matière, quand M. de Peyrehorade tourna machinalement la tête du côté où il me voyait regarder fixement. Il aperçut la statue et aussitôt fondit en larmes. 30 Je l'embrassai, et, sans oser lui dire un seul mot, je montai dans la voiture.

Depuis mon départ je n'ai point appris que quelque

jour nouveau soit venu éclairer cette mystérieuse catastrophe.

M. de Peyrehorade mourut quelques mois après son fils. Par son testament, il m'a légué ses manuscrits, que je publierai peut-être un jour. Je n'y ai point trouvé le mémoire 5 relatif aux inscriptions de la Vénus.

P. S. Mon ami M. de P . . . vient de m'écrire de Perpignan que la statue n'existait plus. Après la mort de son mari, le premier soin de madame de Peyrehorade fut de la faire fondre en cloche, et sous cette nouvelle forme elle sert 10 à l'église d'Ille. Mais, ajoute M. de P . . . , il semble qu'un mauvais sort poursuive ceux qui possèdent ce bronze. Depuis que cette cloche sonne à Ille, les vignes ont gelé deux fois.

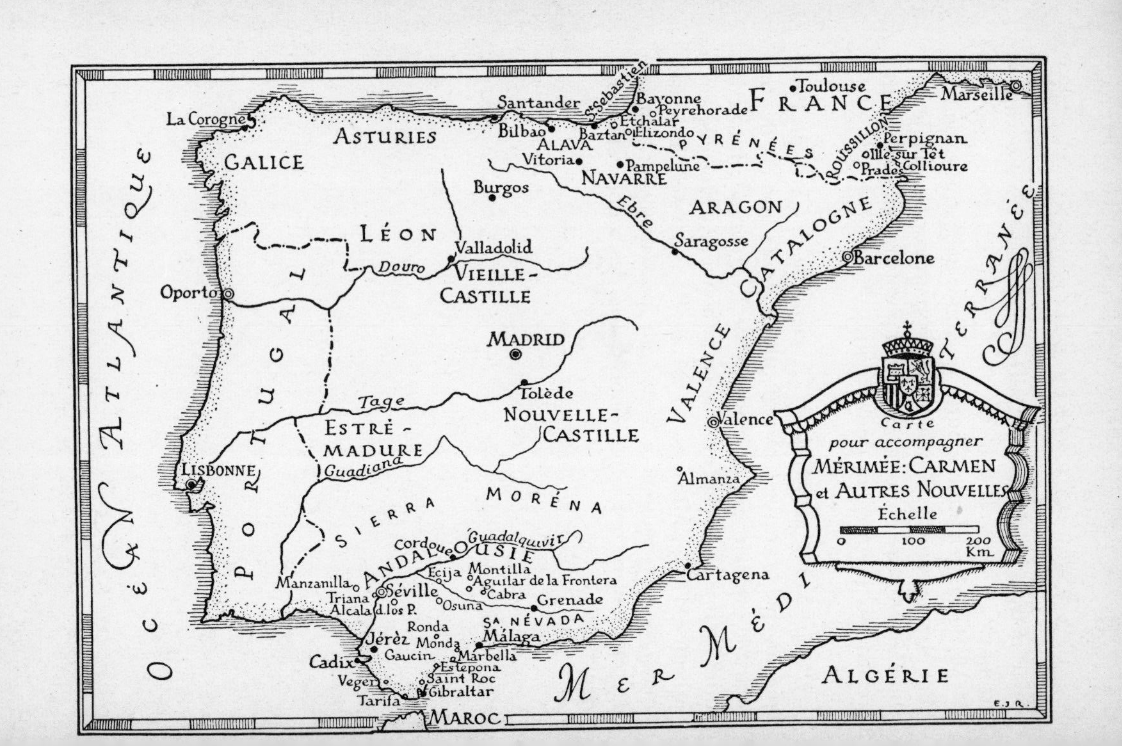
Carte
pour accompagner
MÉRIMÉE: CARMEN
et AUTRES NOUVELLES
Échelle
0
100
200
Km.
OCÉAN ATLANTIQUE
MER MÉDITERRANÉE
FRANCE
PORTUGAL
ALGÉRIE
MAROC
La Corogne
GALICE
ASTURIES
Santander
Bilbao
ALAVA
Vitoria
St Sebastien
Bayonne
Peyrehorade
Etchalar
Baztan
Elizondo
PYRÉNÉES
Pampelune
NAVARRE
Toulouse
Marseille
ROUSSILLON
Perpignan
Ille sur Têt
Prades
Collioure
Burgos
Ebre
ARAGON
Saragosse
CATALOGNE
Barcelone
LÉON
Valladolid
Douro
VIEILLE-CASTILLE
Oporto
MADRID
Tolède
NOUVELLE-CASTILLE
Tage
ESTRÉ-MADURE
Guadiana
LISBONNE
VALENCE
Valence
Almanza
SIERRA MORÉNA
Guadalquivir
Cordoue
ANDALOUSIE
Ecija
Montilla
Aguilar de la Frontera
Cabra
Manzanilla
Séville
Triana
Alcala d. los P.
Osuna
Grenade
Cartagena
SA NÉVADA
Ronda
Jérèz
Monda
Málaga
Cadix
Gaucin
Marbella
Estepona
Vegen
Saint Roc
Gibraltar
Tarifa
E. J. R.

NOTES

NOTE. — The uses of the French subjunctive discussed in these Notes are tabulated in an *Outline* on p. 166 of this book. As each use is taken up here, it is followed by a reference to the *Outline*.

CARMEN

Carmen was first published in 1845. It is based on a story which the Countess de Montijo, the mother of the Empress Eugénie of France, told Mérimée.

Page 3. — 1. **de ne savoir.** **Savoir, pouvoir, oser** frequently omit **pas,** especially when followed by an infinitive. As a rule, **pas** is omitted today only in written French.

3. **Munda.** Mérimée cherished for a long time the project of writing a life of Julius Cæsar, and when he was in Spain in 1840 he gathered materials bearing on Cæsar's Spanish campaigns. Ultimately he gave his notes to Napoleon III, who published a biography of Cæsar in 1865–7.

4. **quelque,** *some, about,* is today generally treated as an adverb and remains singular before a plural noun.

7. **l'excellente bibliothèque du duc d'Osuna.** This library, established in Madrid in 1786, was purchased by the Spanish government in 1884 and its contents divided between the National Library and other institutions.

11. **Me trouvant en Andalousie.** Mérimée first visited Spain, including Andalusia, in June–December, 1830.

13. **Un mémoire.** Mérimée never published such a study; this sentence and the following are full of his characteristic irony.

16. **résolve.** The subjunctive is used after **avant que, en attendant que** and **jusqu'à ce que,** indicating time before which. See *Outline*, II, C, 5. Notice that this subjunctive, as frequently, is to be rendered by the English infinitive. Sometimes, however, the English present participle replaces the French subjunctive; see note to page 7, line 21.

23. **Certain jour,** *One day.* **Certain,** having much the same meaning as **un,** is frequently used, especially in older style, without **un.** The description which follows, the longest in *Carmen,* is unusually extended and detailed for the sober Mérimée, who had little feeling for landscape without human action in it. Compare the account of the **mâquis** in *Mateo Falcone,* page 70.

26. **les fils de Pompée.** After Cæsar's victory at Pharsalia over Pompey, champion of Roman aristocracy, the latter's two sons, strategically placed in Spain, were successively vanquished by Cæsar and Augustus.

Page 4. — 7. **qu'en remontant,** *i.e.* **le ruisseau.**

12. **A peine eus-je fait. A peine** is one of various adverbs after which a pronoun used as subject frequently follows the verb; cf. English usage after *scarcely, hardly.* **A peine . . . que,** like **ne . . . pas** (or **encore, plus tôt, sitôt**) **. . . que,** may take the past anterior tense, as here, when the action is not repeated. See note to page 12, line 9.

15. **Il était impossible = Il aurait été impossible.**

16. **un lieu qui promît au voyageur.** The subjunctive (*Outline,* II, B, 1) is here used in a relative clause of characteristic, that is, one which modifies an indefinite antecedent described as desired or thought of, but not as found.

18. **un sable blanc comme la neige.** Note that here, as often, both **un** (" a kind of ") and **la** are to be omitted in translation. French uses many more articles, both definite and indefinite, than English does.

19. **Cinq à,** *Five or.*

22. **un lit meilleur qu'on n'en eût trouvé,** *a better bed than one could have found.* The pluperfect subjunctive is used in written French instead of the perfect conditional (**aurait trouvé**) in the conclusions (or result clauses) of conditional sentences. (*Outline,* I, C). **Si l'on avait essayé** is omitted. **Ne** is not to be translated; it is used in a comparison of inequality of which the first clause is not negative.

25. **A moi n'appartenait pas l'honneur . . . ,** *The honor . . . was not mine.* The unusual word order emphasizes **moi.** — **un si beau lieu,** *such a lovely spot.*

Page 5. — 5. **d'en entendre parler,** *of hearing them talked about.* After **faire, laisser,** and verbs of sense perception (**entendre, sentir, voir**), followed by a second verb, the pronoun object of the second verb (here **en**) is placed before the first verb. Note also that verbs of sense perception are usually followed in French by the infinitive (as here) or a relative clause, and in English by a participle.

10. **mes *Commentaires* Elzévir. Elzévir** remains in the singular because it is a proper name used as an adjective, as in **des meubles Louis seize,** etc.

19. **Je mis pied à terre.** In this expression, **pied** is pronounced, as usually, [pje], but in **pied-à-terre,** 'lodging occupied occasionally,' or in **de pied en cap,** 'cap à pie,' the **d** of **pied** is pronounced [t].

22. **les mauvais soldats de Gédéon,** who knelt down to drink and so were rejected by Gideon for service against the Midianites (*Judges*, vii, 4–7). French forms of Old Testament names, such as **Gédéon** (Gideon), are taken from the Latin Bible (Vulgate). Mérimée, like Victor Hugo, is one of the rare French writers who make Biblical references with some frequency.

26. **qu'il tenait d'abord horizontale,** *which he had previously held horizontally.* Mérimée is fond of such uses of the imperfect for a preceding action which had continued until a given moment in the past. He thereby gives greater reality to his style.

28. **Ne croyant pas devoir me formaliser,** *As I did not think I ought to take offense.*

Page 6. — 3. **Mon cigare allumé.** This construction, an imitation of the Latin, **étant** or **ayant été** being omitted, is popular with French writers and well adapted to Mérimée's alert brevity.

8. **à la manière andalouse.** Andalusians pronounce **s** with the tip of the tongue against the lower teeth, so that their origin is readily detected.

17. **comme il y avait longtemps que je n'avais fumé!** *how long it has been since I have smoked!* **Pas** is omitted with **je n'avais fumé** because **pas** is rarely used with a negative verb in a compound tense after **il y a . . . que** referring to time.

22. **bien qu'il se dît. Bien que, quoique** and other conjunctions

of concession are regularly followed by the subjunctive. (II, C, 4.)

27. **des murs . . . , tuiles . . . , pierres . . .** Roman ruins. The **tuiles à rebords** are roof tiles with raised edges, serving to carry off the rain.

30. **ce qui** generally is used in summarizing an entire clause, **qui** in referring to a single word.

32. **haras de Cordoue.** Cf. Borrow, *The Zincali* (1843; cf. below, note to page 18, line 4), p. 63: "Cordova has always been celebrated for its steeds, the best breeding horses in the whole of Spain being found in the stalls of the large landed proprietors in the neighborhood. These animals are of unequalled beauty . . . ." There was a famous royal stud in Cordova in Napoleonic times.

Page 7. — 1. **prétendait,** *maintained;* **prétendre** only occasionally means 'pretend.'

4. **en,** do not translate; it means 'in regard to the matter.' — **C'est que j'étais = C'est parce que j'étais.**

21. **sans que j'en devinasse . . .** *without my guessing;* subjunctive of manner, in use only after **sans que** and **loin que,** which negative the statement that follows.

Page 8. — 10. **Je ne doutai pas que je n'eusse.** Positive verbs of doubt are regularly followed by the subjunctive (II, A, 3, *a*); negative verbs of doubt and denial do not necessarily take the subjunctive. When they do, as here, the subjunctive is frequently preceded by **ne.**

12. **que m'importait?** The impersonal subject of **importait** is omitted by a survival of Old French usage.

23. **que.** Omit in translation.

26. **Si j'étais?** *Suppose I were . . .* **Si** often introduces such a conditional statement, of which the result is not expressed.

Page 9. — 10. **une des plus misérables que j'eusse encore rencontrées.** The subjunctive (II, B, 2) is here used, as often, because it refers to a superlative.

25. **Munda.** Cf. above, page 3, line 3.

Page 10. — 1. **je lui fis comprendre.** When **faire** is combined with an infinitive, it usually has an indirect personal object (**lui**), if the infinitive has a direct object (**qu'il . . .**).

4. **meilleur que je ne . . .** For **ne** see note to page 4, line 22.

9. **Après avoir mangé.** **Après** regularly is followed by the perfect infinitive. **En** is followed by the present participle (gerund); all other prepositions govern the infinitive.

20. **s'étant fait donner la mandoline,** *after having the mandolin handed to him.*

24. **Si je ne me trompe.** **Pas** is frequently omitted in the if-clauses of conditional sentences and regularly in **si ce n'est,** 'except.'

27. **langue basque.** Basque is a peculiar and difficult language, probably derived from that of the ancient Iberian inhabitants of Spain. It is now spoken by some 600,000 people in Spain, and by not over 100,000 in Southwestern France.

Page 11. — 1. **le Satan de Milton.** Mérimée is probably thinking of *Paradise Lost*, I, 591 ff.; cf. also *Paradise Lost*, I, 54–8 and IV, 23–6.

15. **Je crains que le cheval de Monsieur ne soit malade.** Verbs of fearing, like other verbs expressing emotion, are regularly followed by the subjunctive (II, A, 2).

16. **Je voudrais que Monsieur le vît.** Subjunctive after verbs of will (II, A, 1). **ce qu'il faut lui faire,** *what to do for him.*

20. **au point où nous en étions,** *as matters stood.* For **en** see note to page 7, line 4.

Page 12. — 9. **Dès que j'en eus compris la nature.** The past anterior is used in written French of a completed action, generally immediately preceding another action which is in the past definite. It is so used after **aussitôt que, dès que, sitôt que,** 'as soon as'; **alors que, lorsque, quand,** ' when '; and **après que,** ' after.'

10. **à la belle étoile,** like the longer and less common **coucher à l'enseigne de l'étoile,** is an ironical phrase properly meaning 'put up at the Star Inn,' that is ' (sleep) in the open air.'

13. **du sommeil,** *the sleep.*

17. **pour la seconde fois.** **Seconde** tends to be used when

there are only two objects in existence or in question, and **deuxième** when there are more than two, but this rule is by no means absolute.

32. **José Navarro.** The most famous Andalusian bandit after the death of José María was actually named Navarro.

Page 13. — 6. **pour qui le livrera.** **Qui** here = **celui qui.** Translate, *for the man who will hand him over to justice.*

7. **Je sais un poste de lanciers.** **Sais** is here used in the colloquial speech of a guide instead of **connais.** Translate, *I know of.* — **une lieue et demie.** **Demi** agrees in gender with a preceding noun. When hyphenated with a noun it is invariable, as in **une demi-douzaine,** ' a half-dozen ' (page 15, line 25).

10. **le Navarro.** The definite article is used here in contemptuously familiar style before a personal name.

11. **Que le diable vous emporte!** The subjunctive of wish (I, B). The use of the subjunctive of command (I, A) is similar.

12. **pour le dénoncer,** *that you should inform against him.* It would be more exact to say, **pour que vous le dénonciez** (see note to line 19), but French tends wherever possible to replace the subjunctive by the infinitive construction.

13. **êtes-vous sûr qu'il soit . . .** Verbs of knowledge, used negatively, interrogatively, or conditionally, are frequently followed by the subjunctive (II, A, 3) in written French.

18. **Tant qu'il vous saura là.** French regularly uses the future after conjunctions (**lorsque, pendant que, quand, tant que,** etc.) referring to future time, while English uses the present.

19. **assez . . . pour qu'on ne pût entendre.** In such clauses of result the indicative is used when the result is looked upon as attained, and the subjunctive (as here), when it is not (II, C, 2). Clauses of result are preceded by **assez** (or **trop**) **. . . pour que, de** (or **en**) **sorte que, si** (**tant, tel, tellement**) **. . . que.**

26. **deux cents ducats ne sont pas à perdre. À** + the infinitive is here used in a passive sense (= ' to be lost '), expressing the idea of obligation or necessity.

Page 14. — 16. **pourvu qu'il soit bon. Pourvu que,** like most conjunctions introducing conditions, such as **à condition que, à**

moins que, au (or **en**) **cas que, supposé que,** etc., takes the subjunctive (II, C, 3). **Si,** however, is usually followed by the indicative.

Page 15. — 15. **du riz à la valencienne.** Some such word as **mode** or **façon** is understood before **valencienne.** "Valencian rice," one of the most popular dishes in Spain, is made of rice, chicken, saffron, crabs or crawfish, sometimes ham, and other ingredients. For information on this point and other Spanish matters the editor is indebted to his colleague, D. José Robles.

20. **est-ce un préjugé que cet instinct . . . ,** *is that impulse . . . a prejudice.* **Que** introduces the subject of the sentence, which it separates sharply from the predicate.

21. **qui résiste à tous les raisonnements,** *which turns a deaf ear to reason.*

31. **Elle ajouta que . . .** Don José may well have suggested this idea to her just before he left (cf. p. 15, l. 7), perhaps with the idea of clearing the archæologist of suspicion. — **son habitude,** *his . . .*

Page 16. — 8. **une gratification aussi forte que l'état de mes finances pouvait me le permettre.** Omit the pleonastic **le** in translation; such uses of **le** are particularly frequent in comparative sentences.

11. **bibliothèque des dominicains.** Mérimée probably refers to the convent of San Pablo, which belonged at that time to the Dominicans and possessed many choice books.

13. **Fort bien. Fort,** like **bas, cher, dur** (colloquially), **haut, tout** and other adjectives, can be used as an adverb, as here, without changing its form.

23. **vêtue, tout en noir. Tout** is not feminine in form, though referring to a woman, because it is used as an adverb and precedes a vowel. It becomes **toute,** however, when an adjective beginning with a consonant or aspirate **h** follows, as in **toute française** (page 17, line 2).

28. **à l'obscure clarté** ('dim light') **qui tombe des étoiles.** Corneille, *Le Cid,* Act IV, sc. III, line 1273:

> Cette obscure clarté qui tombe des étoiles.

Page 17. — 2. **d'une politesse toute française,** *altogether French in its courtesy.*

5. **j'en avais de tels,** *I had some of that sort.* The partitive article is generally omitted before a plural adjective which replaces a noun.

11. **indiscret** is one of many words having similar forms but somewhat different meanings in French and in English. 'Indiscreet' means in general 'lacking in judgment or prudence'; **indiscret** means 'lacking in reserve, intrusive,' or 'unable to keep a secret.' Translate here, *I thought I should not be going too far.*

14. **Je fis sonner ma montre,** *I made my repeater strike the time.*

26. **qui je suis,** *what I am.*

27. **du pays de Jésus.** Cf. the expression *God's country;* the Spanish sometimes call Andalusia *la tierra de Dios,* 'God's country.'

29. **Francisco Sevilla.** Mérimée was acquainted with this famous bullfighter, who died in 1841.

Page 18. — 1. **vous seriez . . . Mauresque,** *you may be Moorish.* The conditional mood is here used, as frequently, to express possibility, conjecture, or probability.

2. **n'osant dire.** Why is **pas** omitted? — **juive.** In an effort to Christianize the entire country, Jews were banished from Spain in 1492 and have returned in very small numbers only since 1858. Before 1858 the word 'Jew' survived in Spanish only as a term of contumely.

3. **bohémienne,** *Gipsy.* The Gipsies left India at an unknown date, certainly after the 5th century, A.D., and appeared in western Europe in the 15th century. The name **bohémien** indicates that they spent some time in Bohemia, while **gitana** (page 18, line 23), like *Gipsy,* means Egyptian, because they said they came from 'Egypt.' The language, *Rommany,* is derived from a Hindu dialect, but is much mixed with various European elements, according to the residence of the various tribes.

4. **baji,** like most of the Gipsy expressions in *Carmen,* was known to Mérimée from the works of George Borrow, *The Bible in Spain* and *The Zincali.*

5. **Carmencita,** diminutive of **Carmen,** a form of **Carmel,** given as a name in honor of "Our Lady of Mount Carmel." **Carmencita** was the name of "une très jolie fille, point trop basanée," considered a witch, who served Mérimée *gazpacho* in an inn near Murviedro (now Sagunto) in 1830, and whose portrait he drew (see *Les Sorcières espagnoles*, in Mérimée's *Dernières nouvelles*).

6. **il y a de cela quinze ans,** *I should say fifteen years ago.*

12. **Sortant du collège.** A **collège** is a combination of an elementary and a secondary school. Pupils may enter it at the age of five, or may attend elementary schools (**écoles primaires**) and enter the secondary part of the **collège** at the age of twelve. A **collège** differs from a **lycée** in that the latter is maintained by the central government, while a **collège** is either a municipal or a private foundation (frequently religious). The secondary course takes seven years, after which the pupil receives the degree of **bachelier** and may enter the University or a higher professional school. The **bachelier** has thus about completed the work of an American junior college.

14. **sciences occultes.** About 1820, when he was 17, Mérimée read a number of works on magic, and he was always interested in such subjects.

27. **toutes les femmes . . . que j'aie jamais rencontrées.** The subjunctive is used here because the sentence means: **Elle était la plus jolie femme de sa race que j'aie jamais rencontrée.** See *Outline*, II, B, 2.

29. **il faut qu'elle réunisse,** subjunctive after expressions of necessity (II, A, 4, *a*).

30. **trente si. Si,** *so*, here has, as occasionally in the sixteenth century, the meaning of 'condition, quality.'

Page 19. — 18. **Œil de bohémien, œil de loup.** Mérimée imitates French proverbs in omitting, in Old French fashion, articles before the nouns. He also omits a verb because proverbs frequently do so. — Notice how often Mérimée speaks of Carmen's eyes.

Page 20. — 8. **vaste.** See Vocabulary for difference in meaning between **vaste** and English 'vast.'

29. **le seul mot que je comprisse. Seul,** like **premier, dernier,** and **unique,** is equivalent to a superlative and is consequently sometimes followed by the subjunctive (II, B, 2, *a*).

Page 21. — 11. **jaune.** See note to page 16, line 13.

23. **j'avais quelques soupçons que cette gorge ne fût la mienne. Avoir des soupçons,** like **soupçonner,** is sometimes, as here, an ironical expression meaning ' to fear,' and therefore takes **ne** with the subjunctive.

Page 22. — 1. **toujours tout droit,** *right straight on.*

7. **pour qu'il voulût bien la faire chercher,** *to be good enough to have it sought for.* Subjunctive of purpose, regular after **afin que, pour que** or **que** meaning ' in order that ' (II, C, 1).

16. **capitale** of the Omeyyad caliphs (756–1031), who made Cordova one of the richest cities in Europe and the center of Mohammedan culture.

23. **des *Pater* et des *Ave*.** The Latin *Pater* and *Ave* belong to a small group of foreign words which are generally not modified in the plural.

25. **car pour volé nous savons que vous l'êtes,** *we already knew you were robbed;* literally, ' for, so far as being robbed is concerned, we know you were.'

29. **Eh bien!** *Well!* Distinguish carefully between this expression and **bien!** *very well! all right!*

Page 23. — 6. **là-bas,** *when you are back in France.*

13. **C'est un hidalgo que votre voleur,** *Your robber is a gentleman.*

14. **garrotté.** Mérimée adds the note: " En 1830, la noblesse jouissait encore de ce privilège. Aujourd'hui, sous le régime constitutionnel, les vilains ont conquis le droit au *garrotte*."

16. **Plût à Dieu,** *Would to God!*

17. **tous plus horribles les uns que les autres,** *each more dreadful than the other.*

21. **un autre nom basque, que ni vous ni moi ne prononcerons jamais,** *could ever pronounce,* because Basque family names are frequently very long and difficult for Spaniards to pronounce. Cf. page 25, line 8.

28. **" petit pendement pien choli,"** a quotation from Molière, *Monsieur de Pourceaugnac*, III, iii. It is there spoken by a German Swiss whose barbarous French is ridiculed.

Page 24. — 18. **Oserai-je,** *May I venture.* Here, as frequently, the future of **oser** is equivalent to a form of **pouvoir** + the infinitive.

Page 25. — 14. **paume** represents **pelote,** *pelota*, the Basque national game, a kind of combination of tennis and handball. The ball is hurled with a sort of wicker racket fastened to a leather glove on the player's hand. It is popular in Cuba under its Basque name of *jai alai*, ' gay feast,' and is occasionally played under this name in the United States. See the description of a game below, page 117, line 3 ff.

15. **nous autres Navarrais. Autres** is frequently added to **nous** and **vous** for emphasis.

24. **manufacture de tabacs.** Tobacco being a governmental monopoly, soldiers would be on guard. The building was erected in 1757 (see illustration, p. 27); some 2000 women were employed there recently, but their places are being taken by machines. Guides in Seville today point out the factory to visitors as " the place where Carmen worked."

25. **vous aurez vu.** The future perfect is here used in reference to the past to express probability, as occasionally in English.

Page 26. — 5. **Vous saurez = Vous devez savoir,** *You probably know.*

11. **dîner,** which originally in Old French meant ' breakfast,' is here used, as it still is in most of the French countryside, for *midday meal.* In large cities it is used chiefly in its literary sense, ' evening meal, dinner.'

13. **qui refusent,** *who will refuse.* — **les amateurs, à cette pêche-là, n'ont qu'à se baisser pour prendre le poisson,** *those interested in that sort of fishing have only to stoop down to pick up the fish.*

18. **sans jupes bleues et sans nattes.** " Costume ordinaire des paysannes de la Navarre et des provinces basques." (*Author's Note.*)

23. **la gitanilla,** the title of one of the *Novelas ejemplares* of Cervantes, which furnished Mérimée a number of suggestions for *Carmen.*

Page 28. — 2. **haras de Cordoue.** See note to page 6, line 32.

4. **se signer.** The Basques, being very conservative, would have been shocked at such a costume.

12. **Compère, me dit-elle à la façon andalouse.** In Andalusia the Spanish *compadre* (= French **compère**) is still used in this way.

17. **épingles** were used to mark a pattern upon which certain kinds of lace were made by knitting with a bobbin.

21. **de mon âme.** Translation of Spanish *de mi alma.* Render as *my dear.*

Page 29. — 8. **un vacarme à ne pas entendre Dieu tonner,** *a noise that would have drowned out God's own thunder.*

11. **qu'on venait de lui marquer,** *which had just been cut.*

18. **grand'peine. Grand'** here, as in **grand'mère, grand'route,** represents the Old French form *grant,* which was feminine as well as masculine. The apostrophe is due to the wrong idea that the form is shortened from the later feminine form **grande.**

21. **Triana,** a workingmen's suburb of Seville. Borrow's *The Zincali,* p. 199: " The faubourg of Triana, in Seville, has from time immemorial been noted as a favorite residence of the Gitános [= Gipsies]; and here, at the present day, they are to be found in greater numbers than in any town in Spain." Cf. also *The Bible in Spain,* p. 216–7, where Borrow recalls that Triana probably gets its name from the Emperor Trajan, born in or near it.

22. **tu n'as donc pas assez d'un balai?** *can't you get along with a broom* (i.e., since you are a witch and ride one)?

27. **avec son âne.** Criminals in Spain were placed on an ass when they were to be flogged through the streets or led to the place of execution.

31. **peindre un damier.** " *Pintar un javeque,* peindre un chebec. Les chebecs espagnols ont, pour la plupart, leur bande peinte à carreaux rouges et blancs." (*Author's Note.*) According to the Spanish Academy, however, *jabeque* in *pintar un jabeque*

means ' a face wound made with a knife ' and has nothing to do with *jabeque*, a 'xebec, sort of ship.'

Page 30. — 1. **le bout des cigares,** *the ends . . . ;* **bout** is singular because French considers the fact that each cigar has but one end.

3. **Ma sœur.** The possessive adjective is used in French and not in English in addressing relatives (as here) and in addressing superior officers (cf. line 21, below). In the latter case English-speaking soldiers usually say ' sir.'

21. **Mon officier,** notice the flattery involved in calling a corporal an officer.

32. **Faites-en boire à une femme une pincée râpée dans un verre de vin blanc, elle ne résiste plus.** *Have your lady-love drink a bit of it ground in a glass of white wine, and she will no longer say no.* The imperative here replaces the *if*-clause of a conditional sentence.

Page 31. — 19. **du pays,** i.e. **basque.**

31. **barratcea.** In Basque *baratze* means ' garden ' and *baratzea* ' the garden '; Mérimée's spelling and grammar are both inaccurate.

32. **si j'étais . . . ,** *I wish I were . . .*

Page 32. — 18. **j'étais tout près d'en faire,** *I was on the point of doing them.*

20. **ce ne seraient pas ces deux conscrits de Castillans qui . . . ,** *these two Castilian conscripts wouldn't be men enough to . . .*

23. **m'amie,** sometimes written **mamie** or **ma mie,** is now antiquated; the use of **m'** for **ma** before feminine words beginning with a vowel was common in Old French.

32. **vites.** Gipsies are so famous for their fleetness of foot that it has been said only a horseman could overtake one fleeing from justice.

Page 33. — 1. **lance.** " Toute la cavalerie espagnole est armée de lances." (*Author's Note.*)

2. **au moment de la poursuivre,** *on setting out in pursuit.*

10. **en revenir,** *give up the chase and go back.*

15. **eût terrassé.** The subjunctive (II, A, 4) is here used in a subject clause because the verb in the principal clause does not express certainty or probability.

24. **bien.** Omit in translation. It implies that " I might have been, for Longa . . . "

28. **Tout le temps que tu as servi sans punition, c'est du temps perdu.** *All the time you served without ever meriting punishment is so much time lost.*

Page 34. — 8. **cette diable de fille-là. Diable** is here treated as feminine because of **fille**; similarly we find **une drôle de chose,** though the feminine forms **diablesse** and **drôlesse** are used when not followed by another phrase.

10. **sèche,** *dry as it had become.*

13. **pain d'Alcalà.** " Alcalà de los Panaderos, bourg à deux lieues de Séville, où l'on fait des petits pains délicieux. On prétend que c'est à l'eau d'Alcalà qu'ils doivent leur qualité et l'on en apporte tous les jours une grande quantité à Séville." (*Author's Note.*)

28. **on se moquait, était scié** (line 30), **je changeais** (line 31), use *could have* in every case in English.

Page 35. — 13. **on me commanda de service,** *I was ordered to go on duty.*

23. **à ce qu'on disait,** *according to what people said.*

29. **tout or et tout rubans.** See note to page 16, line 23. But here **tout** stands before a substantive and in such cases the word is usually invariable.

Page 36. — 7. **Je ne sais,** *I don't know why.*

15. **grille.** " La plupart des maisons de Séville ont une cour intérieure entourée de portiques. On s'y tient en été. Cette cour est couverte d'une toile qu'on arrose pendant le jour et qu'on retire le soir. La porte de la rue est presque toujours ouverte, et le passage qui conduit à la cour, *zaguán*, est fermée par une grille en fer très élégamment ouvragée." (*Author's Note.*)

29. **Lillas Pastia.** According to *The Zincali*, pp. 392, 401, which writes **Lillax,** this name means ' Thomas Frog.'

Page 38. — 1. **en descendant ma garde,** *when I went off guard.*

4. **marchand de friture.** Gautier says in his *Voyage en Espagne*, p. 327, that in Mérimée's day Gipsy women fried fish, etc., in the open air in the streets of Triana.

9. **Demain il fera jour!** *It will dawn tomorrow* (*too*). "**Mañana será otro día.** Proverbe espagnol." (*Author's Note.*) As Dupouy notes, a literal translation of the Spanish would be **Demain sera un autre jour;** Carmen means 'This is not the only day we'll have.'

Page 39. — 5. **don Pedro le Justicier.** The title of **le Justicier** was given Pedro the Cruel long after his death, as the Spanish monarchy grew stronger, in order to rehabilitate his reputation. He is said to have protected trade and suppressed crime. "Le roi don Pèdre, que nous nommons *le Cruel*, et que la reine Isabelle la Catholique n'appelait jamais que *le Justicier*, aimait à se promener le soir dans les rues de Séville, cherchant les aventures, comme le calife Haroûn-al-Raschid. Certaine nuit, il se prit de querelle, dans une rue écartée, avec un homme qui donnait une sérénade. On se battit, et le roi tua le cavalier amoureux. Au bruit des épées, une vieille femme mit la tête à la fenêtre, et éclaira la scène avec la petite lampe, *candilejo*, qu'elle tenait à la main. Il faut savoir que le roi don Pèdre, d'ailleurs leste et vigoureux, avait un défaut de conformation singulier. Quand il marchait, ses rotules craquaient fortement. La vieille, à ce craquement, n'eut pas de peine à le reconnaître. Le lendemain, le Vingt-quatre en charge vint faire son rapport au roi. — Sire, on s'est battu en duel, cette nuit, dans telle rue. Un des combattants est mort. — Avez vous découvert le meurtrier? — Oui, sire. — Pourquoi n'est-il pas déjà puni? — Sire, j'attends vos ordres. — Exécutez la loi. Or, le roi venait de publier un decret portant que tout duelliste serait décapité, et que sa tête demeurerait exposée sur le lieu du combat. Le Vingt-quatre se tira d'affaire en homme d'esprit. Il fit scier la tête d'une statue du roi, et l'exposa dans une niche au milieu de la rue, théâtre du meurtre. Le roi et tous les Sévillans le trouvèrent fort bon. La rue prit son nom de la lampe de la vieille, seul témoin de l'aventure." (*Author's Note.*) In Mérimée's *Histoire de don Pèdre* (Paris, 1848), p. 134–6, the same story is told, except that Don Pedro himself suggests beheading his own statue. — **Elle aurait dû m'inspirer,** *It should have suggested* . . . Notice that French almost always uses the present infinitive after the modal auxiliaries **devoir, falloir, pouvoir, vouloir,** and modifies the tense of the latter; English generally uses the perfect infinitive (as in *have suggested*) after such modal auxiliaries.

Page 40. — 1. **Il n'y a pas de tour ni de bêtise qu'elle ne fît,** *She cut all the capers and follies in the world.* **Pas** is omitted with **fît** because we have a negative subordinate clause dependent upon a negative principal clause, the combination having an affirmative meaning.

3. **où trouver des castagnettes? = où peut-on trouver des castagnettes?**

14. **d'habit et de caractère.** "Les dragons espagnols sont habillés de jaune." (*Author's Note.*)

16. **résigné d'avance à la salle de police,** *looking forward philosophically to imprisonment in the guard house.*

31. **t' . . . le cou,** *your neck.* — **Je suis habillée . . . mouton.** A Gipsy proverb.

Page 41. — 2. **ou elle te ferait épouser une veuve à jambes de bois = ou (si vous ne le faisiez pas), elle . . . ;** render *or she would make you marry a widow with wooden legs* = "La potence qui est veuve du dernier pendu." (*Author's Note.*)

10. **J'en demandais des nouvelles. En,** though rarely used in reference to a definite person in the singular, is still common with verbs of speaking (as here) and certain others.

13. **Portugal** and Gibraltar were the great sources of contraband goods (chiefly English textiles) smuggled into Spain, Portugal having a preferential treaty with England and Gibraltar being a British colony.

Page 42. — 2. **en se faisant connaître à moi.** If the direct pronoun object is not **le, la,** or **les,** the indirect pronoun object must be a disjunctive, following a preposition; hence **à moi.**

5. **Parlons peu, parlons bien,** *Let us be brief but to the point.*

23. **la consigne sera de te pendre,** *the orders will be to hang you.*

Page 43. — 19. **Larmes de dragon!** Carmen is playing on the two meanings of **dragon,** 'dragoon' and 'dragon.'

Page 44. — 29. **flamande de Rome.** "*Flamenca de Roma.* Terme d'argot qui désigne les bohémiennes. *Roma* ne veut pas dire ici la ville éternelle, mais la nation des Romé ou des *gens mariés*, nom que se donnent les bohémiens. Les premiers qu'on vit en Europe venaient probablement des Pays-Bas, d'où est venu leur nom de Flamands." (*Author's Note.*) — **Pays-Bas,** although since 1830 properly designating only Holland, is here used, like the English *Low Countries*, to include Flanders.

Page 45. — 6. **comme il y en à Séville qui viennent vendre . . .** *a number of whom come to Seville to sell . . .*

27. **ni riz ni merluche.** "Nourriture ordinaire du soldat espagnol." (*Author's Note.*)

29. **à pastesas** literally means, according to Borrow (*The Zincali*, p. 259), '(stealing) with the hands'; it is used for 'the filching of money by dexterity of hand, when giving or receiving change.'

31. **Ne t'ai-je pas promis de te faire pendre?** *Didn't I promise you to have you hanged?* See page 41, line 2.

Page 46. — 2. **te mettront . . . la main sur le collet,** *get their hands on you.*

24. **Comment es-tu assez bête pour cela?** *How can you be so foolish?*

Page 48. — 16. **avec plaisir,** *when you're having a good time.*

Page 49. — 12. **à le faire évader. Évader** is here used instead of **s'évader** because after **faire, envoyer, laisser, sentir,** and **voir,** especially in set phrases, the reflexive pronoun may be omitted before the infinitive.

23. **de la nuit,** *all that night.*

Page 51. — 5. **elle s'en fut à . . .** *she went away to . . .* **Être** is often used in past tenses to replace **aller. S'en fut,** 'went away' being unambiguous, is commoner in written French today than **fut,** 'went.'

25. **parlant,** *if she had spoken.*

Page 52. — 6. **de belles et bonnes guinées,** *plenty of good, solid guineas.* As guineas (= twenty-one shillings) were not coined after 1813, being replaced by sovereigns (= twenty shillings) in 1817, Mérimée is a little inexact.

16. **Vous m'avez parlé.** See page 8, line 26–29.

24. **elle ne l'en aimait que davantage,** *she only loved him the more for it.*

Page 54. — 6. **Écrevisses.** "Nom que le peuple en Espagne donne aux Anglais à cause de la couleur de leur uniforme." (*Author's Note.*) Compare 'lobsters,' the nickname used in American Colonial and Revolutionary times for British troops.

12. **Fais tant que de.** See vocabulary, **tant.**

14. **toute en soie,** an exception to the rule given in the note on page 16, line 23; that rule is not infrequently disregarded.

15. **la Rollona.** See note to page 13, line 10.

24. **à *finibus terræ*,** a phrase frequent in the Latin Bible, is here used incorrectly to mean 'to the ends of the earth.' It is still heard in this sense in Spain.

Page 56. — 31. **Je donnerais . . . au poing,** *I would give one of my fingers to meet your nobleman in the mountains, each of us with a club in his hand.*

Page 57. — 32. **rire de crocodile.** Cf. Mérimée's *L'Amour africain*, in the *Théâtre de Clara Gazul* (1825; p. 180, ed. Trahard): "ai-je sauvé un crocodile qui devait un jour me mordre et rire de sa morsure ? ".

Page 58. — 13. **que je te ferai dire,** *of which I will send you word.*

30. **le nain . . . cracher loin.** Adaptation of a Gipsy proverb from *The Zincali*, p. 420–1. Borrow translates: "The extreme (the most he can do) of a dwarf is to spit largely."

Page 59. — 22. **C'est leur garde andalouse,** *That's the way those Andalusians stand on guard.*

Page 60. — 22. **Si Carmen ne lui eût poussé le bras . . .** The pluperfect subjunctive (II, C, 3) may be used in written French instead of the pluperfect indicative in the if-clause of an unreal condition referring to the past. See notes to page 10, line 24, and page 14, line 16.

28. **il . . . a mis à l'ombre.** This expression, which usually means 'put in prison,' is here used in the extended sense of 'put away, murder.'

29. **Le tien,** *Your* (*time*) *also.*

Page 61. — 6. **j'ai bientôt fini,** *I shall soon be through.* The past indefinite is sometimes substituted for the future perfect in referring to a time not far distant.

24. **put me dire,** *could find to say to me.*

31. **faire ce qui me plaît,** *do as I please.*

32. **Prends garde de me pousser à bout,** *Take care, don't drive me too far.*

Page 62. — 8. **sans mon bon cheval, je demeurais entre . . .,** *if I had not had my good horse, I should have fallen into . . .*

19. **que jamais femme n'a eues pour l'homme le plus aimé,** *such as no woman ever showed before to the best-loved man who ever lived.*

31. **notre destin, à nous,** OUR *destiny.*

32. **Nathan ben-Joseph.** *Ben* is Hebrew for 'son of.' Mérimée is correct in representing Jews as living in Gibraltar, where English rule permitted their residence at least as early as 1760. Cf. note to page 18, line 2.

Page 63. — 1. **cotonnades.** See note to page 41, line 13.

17. **Rivière qui fait du bruit a de l'eau ou des cailloux.** Mérimée is translating Borrow, *The Zincali*, p. 421: "The river which makes a noise has either water or stones." Borrow adds: "the meaning is, ask nothing, gain nothing."

Page 64. — 17. **qui s'en vont avec de l'argent,** *who are leaving there and who have money.*

22. **Voilà mon sang qui bouillonne,** *Then my blood began to boil.*

27. **la cocarde.** "*La divisa,* nœud de rubans dont la couleur indique les pâturages d'où viennent les taureaux. Ce nœud est fixé dans la peau du taureau au moyen d'un crochet, et c'est le comble de la galanterie que de l'arracher à l'animal vivant, pour l'offrir à une femme." (*Author's Note.*)

Page 66. — 12. **. . . qui priait,** *praying.* French uses more relative clauses than English does.

Page 67. — 6. **pour en retirer le plomb.** In order to make dresses fit better, pieces of lead, called "weights," are occasionally sewn into the hem.

8. **plomb.** Carmen was practising 'molybdomancy,' foretelling the future by studying the form taken by molten lead. The practice is common in Germany and Denmark, especially on New Year's Eve, in Ireland on Hallowe'en, in Hungary, Finland, etc. It seems, however, to be entirely unknown in Spain as well as among Gipsies elsewhere.

14. **Marie Padilla.** "On a accusé Marie Padilla d'avoir ensorcelé le roi don Pèdre. Une tradition populaire rapporte qu'elle avait fait présent à la reine Blanche de Bourbon d'une ceinture d'or, qui parut aux yeux fascinés du roi comme un serpent vivant. De là la répugnance qu'il montra toujours pour la malheureuse princesse." (*Author's Note.*) In his *Histoire de Don Pèdre,* p. 120, n. 1, Mérimée says: "L'ensorcellement de don Pèdre par la Padilla est la tradition populaire en Andalousie, où l'un et l'autre ont laissé de grands souvenirs. On ajoute que Marie de Padilla était une reine de Bohémiens, leur *bari crallisa,* partant consommée dans l'art de préparer les philtres. Malheureusement les Bohémiens ne parurent guère en Europe qu'un siècle plus tard. — L'auteur de la *Première Vie du Pape Innocent VI* raconte gravement que, Blanche ayant fait présent à son époux d'une ceinture d'or, Marie de Padilla, aidée d'un Juif, insigne sorcier, changea cette ceinture en serpent, un certain jour

que le roi s'en était paré. On pense aisément quelle dût être la surprise du prince et celle de toute la cour, lorsque la ceinture commença à s'agiter et à siffler, sur quoi la Padilla trouva facilement occasion de persuader à son amant que Blanche était une magicienne qui voulait le faire périr par sorcellerie." The source of this story is a Latin life (published by Baluze, *Vitæ;* see I, 221) of Pope Innocent VI (1352–62), who tried to reconcile Don Pedro and Blanche de Bourbon.

Page 68. — 8. **te faire . . . ,** *tell you . . .*

10. **tu as le droit de tuer ta romi.** Cervantes says in *La Gitanilla* (see note to page 26, line 23), "we are the judges and the executioners of our own wives and mistresses, we kill them and bury them among the forests and deserts with the same readiness as if they were noxious animals."

Page 69. — 16. **les Calé.** Actually, as Professor Irving Brown, the best American authority on Gipsies, pointed out to the editor, the Gipsies are in no way responsible for the traits which did most to wreck José's existence. Carmen is not at all a typical Gipsy, both in the irregularity of her married life and in the fact that she associates more with non-Gipsies than with her own kind.

MATEO FALCONE

Mateo Falcone, first published in 1829, is founded on a Corsican story of two deserters from the French army whom a shepherd betrayed for a bribe to the officers in pursuit. The traitor was then treated by his father as Fortunato is by Mateo.

Page 70. — 11. **arrive que pourra.** Que as a subject and as a double relative (= **ce qui,** *that which*) is a relic of Old French. Cf. the proverb, **Fais ce que dois, advienne que pourra,** *Do your duty, come what may.*

21. **comme il plaît à Dieu,** *at their own sweet will.*

Page 71. — 2. **donnent.** In 1829 Mérimée wrote **vendront,** which he changed after visiting Corsica in 1839 and learning of the Corsicans' primitive but generous habits.

3. **et des châtaignes.** Chestnuts, either roasted or ground into flour, from which a sort of bread is made, are one of the principal foods of the Corsican poor. Mérimée added the words in 1842.

4. **des parents du mort.** The *vendetta*, or hereditary blood-feud, whereby the relatives of a person killed take bloody revenge for him, is said still to exist in Corsica. It is stated that the death of one girl once thereby caused an entire village to be wiped out. — **si ce n'est,** *except.*

17. **couleur de revers de botte,** *leathery.* Mérimée's reference is to turned-over boot tops showing the natural color of the leather, the rest of the boot showing the other side of the hide, artificially colored and polished. — **habilité au tir;** this trait, as well as the name **Falcone,** may have been suggested by the Hawk-eye of Cooper's *Leatherstocking Tales.* Hawk-eye is rendered **Œil de Falcon** in the French version of Cooper.

23. **et l'on. L'** is often used before **on** if the preceding word is **et, ou, où, que, si,** though not if the following word begins with **l.**

25. **à qui n'a pas voyagé = à celui qui . . .**

32. **On le disait,** *He was said to be.*

Page 72. — 9. **se maria.** See note on page 94, line 11.

10. **dont il enrageait,** *which made him furious.*

Page 73. — 5. **bandit** does not mean a robber who commits murder, but a man who kills an enemy of his family and is pursued by the police and consequently 'outlawed' (the literal meaning of **bandit**), so that he is obliged to live in the **mâquis.** See note to page 71, line 4.

16. **Sanpiero.** Sampiero d'Ornano, also called Sampiero Corso (1501–67), was a famous Corsican soldier who was the principal agent of the French in their invasion of Corsica in 1553–9.

17. **collets jaunes.** "L'uniforme des voltigeurs était alors un habit brun avec un collet jaune." (*Author's Note.*) In reality the collar was green. The batallion of **voltigeurs corses** was created November 6, 1822, because troops from France had proved incapable of running down the bandits.

25. **Que j'attende?** *I'm to wait!* The preceding sentence supplies the idea of a verb of volition.

32. **se mit hors d'atteinte,** *got out of reach.*

Page 74. — 16. **une finesse de sauvage assez ingénieuse,** *a rather clever trick, such as only a savage would hit upon.*

25. **quelque peu parent,** *distantly related.*

28. **Tiodoro Gamba.** In choosing this first name (cf. that of **Tiodoro Bianchi,** page 86, line 18) Mérimée was probably thinking of **le roi Théodore,** Baron Theodor von Neuhof (1690–1756), a German adventurer proclaimed king of Corsica (1736), but later expelled, or of Tiodoro Poli (1797–1827), a famous Corsican "bandit-king."

31. **comme te voilà grandi!** *how you have grown!*

Page 75. — 16. **il a pris par ce sentier,** *he took this path.*

Page 76. — 4. **il ne tient qu'à moi de te faire changer de note,** *I can make you change your tune if I want to.*

Page 77. — 8. **tu joues un vilain jeu,** *you are not playing fair.*

Page 78. — 8. **il n'ose y porter la griffe,** *he doesn't dare to touch it.*

21. **d'y lire la foi qu'il devait avoir...** *to read in them how much confidence he could have...*

22. **Que je perde mon épaulette,** *May I lose my rank!* An adjutant formerly wore one epaulette on the right shoulder, like a second lieutenant. French officers have now ceased to wear epaulettes.

Page 79. — 13. **On ne tarda pas à voir le foin...** *The straw was soon seen to...*

Page 80. — 2. **ferme de Crespoli,** imaginary place.

18. **particulier bien famé,** *citizen of good repute.*

22. **plus qu'un autre, avait la conscience nette,** *had an unusually clear conscience.*

Page 81. — 10. **si... et que.** Where a conjunction is repeated in English, French generally uses **que**; when this **que** represents

si, it is followed by the subjunctive (II, C, 3). The edition of 1829 had, however, **et s'il voulait.**

11. **les bourres,** *wads,* of tow or felt, etc., used to separate and keep in position powder and shot. At close range (as here), wad and bullet may strike the target simultaneously; at greater distances the wad falls down and the bullet goes on its way. — **arriveraient à deux d'entre nous,** *would hit two of us.*

12. **aussi sûr qu'une lettre à la poste,** *as surely as a posted letter reaches its destination.*

25. **Bonjour, frère.** " *Buon giorno, fratello,* salut ordinaire des Corses." (*Author's Note.*)

Page 82. — 10. **l'aurait pu découvrir.** It was formerly the rule to place the object of the infinitive before the verb that governs the infinitive.

16. **Aussi** as a conjunction means 'consequently,' 'and so.' Omit in translating this sentence.

26. **Il n'y avait qu'un . . .** *Only a . . .*

Page 83. — 6. **Camarade, donne-moi à boire.** Gianetto prefers to ask a favor from his straightforward enemies and thereby brings out very effectively the baseness of Fortunato's betrayal.

10. **de manière qu'il les eût croisées,** *so that they would be crossed . . .*

Page 84. — 11. **yeux de lynx.** In ancient and medieval times lynxes were believed to see through opaque objects, such as stone walls, just as cats are still popularly believed to see in the dark, a notion which has been scientifically disproved.

23. **quelques deux cents pas. Quelques,** a form violating the rule given above (note to page 3, line 4), was commonly used in the sixteenth and seventeenth centuries.

32. **tout en,** *all the while.* **Tout** stresses the fact that the two actions go on at one time.

Page 86. — 11. **enterrer son fils.** Compare *Carmen*, page 69, lines 6–8.

L'ENLÈVEMENT DE LA REDOUTE

L'Enlèvement de la redoute, first published in 1829, describes a historical incident which was one of the preliminaries of the battle of Borodino during Napoleon's campaign in Russia.

Page 87. — 1. **Un militaire de mes amis,** *A friend of mine who was a soldier . . .*

2. **Grèce.** Mérimée probably means he was one of the volunteers who set out from France under Colonel Favier in 1822 and 1823 to assist the Greeks in their struggle for independence from Turkey.

6. **le 4 septembre.** The incident on which Mérimée's story rests occurred on September 5, 1812.

9. **général B . . . ,** perhaps General Berthier, Napoleon's chief of staff in the Russian campaign.

16. **sa croix** of the Legion of Honor, order open to soldiers and civilians, created by Napoleon in 1802.

21. **Fontainebleau,** a well-known town near Paris, became in 1802 the seat of a training school for infantry and cavalry officers. As the school was transferred to St.-Cyr in 1808, Mérimée errs in representing the hero as just leaving Fontainebleau in 1812.

24. **C'est vous qui devez . . . ,** YOU *are to replace him . . .* **C'est . . . qui** (or **que**) is frequently used to stress some expression placed between **est** and the relative pronoun.

Page 88. — 3. **Cheverino.** The name of the redoubt is generally given as Schwardino or Chawarrino, from a village near which it was situated, the Russian name of which is Shevardinó.

12. **il en coûtera bon,** *it will cost us dear.*

23. **le sommeil me tint rigueur,** *I could not sleep.*

Page 90. — 3. **madame de B . . . ,** probably the countess de Boigne, in whose Parisian salon Mérimée read a number of his works in manuscript. The countess lived in the **rue d'Anjou.**

19. ***non*** (or ***ne***) ***bis in idem,*** *not twice into the same* (*jeopardy*), a legal maxim according to which a man could not be tried twice for

the same offense. Cf. the English expression, 'Lightning does not strike twice in the same place.'

27. **le four chauffe pour moi,** *I'm going to have a bad time.*

32. **Je fis l'esprit fort,** *I pretended not to be superstitious.*

Page 92. — 1. **Vive l'Empereur!** The usual battle cry of Napoleon's armies.

5. **dais,** *canopy,* should be clearly distinguished from English *dais,* 'raised platform.' The word originally meant 'table,' particularly a state table raised on a platform and covered by a canopy.

30. **gravit le premier,** *was the first to mount.*

32. **n'ai presque plus de,** *have hardly any other.*

Page 93. — 6. **sous lesquels disparaissait la terre,** *entirely covering the earthen floor.*

8. **cadavres.** In the action the French lost from 4,000 to 5,000 men, the Russians 7,000 to 8,000.

25. **le général C. . . .** Jean-Dominique, count Compans (1769–1845), a general of Napoleon's, who called him "the terrible." His fellow-soldiers in Italy called him "le preneur de redoutes." He commanded a division of infantry during the attack on the redoubt of Schwardino.

28. **la redoute est prise.** According to Ségur, on the day after the battle Napoleon reviewed the 61st regiment, which had heavy losses in the attack, so that it was reduced to two battalions. "Where is the third battalion?" asked Napoleon. "In the redoubt, sire," replied the colonel.

LA VÉNUS D'ILLE

La Vênus d'Ille was first published in 1837; it is based on a medieval legend, as well as on memories of a visit to Roussillon in 1834, which Mérimée undertook as Inspector of Historical Monuments. The idea of the statue was suggested by a visit he paid in 1835 to the Venus of Quinipily, in Brittany, a famous figure, discovered in the sixteenth century, which aroused much controversy.

Mérimée began the story with a quotation from *The Liar,* a dialogue by Lucian of Samosata (about 125–about 200), meaning:

"'I implore the favor of the statue,' I cried; 'may it be as merciful as it is mighty.'" Lucian is speaking of a statue which flogged a thief every night. Mérimée said this dialogue gave him a suggestion for the present story; in it Lucian describes the *Discus Thrower*, a famous statue of Myron (see page 102, line 8; page 111, line 31).

Page 94. — 2. **je distinguais,** *I was able to see.*

7. **Peyrehorade,** name of a small town in the department of the Landes, on the road from Bayonne to Pau.

8. **Si je le sais!** *Do I know it!* This use of **si** involves an omission, (*You ask*) *if I know it* being the complete idea.

11. **il marie son fils.** Note that **marier** means only 'to perform a marriage ceremony' or (as here) 'to marry off, give in marriage.' 'To marry' = 'to take in marriage' is expressed by **épouser** (see below, line 18) or **se marier avec.** — **à plus riche . . . encore,** *to a girl even richer . . .*

16. **Puygarrig,** an imaginary town.

18. **Ce sera beau, oui!** *It certainly will be a fine affair!*

19. **J'étais recommandé,** *I had a letter of introduction.*

20. **M. de P . . .** François Jaubert de Passa (1784–1855), an archæologist and writer on agriculture of Perpignan. He was also perhaps the model of M. de Peyrehorade. The original ms. of the story had "M. J. de P." instead of "M. de P."

24. **monuments antiques et du moyen âge.** There are a number of medieval remains in the neighborhood of Ille, but no relics of antiquity.

Page 95. — 3. **Gageons,** *I'll wager.*

7. **A l'heure qu'il est, quand on a fait . . . ,** *At this time of day, when we have gone . . .*

8. **la grande affaire, c'est de . . . ,** *the main thing to do is to get . . .*

12. **Serrabona,** sometimes called Serrabonne, is a deserted village some seven miles southwest of Ille-sur-Têt, with a church unique in France in that its aisles, instead of being connected with the nave, open on the outside and form side porticoes. Mérimée studied and probably made sketches of this church, which it was

one of his principal objects to visit when he went to Roussillon in 1834. He writes in 1835 of heads of pillars having "des monstres et des bonshommes dans le goût de ceux de Serrabona . . ."

16. **en terre** can mean either *in the ground*, or *earthen;* hence the visitor's misunderstanding.

19. **il y en a de quoi faire des gros sous,** *there is metal enough in it to make plenty of double sous.* **Gros sous** are large coins worth two sous, like British pennies or old American two-cent pieces.

20. **Elle vous pèse. Vous** is the so-called ethical dative, a pronoun of the first or second person used in popular style to indicate a close connection between the statement and the person addressed or speaking. Though common in Shakespeare and the Bible, it should be omitted in present-day English.

22. **eue,** *found.*

24. **il y a quinze jours,** *two weeks ago.* In reckoning a series of days the French count part of a day as a whole one, instead of reckoning, as English does, by periods of twenty-four hours; hence they call a fortnight **quinze jours** and a week **huit jours.**

25. **Jean Coll** is a Gallicized form of the name of a Catalan bandit, Juan Coll, mentioned by Mérimée in *Les Sorcières espagnoles* (1830).

27. **Voilà donc qu'en travaillant,** *And so while we were working.* The guide's speech is that of a peasant; hence he says (here and in line 31) **voilà que,** (line 28) **Jean Coll . . . il donne,** (line 30) **que je dis** for **dis-je,** (page 96, line 2) **notre maître,** etc.

Page 96. — 3. **Faut = il faut.**

6. **Et le voilà . . . qu'il se demène et qu'il faisait . . . ,** *And there he was . . . a-stirring about and a-doing . . .*

10. **révérence parler,** *begging your pardon.* With rustic modesty, the peasant apologizes for using the word **nue.**

16. **ah bien! oui . . .** *I should think so!* (Ironical.)

Page 97. — 3. **qui,** omit in translation.

12. **Pécaïre!** *Poor fellow!* **Pécaïre** is a word unknown in Roussillon, where **pobre** (= **pauvre**) is used in this sense.

19. **monsieur le fils,** *the master's son.*

20. **c'est que M. Alphonse de Peyrehorade . . . ,** *M. Alphonse . . . was the one who . . .*

21. **qui faisait sa partie,** *who played with him.* — **Voilà qui était beau à voir, comme . . . ,** *It was a fine sight, the way . . .*

25. **M. de Peyrehorade.** Note the discreet but biting satire of the description the Parisian Mérimée gives of the provincial and his family. Mérimée stresses their excessive hospitality, their exaggerated respect for Parisians, cloaking jealous dislike, their display of second-rate learning, their absurd local pride, etc. Select passages illustrating these various points. — In the illustration of the Rue du Comte (page 98), the house in the rear is said to be the one in which Mérimée stayed in Ille. According to tradition, it was the model for the house of M. de Peyrehorade. A hundred years ago it was not surrounded by other buildings but stood entirely free, and from it one could see a **jeu de paume.**

30. **tirer le Roussillon de l'obscurité où le laissait l'indifférence des savants,** *rescue Roussillon from the obscurity in which the indifference of the learned had allowed it to remain.*

Page 99. — 17. **que je ne me trouvasse bien mal à Ille,** *that I should be very uncomfortable in Ille.*

20. **ne bougeait non plus qu'un terme,** a quotation from La Fontaine, *Fables*, IX, 19. Formerly **pas** was omitted with **bouger.**

Page 100. — 13. **depuis le cèdre . . . hysope.** Cf. *I Kings*, IV, 33: "And he (King Solomon) spake of trees, from the cedar tree that is in Lebanon unto the hyssop that springeth out of the wall." See note to page 5, line 22.

22. **Bagatelle!** *That will make no difference!*

Page 102. — 4. **Comme . . . ménagère.** Adaptation of Molière, *Amphitryon*, I, 2 (ll. 276–7):

> Comme avec irrévérence
> Parle des dieux ce maraud !

'How irreverently this scoundrel speaks of the gods!'

7. **C'est qu'elle en eût été,** *She wanted to be its . . .*

22. ***Veneris nec præmia nôris?*** Virgil, *Æneid*, IV, 33: *And wilt thou not know the joys of love?*

23. **Qui n'a été blessé.** **Pas** is omitted after **qui** in rhetorical

questions, that is, questions intended for effect, not to elicit a reply.

28. **Il y avait une heure que je ne mangeais plus,** *I had not eaten for an hour.*

Page 103. — 32. **En face.** See note to page 3, line 23.

Page 104. — 17. **le joli air du Roussillon :** *Montagnes regalades.* This song, the national air of Roussillon, begins, " Enchanted mountains are those of the Canigou "; its words and music are given by Poueigh, *Chansons populaires des Pyrénées françaises* (Paris, Champion, 1926), 303–4.

Page 105. — 2. **Il y a pour plus de cent sous d'argent,** *There is more than a dollar's worth of silver in them.*

24. **Voilà bien mes paresseux . . . ,** *That's like you lazy people . . .*

27. **que je monte,** *that I have come upstairs.*

29. **vous fera mal de,** *will hurt you, to.* **De** introduces the real subject.

Page 106. — 16. [**statue . . .**] **du joueur de mourre, qu'on désigne . . . sous le nom de Germanicus.** Mérimée probably refers to a statue of Germanicus in the Louvre, reproduced by Reinach, *Répertoire de la statuaire grecque et romaine*, I (Paris, 1897), page 152, note 3.

31. **figure.** Compare the description of the statue with that of Carmen (page 18, line 26 ff.). Notice how much longer are Mérimée's descriptions of his characters than his landscapes.

Page 107. — 11. **plus . . . , et plus,** *the more . . . , the more.*

20. **C'est Vénus tout entière à sa proie attachée.** Quotation from Racine, *Phèdre*, I, 3, line 306.

Page 108. — 20. **ne vous en déplaise,** *if you will not be offended, I would say that . . .*

Page 109. — 14. **A grand renfort de bésicles,** *With abundant use of my spectacles.* The phrase is a familiar quotation from Rabelais, *Gargantua*, Bk. I, ch. I.

Page 111. — 9. **SOUR est le nom phénicien de Tyr . . . sens.** The name is not *Sour* but *Çor;* it probably means 'rock, fortress.'

11. **Baal** was the chief god of the Phenicians; **Bel** is the Assyrian form of the same word, used in the Bible as the name of the god Marduk.

14. **nerós** means *flowing, liquid.*

18. **aurait pû être,** *may have been.*

21. **l'étymologie** is absurd. *Bouleternere* is really Catalan *Bula,* name of the town, + *Ternère,* for Terranera, 'black earth,' the name of a mountain about a mile to the west of it.

27. **faire preuve de pénétration,** *prove that I had insight.*

30. **je ne vois nullement que ce soit . . .** *I can see no reason for thinking that it is . . .*

Page 112. — 11. **voie Vénus en rêve,** *should dream of Venus.*

16. **vous avez fait des romans.** One of Mérimée's favorite references to himself. See the Introduction, pages ix–x.

Page 113. — 3. **. . . oiseaux blancs.** According to Virgil (*Æneid,* XI, 243 ff.) and Ovid (*Metam.,* XIV, 455 ff.), Diomed, king of Argos, who had offended Venus by wounding her before Troy, on returning is driven away from Argos by his unfaithful wife, goes to Italy and conquers the land of the Daunians, where he sees nearly all his companions changed by Venus into birds.

4. **cet entretien classique,** *this conversation on classical themes.* Note Mérimée's mockery of Peyrehorade's pseudo-science.

5. **manger comme quatre,** *to eat enough for an army* (lit. 'for four people'). Proverbial expression.

10. **à . . . vanter,** *while he boasted of . . .*

13. **par la transition d' . . . ,** *as he happened to speak of . . .*

29. **poétique.** Notice the irony.

32. ***sempr' ab ti,*** *always with thee.*

Page 114. — 4. **pour douze cents francs,** *two hundred and forty dollars' worth.*

20. **au château.** Mérimée was probably thinking of the feudal castle of Corbère, about 4 miles east of Ille-sur-Têt.

29. **Mademoiselle de Puygarrig . . .** In the original ms. of the story this passage ran as follows: " Mlle de Puigarrig (*sic*) avait 18 ans. Sa figure était la plus régulière du monde, mais d'une immobilité désespérante. C'était incontestablement une personne parfaitement belle, mais nullement séduisante. Pour de l'esprit je ne sais si elle en avait, car je ne l'entendis prononcer d'autre paroles que oui et non. A cela près qu'elle savait dire ces deux mots, et qu'elle rougissait fort souvent, c'était une belle statue, et cette comparaison que je faisais mentalement, me rappela la *Vênus Turbulenta.* Je ne pus m'empêcher de penser que Mlle de Puygarrig gagnerait singulièrement à prendre une légère teinte de la malice si fortement empreinte aux traits de la déesse. On se retira fort tard." What is the effect of Mérimée's changes of this passage? See note to page 106, line 31.

Page 115. — 7. **l'énergie, même dans les mauvaises passions . . .** See the Introduction, page ix.

26. **Vendredi** is derived from *Veneris dies, the day of Venus,* as M. de Peyrehorade remarks.

Page 116. — 6. ***Manibus date lilia plenis.*** Virgil, Æneid, VI, 883, *Offer ye lilies in handfuls.*

12. **Le mariage civil.** French law requires a civil marriage, to be performed by the secular authorities; this civil marriage is generally, though not necessarily, followed by a religious ceremony (ll. 13–4), celebrated elsewhere.

Page 117. — 2. **mon dessin.** Cf. page 95, line 12, and note. Mérimée made many drawings and water colors.

28. **César ralliant ses soldats à Dyrrachium.** During the warfare with Pompey, Caesar's men began to flee, when he ' grasped the standards of the fugitives and bade them halt.' (*Bell. civ.*, III, 69, tr. Peskett.)

Page 118. — 30. **Me lo pagarás** (Spanish), *You will pay me for it.*

Page 119. — 14. **que le diable puisse emporter!** *deuce take her!*

22. **Pourvu qu'on ne me la vole pas!** *If only they don't steal it* (the ring) *from me!*

Page 120. — 2. **Le déjeuner terminé quand il plut à Dieu,** *When the luncheon was at last over.*

5. **habits de fête.** In many parts of France and other west European countries peasant women still wear picturesque and elaborate traditional costumes on holidays; these costumes vary from one village to another.

12. **leur défend de porter quand elles sont encore demoiselles,** *does not permit them to wear before they are married.*

Page 121. — 16. **jarretière.** This custom, still in vogue in various parts of France, is no longer in use in Roussillon.

23. **En voici le sens,** *Their meaning was.*

31. **nous partager sa ceinture,** *divided her girdle among us.* Peyrehorade is thinking of the embroidered girdle of Venus, which aroused love, and also of the girdle worn by young girls among the Greeks and Romans, which the husband removed after the marriage ceremony.

Page 122. — 28. **Vous savez.** See note to page 13, line 7.

Page 125. — 1. **changer le cours de mes idées,** *to think about something else.*

Page 128. —16. **La ruelle** was presumably narrow, and the bed coverings would also help to support her.

Page 129. — 12. **reposé qu'il serait,** *when he had had a rest.*

22. **frotter.** Cf. *Carmen*, page 11, lines 26–28.

Page 130. — 32. **appris que quelque jour nouveau soit venu éclairer,** *heard that any new light had been shed upon.*

Page 131. — 9. **la faire fondre en cloche.** Cf. page 102, line 6.

OUTLINE OF PRINCIPAL USES OF THE SUBJUNCTIVE

The references in parentheses are to the page and line upon which bear the Notes discussing the forms of the subjunctive in question.

I. In Principal Clauses
  A. Commands (**13**, 11)
  B. Wishes (**13**, 11)
  C. Conditions (conclusion; **4**, 22)

II. In Subordinate Clauses
  A. Noun Clauses
    1. After verbs of Will (**11**, 16)
    2. After verbs of Emotion (**11**, 15)
    3. After verb of Knowing, denied or questioned (**13**, 13)
      a. After verbs of doubt and denial (**8**, 10)
    4. In subject clauses (**33**, 15)
      a. After expressions of necessity (**18**, 29)
  B. Adjective Clauses
    1. Characteristic Relative (**4**, 16)
    2. After a superlative (**9**, 10)
      a. Premier, dernier, seul, unique (**20**, 29)
  C. Adverbial Clauses
    1. Clauses of Purpose (**22**, 7)
    2. Clauses of Result (**13**, 19)
    3. Clauses of Condition (**14**, 16; **60**, 22; **81**, 10)
    4. Clauses of Concession (**6**, 22)
    5. Clauses of Time (**3**, 16)
    6. Clauses of Manner (**7**, 21)

EXERCICES

PREMIÈRE LEÇON (**3**, 1 — **7**, 7)

A. Questionnaire

Répondez, par des phrases complètes, aux questions suivantes:

1. Où Mérimée pensait-il que la bataille de Munda avait eu lieu ? 2. Indiquez l'emplacement de Montilla sur la carte. 3. Quand Mérimée était-il en Andalousie ? 4. Montrez l'Andalousie sur la carte. 5. Qu'est-ce que Mérimée avait fait à Cordoue ? 6. Sur quel fleuve se trouve Cordoue (*voir la carte!*) ? 7. Qu'est-ce que Mérimée avait comme bagage ? 8. Quels arbres a-t-il vus sur les bords du ruisseau ? 9. Qu'est-ce que Mérimée a vu près de la source ? 10. Que faisait cet homme ? 11. Qu'est-ce que Mérimée fait au bord de la source ? 12. Qu'est-ce que Mérimée demande à l'homme à l'espingole ? 13. Qu'est-ce que Mérimée lui donne ? 14. De quel endroit l'Espagnol se disait-il habitant ? 15. En quelle matière était-il expert ?

B. Expressions idiomatiques

Construire des phrases sur les locutions suivantes :

1. d'après, *according to*
2. se trouver, *be*
3. de bonne foi, *honest*
4. en attendant que, *while waiting for*
5. en effet, *in fact*
6. à l'abri de, *sheltered from*
7. se reposer, *rest*
8. se lever, *rise*
9. se rapprocher de, *draw near to*
10. d'abord, *at first*
11. à force de, *by dint of*
12. s'arrêter, *stop*

13. s'agenouiller, *kneel*
14. s'étendre, *lie down*
15. s'empresser de, *hasten to*
16. en face de, *opposite, facing*
17. se mettre à, *begin to*
18. en revanche, *on the other hand*
19. être pressé de, *be in a hurry*

C. Thème

Traduisez en francais:

1. Being in Andalusia at the beginning of the autumn of 1830, Mérimée went on an excursion to look for the battlefield of Munda. 2. He had hired a guide and two horses in Cordova. 3. A certain day he was wandering about in the plain of Cachena, when he noticed, rather far from him, a spring. 4. A man was resting opposite the spring. 5. Mérimée asked him smilingly if he had disturbed his sleep. 6. Without answering him, the unknown man looked him over from head to foot. 7. Mérimée lay down on the grass and asked him if he did not have a lighter. 8. The Spaniard hastened to give him a light. 9. After lighting his cigar, Mérimée chose the best of those he had left, and asked the unknown man if he smoked. 10. "Yes, sir," he replied, sitting down facing the Frenchman. 11. Mérimée offered him a cigar and told him he would find that one rather good. 12. The Spaniard began to smoke with great pleasure; it was a long time since he had smoked.

DEUXIÈME LEÇON (**7,** 8 — **12,** 5)

A. Questionnaire

1. Qu'est-ce que le guide avait dans sa besace ? 2. Qu'est-ce que Mérimée invita l'étranger à faire ? 3. Depuis combien de temps l'étranger semblait-il ne pas avoir mangé ? 4. Combien de cigares Mérimée a-t-il fumés ? 5. Quel ordre donne-t-il au guide ensuite ? 6. Où est-ce que Mérimée comptait passer la

nuit ? 7. Qu'est-ce que l'étranger lui propose de faire ? 8. Quelle est la réponse de Mérimée ? 9. Pourquoi Mérimée ne craignait-il pas l'étranger ? 10. Sur quel sujet Mérimée a-t-il mis la conversation ? 11. Qui était José Maria ? 12. A quoi servait la grande pièce de la venta ? 13. Quelles personnes étaient dans la venta ? 14. Où allait le guide ? 15. Qui est-ce qui l'a suivi à l'écurie ?

B. Expressions idiomatiques

1. se souvenir de, *remember*
2. pas du tout, *not at all*
3. avoir affaire à, *deal with*
4. que m'importe ? *what does it matter to me ?*
5. d'ailleurs, *besides*
6. être bien aise, *be very glad*
7. bien entendu, *of course*
8. à côté de, *beside*
9. servir de, *serve as*
10. le long de, *along*
11. venir de, *have just (done)*
12. tous les deux, *both*
13. se tourner, *turn*
14. s'attendre à, *expect*
15. se tromper, *be mistaken*
16. pourquoi faire ? *why?*
17. se soucier de, *care to*
18. prendre un parti, *make a decision*
19. avoir envie de, *desire*
20. n'avoir rien, *have nothing the matter with oneself*
21. auprès de, *near*
22. avoir soin de, *take care to*

C. Thème

1. Mérimée invited the stranger to take some slices of ham. 2. He devoured the ham; in fact, he had not eaten for forty-eight hours. 3. Mérimée was going to take leave of his new friend, when he asked him where he expected to spend the night. 4. Mérimée answered that he was going to the Raven Inn. 5. "A bad lodging," said the Spaniard, "but permit me to go with you." 6. "Very gladly," replied Mérimée, who did not fear a man who had eaten and drunk with him. 7. They arrived at the inn, which was one of the most wretched that

Mérimée had ever seen. 8. After eating, don José sang a Basque air. 9. He had just put his mandolin on the ground beside him when the guide asked Mérimée to follow him to the stable. 10. He wished Mérimée to see the horse. 11. Mérimée replied that he understood nothing about horses and that he wanted to sleep. 12. "There is nothing the matter with the horse," said don José to Mérimée.

TROISIÈME LEÇON (**12,** 6 — **16,** 9)

A. Questionnaire

1. Qu'est-ce qu'il y avait auprès de la porte ? 2. Où Mérimée s'est-il étendu ? 3. Qu'est-ce qu'il lui sembla voir passer devant lui ? 4. Qui a-t-il reconnu ? 5. Qu'est-ce qu'Antonio a fait aux pieds du cheval ? 6. Comment s'appelle l'étranger, d'après Antonio ? 7. Qui était don José Navarro ? 8. D'où Antonio voulait-il amener des soldats ? 9. Quelle question Mérimée pose-t-il à don José en l'éveillant ? 10. Où don José a-t-il couru après avoir parlé avec Mérimée ? 11. Avec qui Antonio est-il revenu ? 12. Où Antonio se tenait-il ? 13. A quelle heure don José partait-il d'habitude de chez la vieille ? 14. Devant qui Mérimée a-t-il dû signer une déclaration ? 15. Qu'est-ce que Mérimée avait empêché Antonio de gagner ?

B. Expressions idiomatiques

1. de mon mieux, *as best I could*
2. à sa rencontre, *towards him*
3. à la bonne heure, *well and good*
4. se méfier de, *distrust*
5. s'éloigner de, *move away from*
6. prendre garde, *take care*
7. à la . . . , *in . . . style*
8. au sujet de, *concerning*
9. aller au-devant de, *go to meet*

C. Thème

1. An hour later Mérimée saw the shadow of Antonio and walked towards him. 2. "That man is José Navarro; before it is day I will inform against him," said Antonio. 3. "Take care if he wakes up!" 4. Mérimée was obliged to shake don José to wake him. 5. "Will you be glad to see a half dozen soldiers here?" said Mérimée to him. 6. "If you do not wish to see them, lose no time. 7. Here are some cigars; good-bye." 8. Don José shook Mérimée's hand without answering, and ran to his horse. 9. A few moments afterwards a half dozen horsemen appeared with Antonio. 10. "The bandit has just taken to flight," said Mérimée. 11. The old woman added that he always left in the middle of the night. 12. As for Mérimée, he had to go to Cordova to show his passport.

QUATRIÈME LEÇON (**16**, 10 — **20**, 10)

A. Questionnaire

1. Où Mérimée a-t-il fait des études à Cordoue? 2. Où est-ce qu'il fumait un soir? 3. Qui est venu s'asseoir auprès de lui? 4. Qu'est-ce qu'elle portait sur la tête? 5. Qu'est-ce que Mérimée lui a offert? 6. Avec quoi a-t-elle allumé sa cigarette? 7. Où est-elle allée avec Mérimée? 8. De quelle race était-elle? 9. Comment s'appelait-elle? 10. Qu'est-ce que Mérimée avait étudié en sortant du collège? 11. Où Mérimée voulait-il accompagner la sorcière? 12. Qu'est-ce qu'elle lui a demandé de nouveau de faire? 13. Que voulait-elle savoir à l'égard de sa montre? 14. Devant quelle sorte de maison se sont-ils arrêtés? 15. Qui a ouvert la porte?

B. Expressions idiomatiques

1. se promener (par) *walk about (in)*
2. une femme comme il faut, *a lady*
3. se hâter de, *hasten to*
4. allons ! *come !*
5. en somme, *in a word*
6. à la fois, *at the same time*
7. de nouveau, *anew*

C. Thème

1. He spent several days there in the convent of the Dominicans. 2. At night he used to walk about the city. 3. One evening he was smoking on the quay when a woman came and sat down near him. 4. She was dressed all in black. 5. Mérimée immediately threw away his cigar. 6. She hastened to tell him that she smoked. 7. Mérimée offered her a cigar. 8. Before smoking she wished to know what time it was. 9. "It is nine o'clock," said Mérimée; "let us go and have an ice." 10. Mérimée asked her to permit him to go with her to her home. 11. "Let's go !" she said, and looked at his watch. 12. "Is it really gold ?" she said. 13. They stopped before her house, and a child opened the door for them.

CINQUIÈME LEÇON (**20**, 11 — **25**, 6)

A. Questionnaire

1. Quelle sorte de cartes la bohémienne a-t-elle tirées de son coffre ? 2. Qu'est-ce que Mérimée a dû faire dans sa main gauche ensuite ? 3. Comment l'homme qui entra était-il vêtu ? 4. Qu'a-t-il dit en voyant Mérimée ? 5. De qui Carmen voulait-elle que don José coupe la gorge ? 6. Où don José a-t-il conduit Mérimée ? 7. Quelle nouvelle le père dominicain annonce-t-il à Mérimée à l'égard de sa montre ? 8. Où le dominicain suggère-t-il à Mérimée d'aller visiter don José ?

9. Qu'est-ce que don José faisait quand Mérimée est entré ? 10. Comment a-t-il accueilli Mérimée ? 11. De quoi l'a-t-il remercié ? 12. Pour qui don José lui a-t-il demandé de faire dire des messes ? 13. A qui Mérimée devait-il donner une médaille à Pampelune ? 14. Montrez Pampelune sur la carte. 15. Dans quelle province la ville de Pampelune se trouve-t-elle ?

B. Expressions idiomatiques

1. quant à, *as for*
2. tout à coup, *suddenly*
3. d'une façon . . . , *in a . . . manner*
4. se servir de, *make use of*
5. s'agir de, *be a question of*
6. s'écrier, *cry out*
7. être le bienvenu, *be welcome*
8. s'aviser de, *take it into one's head*
9. plût à Dieu ! *God grant!*
10. avoir besoin de, *need*
11. à cause de, *because of*
12. eh bien ! *well!*

C. Thème

1. Carmen and Mérimée were soon disturbed; a man entered the room. 2. The gipsy ran up to this man. 3. The latter pushed her aside, and moved forward towards Mérimée, who recognized his friend don José. 4. Then José took his arm, opened the door, and led him into the street. 5. Mérimée returned to his inn in a rather bad humor. 6. While undressing, he suddenly noticed that his watch was gone. 7. Several months later he had to pass through Cordova again. 8. When he reappeared at the Dominican convent, one of the fathers cried: "Welcome! Your watch has been found and the thief, José Navarro, is behind the bars." 9. Mérimée went to see the prisoner, who asked him to have a mass said for his soul. 10. "When you return to your country," said don José,

"you will certainly pass through Vitoria, and perhaps through Pampeluna. 11. Well, if you go to Pampeluna, you will see a beautiful city. 12. Tell the woman whose address I will give you that I am dead." 13. Of course Mérimée promised to comply with his request.

SIXIÈME LEÇON (**25**, 7 — **31**, 6)

A. Questionnaire

1. Où don José est-il né ? 2. Comment s'appelait-il vraiment ? 3. De quelle origine était-il ? 4. Quelle carrière devait-il suivre ? 5. Que voit-on devant la manufacture de tabacs à Séville, d'après la gravure (*voir page* 27) ? 6. Pendant combien de temps don José a-t-il pensé à Carmen, après l'avoir vue ? 7. Qui arrive ensuite dans le corps de garde ? 8. Quelle nouvelle le nouveau venu annonce-t-il ? 9. Qu'est-ce que le maréchal des logis commande de faire à don José ? 10. Que voit-on sur la figure de la femme qui est étendue dans la salle ? 11. Qui était en face d'elle ? 12. Qu'est-ce que José est en train de faire sur la gravure (*voir le frontispice*) ? 13. Qu'est-ce qu'il a dit à ce moment-là ? 14. Que fait la femme qui est à côté de Carmen sur la gravure ? 15. Pourquoi la femme qui est derrière applaudit-elle ? 16. Qu'est-ce que le maréchal des logis a dit après avoir vu Carmen ?

B. Expressions idiomatiques

1. je m'appelle, *my name is*
2. tout d'un coup, *suddenly*
3. faire chaud, *be hot*
4. s'apercevoir de, *notice*
5. penser à, *think of*
6. se passer, *happen*
7. se connaître en, *be a judge of*
8. se mettre en route, *set out*
9. afin de, *in order to*

C. Thème

1. Don José told Mérimée that he was born in Elizondo, and that he was a Basque. 2. His father and his mother wished him to go into the Church, and made him study, but he was too fond of playing. 3. Soon he enlisted in the Almanza cavalry regiment. 4. He became a corporal when they placed him on guard at the Seville tobacco factory. 5. "One Friday," he said, "I met Carmen, at whose house I saw you several months ago. 6. It was very hot that day." 7. Two or three hours afterwards a janitor told him that a woman had been murdered in the factory. 8. He took two men and went to see about it. 9. The case was clear; he took Carmen by the arm. 10. The sergeant said she would have to be taken to prison. 11. José placed her between two dragoons and set out for the city.

SEPTIÈME LEÇON (**31**, 7 — **35**, 10)

A. Questionnaire

1. Dans quelle langue Carmen a-t-elle dit "Camarade de mon cœur" à José ? 2. Qu'a-t-elle fait après que José s'est laissé tomber ? 3. Qu'est-ce qui manquait aux soldats quand ils sont revenus au corps de garde ? 4. Pourquoi les soldats ont-ils dit que Carmen avait parlé basque à José ? 5. Qu'est-ce qui est arrivé à José en descendant la garde ? 6. Comment a-t-il passé ses premiers jours de prison ? 7. A quoi José s'attendait-il quand il s'est fait soldat ? 8. A quel rang Longa et Mina sont-ils arrivés ? 9. Avec le frère de qui José a-t-il joué à la paume ? 10. Qu'est-ce que le geôlier lui a donné un jour ? 11. Montrez Alcala sur la carte. 12. Qu'est-ce que José a trouvé dans le pain ? 13. Qui est-ce qui lui a envoyé le pain ? 14. Qu'est-ce que José devait faire avec la lime ? 15. Que devait-il acheter avec les deux piastres ?

B. Expressions idiomatiques

1. de quoi, *the wherewithal to*
2. faire peur à, *frighten*
3. faire attention à, *pay attention to*
4. de façon à, *so as to*
5. se moquer de, *make fun of*
6. s'empêcher de, *keep from*
7. s'embarrasser de, *be bothered with*
8. haut de . . . , . . . *tall*
9. s'intéresser à, *take an interest in*

C. Thème

1. Carmen, who knew Basque fairly well, had no trouble in telling that José was from the Provinces. 2. "If you fell," she said in Basque, "these two Spaniards could not hold me." 3. Suddenly she began to run, and José after her. 4. Soon the soldiers were stopped and the prisoner disappeared. 5. They returned without a receipt from the warden of the prison, and said that Carmen had spoken Basque to José. 6. The latter was sent to prison for a month. 7. One day the jailer gave him a roll. 8. When he tried to cut it, he found a file and a gold piece. 9. They were presents from Carmen, who took an interest in him and wished to spare him three weeks' imprisonment.

HUITIÈME LEÇON (**35,** 11 — **41,** 6)

A. Questionnaire

1. Où José fut-il mis en faction à sa sortie de prison ? 2. Qui est descendue de la voiture du colonel ? 3. Qu'est-ce que la danseuse sur la gravure (*voir page* 37) tient à la main ? 4. Où mangeait-on de bonne friture, d'après ce que Carmen a dit à José ? 5. Où José est-il allé en descendant la garde ? 6. Qu'est-ce que Carmen a acheté à l'entrée de la rue du Serpent ? 7. Où est-ce que José et Carmen se sont arrêtés ?

8. Qui est-ce qui a ouvert la porte ? 9. Qu'est-ce que Carmen a donné à la vieille ? 10. Où l'a-t-elle conduite ensuite ? 11. Où a-t-on mis les emplettes ? 12. Combien de temps Carmen et José ont-ils passé ensemble ? 13. Qu'est-ce que Carmen a fait des yemas ? 14. Comment a-t-elle fait des castagnettes ? 15. Quand José l'a-t-il quittée ?

B. Expressions idiomatiques

1. à ce qu'on dit, *as they say*
2. donner rendez-vous, *make an appointment to meet*
3. s'en aller, *go away*
4. éclater de rire, *burst out laughing*
5. faire jour, *dawn*
6. aller se promener, *go walking*
7. rez-de-chaussée, *ground floor*
8. se battre, *fight*
9. se taire, *be silent*
10. laisser tranquille, *let alone*
11. cela ne se peut pas, *that is impossible*
12. à bon compte, *cheaply*

C. Thème

1. On leaving prison José was put on guard, like a private, at the colonel's door. 2. A carriage arrived, and Carmen got out. 3. There was an old Gipsy woman with her and an old man with a guitar. 4. That day José began to love her with his whole heart. 5. Carmen, in passing, said to him, in a very low tone, "Go to Lillas Pastia's, in Triana." 6. José went to Pastia's, but first he had himself shaved. 7. When Carmen saw him she said, "Let's go and take a walk." 8. Carmen had just bought some oranges; a little farther on, José bought a loaf of bread, some sausage, and some bottles of wine. 9. Then they bought some conserved fruit. 10. Carmen and José stopped in that street before an old house. 11. Before entering, she rapped at a door on the ground floor; an old Gipsy woman let them in. 12. They spent the whole day together, eating, drinking, and

dancing. 13. When evening came, José said to her, "I must go to quarters," and asked her when he should see her again. 14. "When you are not so silly," she cried, bursting out laughing. 15. Then she said, in a more serious tone, "Good-bye, don't think of Carmen any more."

NEUVIÈME LEÇON (**41**, 7 — **46**, 3)

A. Questionnaire

1. Où Carmen est-elle allée après, au dire de Pastia et de la vieille ? 2. Quelques semaines après, où José était-il de faction la nuit ? 3. Qu'est-ce que Carmen lui a demandé de faire aux gens qui portaient des paquets ? 4. Où Carmen a-t-elle vu José en train de pleurer ? 5. Qui José a-t-il vu en face de lui ? 6. Comment s'appelait la vieille ? 7. Comment José a-t-il presque apprivoisé Dorothée ? 8. De qui Carmen était-elle accompagnée quand elle est entrée chez Dorothée ? 9. Qu'est-ce que le lieutenant a dit à José ? 10. Qu'est-ce que le lieutenant lui a fait ensuite ? 11. Qu'est-ce que José a fait à Dorothée ? 12. Qu'a-t-il fait au lieutenant ? 13. Qu'est-ce que Carmen a fait à la lampe ensuite ? 14. Qu'est-ce que Carmen a apporté à José après ? 15. Qu'est-ce qu'elle lui a conseillé de se faire ?

B. Expressions idiomatiques

1. songer à, *think about*
2. de la sorte, *in that way*
3. ne pas tarder à, *be quick to*
4. laisser faire, *let alone*
5. en vouloir à, *bear a grudge against, be angry at*
6. de plus belle, *louder than ever*
7. payer quelque chose à quelqu'un, *treat some one to*
8. de temps à autre, *from time to time*
9. avoir (un) mal de tête, *have a headache*
10. prendre part à, *take part in*

11. avant peu, *before long*
12. le plus tôt possible, *as soon as possible*
13. valoir mieux, *be better*
14. savoir s'y prendre, *be clever at*

C. Thème

1. If he had thought about something else he would have been wise, but he could not. 2. He used to walk about, hoping to meet Carmen, and asked the old woman for news of her. 3. She kept answering that Carmen had left for Portugal. 4. José soon learned that she was lying. 5. He looked up; Carmen was opposite him. 6. He had a headache and was still angry with her. 7. "I certainly must love you," she said. 8. Since he had left her, she did not know what was the matter with her. 9. From time to time he treated her to a glass of wine. 10. One evening José was at Dorothée's house, when Carmen entered, followed by a lieutenant. 11. The latter drew his sword, and José struck him a blow. 12. "José," said Carmen, "you must leave Seville as soon as possible. 13. If they catch you there, you will be shot." 14. She told him to become a smuggler; if he was clever at it, he could live like a prince.

DIXIÈME LEÇON (**46**, 4 — **51**, 30)

A. Questionnaire

1. Qu'est-ce que le contrebandier sur la gravure (*voir page* 47) est en train de faire ? 2. Comment le mari de Carmen s'appelait-il ? 3. D'où Carmen l'avait-elle fait échapper ? 4. Qu'est-ce que José pensait du caractère de Garcia le Borgne ? 5. Qu'est-ce que les Andalous ont fait quand les contrebandiers étaient poursuivis ? 6. Qu'est-ce que José et ses amis ont fait de leur butin ? 7. Qu'est-ce que le Remendado a reçu ? 8. Qu'est-ce que Garcia lui a fait ? 9. Qu'avaient les contrebandiers à manger le soir ? 10. Qu'a fait Garcia ? 11. Où

Carmen s'en est-elle allée ensuite ? 12. Où les contrebandiers sont-ils allés le lendemain soir ? 13. Montrez cette ville sur la carte. 14. Comment Carmen était-elle habillée quand les contrebandiers l'ont revue ? 15. Où Carmen est-elle allée après ?

B. Expressions idiomatiques

1. tant pis, *so much the worse*
2. servir de, *serve as*
3. deux à deux, *two by two*
4. celui-ci . . . celui-là, *one . . . another; the latter . . . the former*
5. se sauver, *escape*
6. de notre mieux, *as best we can*
7. de temps en temps, *from time to time*
8. n'importe, *it doesn't matter*
9. au lieu de, *instead of*
10. entendre parler de, *hear about*

C. Thème

1. Carmen persuaded José without much trouble. 2. He left Seville without being recognized and went to Jerez. 3. Carmen, who acted as a spy for the smugglers, had made an appointment to meet him there. 4. One day the Dancaïre said to José, "We are going to have another comrade; it is Garcia, Carmen's husband." 5. "Garcia is the ugliest man I ever met in my life," said José. 6. One morning the smugglers were already on the way when they noticed a dozen horsemen. 7. The latter were following them as best they could. 8. The smugglers escaped, except poor Remendado. 9. That evening Garcia drew a pack of cards from his pocket and began to play with the Dancaïre. 10. The next morning Carmen came and brought them some bread. 11. On seeing her, the stupid smugglers took her for a lady. 12. She told José that they would see one another again. 13. She was going to Gibraltar, and they would soon hear about her.

ONZIÈME LEÇON (**51**, 31 — **57**, 22)

A. Questionnaire

1. Où sont les contrebandiers sur la gravure (*voir page* 53) ? 2. Cherchez la situation de Ronda sur la carte. 3. Où José a-t-il fait la connaissance de José Maria ? 4. Pourquoi le Dancaïre ne voulait-il pas aller à Gibraltar pour avoir des nouvelles de Carmen ? 5. Pourquoi Garcia était-il difficile à déguiser ? 6. Qui a dû aller à Gibraltar ? 7. Montrez Saint-Roc sur la carte. 8. Qui José devait-il demander à Gibraltar ? 9. Qu'est-ce qu'on lui avait procuré à Ronda ? 10. Qu'est-ce qu'on lui donna à Gaucin ? 11. De quoi l'a-t-il chargé ? 12. Avec qui a-t-il vu Carmen à Gibraltar ? 13. Pourquoi l'Anglais lui a-t-il crié de monter ? 14. Qu'est-ce que l'Anglais a commandé qu'on apporte pour José ? 15. A quelle heure Carmen a-t-elle dit à José de venir le lendemain ?

B. Expressions idiomatiques

1. s'opposer à, *oppose*
2. s'enfoncer dans, *plunge into*
3. se rendre à, *go to*
4. avoir l'air, *look*
5. être à, *belong to*
6. avoir soif, *be thirsty*
7. un drôle de, *a queer*

C. Thème

1. The smugglers heard nothing more about Carmen, and the Dancaïre said to José, "You must go to Gibraltar to get news of her. 2. When you have found a chocolate seller named the Rollona, you will learn from her what is going on down there." 3. In Gibraltar José heard Carmen's voice from a window, telling him to come upstairs; the house belonged to an Englishman. 4. This Englishman ordered a drink brought

for José, who was thirsty. 5. Then Carmen burst out laughing, and everybody laughed with her. 6. She told José that, if he wanted, she would give him the ring which the Englishman had on his finger. 7. While they were talking, a domestic came in and said dinner was ready. 8. Then Carmen rose and said to José, "Tomorrow, when you hear the drum, come here and bring some oranges."

DOUZIÈME LEÇON (**57,** 23 — **63,** 5)

A. Questionnaire

1. Pourquoi Carmen veut-elle aller à Ronda, d'après ce qu'elle avait dit à l'Anglais ? 2. Avec qui devait-elle y aller ? 3. Que voulait-elle que l'Anglais fasse à Garcia ? 4. Où Carmen a-t-elle revu José à Gibraltar ? 5. Où José est-il retourné ? 6. Qui y a-t-il trouvé ? 7. Qu'a-t-il fait à Garcia ? 8. Avec qui Carmen est-elle passée le lendemain ? 9. Pourquoi Carmen et José n'étaient-ils plus comme auparavant ? 10. Quel malheur est arrivé à la bande peu après ? 11. Où le camarade de José l'a-t-il porté ? 12. Où était Carmen à ce moment-là ? 13. Pendant combien de temps a-t-elle soigné José ? 14. Où l'a-t-elle mené plus tard ? 15. Où est-ce que José propose à Carmen d'aller quand il est remis de sa maladie ?

B. Expressions idiomatiques

1. jouer aux cartes, *play cards*
2. il n'y a pas moyen de, *there is no way to*
3. se sentir, *feel*
4. s'occuper de, *busy oneself with*
5. se tenir, *stay*
6. prendre garde, *take care*
7. (il) me plaît, *I like (it)*
8. ainsi que, *as well as*
9. changer de, *change*

C. Thème

1. The next day José decided to leave Gibraltar without seeing Carmen again, but he lost his courage and ran to her house. 2. "Listen," she said to him, "it is a question of having Garcia put out of the way." 3. He said no, he hated Garcia, but he was his comrade. 4. "Some day I will rid you of him," he added, "but we shall settle our accounts in my way." 5. "You do not love me," she said to him, "go away." 6. When she said to him "Go away," he could not (go away). 7. He promised her to go back to his comrades and to wait for her. 8. Then he returned to Gaucin, found Garcia, and invited him to play cards. 9. When Garcia cheated, José struck him in the throat with his knife, and Garcia fell on his face. 10. That day José won Carmen again, and his first words were to tell her that she was a widow. 11. He spoke to her of living respectably in the New World, but she made fun of him.

TREIZIÈME LEÇON (**63,** 6 — **69,** 17)

A. Questionnaire

1. De qui Carmen a-t-elle fait la connaissance à Grenade aux courses de taureaux ? 2. Comment Carmen propose-t-elle que José remplace ses compagnons morts ? 3. Qu'est-ce que José défend à Carmen de faire ? 4. Qui José a-t-il rencontré près de Montilla ? 5. Qu'est-ce José fait à Carmen pendant leur dispute ? 6. Que Lucas a-t-il fait à la cocarde du taureau ? 7. Qu'est-ce qui est arrivé à Lucas ensuite ? 8. Qu'est-ce que José a demandé à l'ermite de faire ? 9. Pour qui José était-il devenu un voleur et un meurtrier ? 10. Est-ce que Carmen aimait José encore ? 11. Pourquoi José veut-il la tuer, d'après ce qu'elle dit ? 12. Qu'est-ce que José lui a offert pour lui plaire ? 13. Pourquoi croyait-elle qu'il avait le droit de la tuer ? 14. Combien de fois l'a-t-il frappée ? 15. Qui est-ce qui lui a creusé une fosse ?

B. Expressions idiomatiques

1. un tel, *so and so*
2. au moyen de, *by means of*
3. se charger de, *undertake*
4. se trouver bien, *like it, be all right*
5. bien vouloir, *like to*
6. avoir peur, *be afraid*
7. avoir tort, *be wrong*

C. Thème

1. "So and so, and so and so are dead," Carmen said to José; "if you need to replace them, take Lucas with you." 2. "I do not wish either his money or himself," said José, "and I forbid you to talk to me about him." 3. "Take care not to drive me too far," she said. 4. "I am going to Cordova," she added; "when I find out about people who are leaving with money, I will tell you about it." 5. About two o'clock in the morning Carmen returned, and was a little surprised to see José. 6. He was so busy that at first he did not notice her return. 7. "Carmen," he said to her, "will you go with me to America ? I first, then you." 8. "I have no need to," she replied, "I like it here." 9. José still loved her, and that was why he wished to kill her. 10. He struck her twice; then her large, dark eyes closed.

QUATORZIÈME LEÇON (**70,** 1 — **74,** 22)

A. Questionnaire

1. Où Mateo Falcone avait-il sa maison ? 2. De quoi vivait-il ? 3. Quel âge avait-il quand Mérimée l'a vu ? 4. A quelle distance pouvait-il abattre un mouflon ? 5. Comment Mateo s'était-il débarrassé d'un rival à Corte, d'après ce qu'on disait ? 6. Combien d'enfants Mateo avait-il ? 7. Quel âge avait Fortunato ? 8. Qu'est-ce que Mateo est allé visiter un jour ? 9. Pourquoi n'a-t-il pas permis à Fortunato de l'ac-

compagner ? 10. Qu'est-ce que Gianetto Sanpiero a demandé à Fortunato de faire ? 11. Où le bandit a-t-il trouvé une pièce de cinq francs ? 12. Qu'en a-t-il fait ? 13. Où Fortunato a-t-il caché Sanpiero ? 14. Qu'est-ce que Fortunato a mis sur le tas de foin ensuite ? 15. Pourquoi a-t-il fait cela ?

B. Expressions idiomatiques

1. se diriger, *turn*
2. tout au plus, *at the most*
3. se débarrasser de, *get rid of*
4. de bonne heure, *early*
5. faire l'aumône, *be charitable*
6. passer pour, *be considered*
7. se repentir de, *be sorry for*
8. s'approcher de, *approach*
9. à la vue de, *at sight of*
10. de manière à, *so as to*

C. Thème

1. When Mérimée saw Mateo Falcone, he seemed to him to be fifty years old at the most. 2. At night Falcone could use his firearms as well as in the daytime. 3. He was said to be an obliging friend and a dangerous enemy. 4. If he had not got rid of a rival he could not have got married. 5. One autumn day he went out early to go to visit one of his flocks. 6. Little Fortunato wished to go with him, but his father refused, because someone had to stay behind to take care of the house. 7. Mateo had been absent for some hours when his son saw a man who had just been shot. 8. The man approached Fortunato and said, "Hide me, for I can go no further." 9. "What will you give me if I hide you ?" said the child.

QUINZIÈME LEÇON (**74**, 23 — **80**, 13)

A. Questionnaire

1. Qui sont arrivés quelques minutes après ? 2. Comment s'appelait l'adjudant ? 3. Qu'est-ce que Gamba demande à

Fortunato ? 4. Que voulait-il lui donner pour le faire parler ? 5. Où a-t-il menacé de le faire coucher ? 6. Combien de pièces y a-t-il dans la cabane d'un Corse ? 7. Qu'est-ce que Gamba a offert à l'enfant ensuite ? 8. Comment l'enfant a-t-il montré où était Sanpiero ? 9. Où Fortunato est-il allé ensuite ? 10. Qu'est-ce que les voltigeurs ont fait au tas de foin ? 11. Qu'est-ce qui est arrivé à Gianetto quand il a essayé de se tenir debout ? 12. Qui a arraché son stylet ? 13. Qu'est-ce qu'on lui a fait ensuite ? 14. Qu'est-ce que les voltigeurs ont fait pour porter Gianetto en ville ? 15. Qui sont parus tout d'un coup ?

B. Expressions idiomatiques

1. tout à l'heure, *a while ago; presently*
2. pendant que, *while*
3. aller chercher, *go and get*
4. peu à peu, *little by little*
5. se tenir debout, *stand up*
6. être tranquille, *not to worry*
7. tout d'un coup, *suddenly*

C. Thème

1. The outlaw took a five franc piece from his pocket, and Fortunato smiled. 2. He immediately made a hole in a pile of hay and covered the outlaw up in such a way as to leave him a little air. 3. Some moments afterwards a soldier asked Fortunato, "Did you see a man go by a while ago ?" 4. "Does one see passers-by when one is asleep, Tiodoro Gamba ?" replied the child. 5. "Come, comrades, enter the house," said Gamba, "and see if Sanpiero isn't there." 6. "What will my father say," asked Fortunato, "if he knows that his house has been entered while he was out ?" 7. "Do you know," replied Gamba, "that I can make you change your tune if I choose ?" 8. The child burst out laughing, and said, "My father is Mateo Falcone." 9. Gamba took a silver watch out of his pocket and

said, "Fortunato, would you like to have a watch like this one?" 10. "Why are you making fun of me?" said the child. 11. Two minutes afterwards Fortunato realized that he was the sole owner of the watch.

SEIZIÈME LEÇON (**80,** 14 — **86,** 18)

A. Questionnaire

1. Qu'est-ce que Mateo a pensé quand il a vu les soldats? 2. Quelle était la réputation de Mateo? 3. Qu'est-ce qu'il a dit à sa femme de faire? 4. Qu'est-ce qu'il lui a donné? 5. Où est-il allé ensuite? 6. Qui l'a suivi? 7. Qu'est-ce qu'elle portait? 8. Qu'est-ce que Gianetto a fait quand il a vu Mateo avec Gamba? 9. Qu'est-ce que Fortunato a offert à Gianetto? 10. A qui a-t-il demandé à boire? 11. Qu'est-ce que Mateo a fait de la montre de Fortunato? 12. Quel chemin prend Mateo sur la gravure (*voir page* 85)? 13. Qui est-ce qui le suit? 14. Qu'est-ce que fait Giuseppa? 15. Qu'est-ce que Mateo a fait à Fortunato?

B. Expressions idiomatiques

1. jouir de, *enjoy*
2. sur-le-champ, *immediately*
3. à mesure que, *in proportion as, as*
4. de sorte que, *so that*
5. avoir faim, *be hungry*
6. afin que, *in order that*
7. tantôt . . . tantôt, *now . . .* now
8. s'appuyer sur, *lean on*
9. coucher en joue, *aim at*
10. à peine, *scarcely*

C. Thème

1. Gamba came forward toward Mateo to tell him about the matter. 2. "I have not seen you for a very long time," said the soldier. 3. "I have just captured Gianetto Sanpiero; he was

well hidden, but cousin Fortunato showed me where he was." 4. The child's mother came up; she had just noticed Fortunato's watch. 5. "Who gave it to you?" she asked. 6. "Cousin Theodore," said the child. 7. Mateo dashed the watch into a thousand pieces, took his gun, and left, shouting to Fortunato to follow him. 8. After going some two hundred paces he told his son to say his prayers. 9. "Oh, father, forgive me," cried the child, "I won't do it any more!" 10. Mateo fired, and his son fell dead.

DIX-SEPTIÈME LEÇON (**87,** 1 — **93,** 28)

A. Questionnaire

1. Où est-ce que la redoute de Cheverino se trouvait? 2. Qu'est-ce que le vieux soldat a remarqué? 3. Comment le lieutenant a-t-il dormi? 4. Qu'a-t-il regardé en marchant? 5. Quand était-il tout à fait endormi? 6. Qui est arrivé vers trois heures? 7. Qu'est-ce que les soldats ont dû faire? 8. Qu'est-ce qui est arrivé au bout de vingt minutes? 9. Qu'est-ce qui protégeait le régiment du lieutenant contre le feu des Russes? 10. Qu'est-ce que le lieutenant craignait? 11. Qu'est-ce qui est arrivé à la manche de son habit? 12. Qu'est-ce qui a enlevé son schako? 13. Qu'est-ce que le capitaine lui a prédit? 14. Combien de Français et de Russes sont restés debout après l'attaque? 15. Qui est-ce qui devait commander le régiment après la mort du colonel?

B. Expressions idiomatiques

1. à l'instant, *at that moment; immediately*
2. d'ordinaire, *usually*
3. tout à fait, *completely*
4. faire l'appel, *call the roll*
5. en avant de, *ahead of*
6. au-dessus de, *over*

C. Thème

1. The lieutenant lay down, but he could not sleep. 2. He rose, walked about for a time, and returned to the fire. 3. Then he wrapped himself up in his cloak and closed his eyes. 4. About three o'clock an old soldier arrived, bringing an order. 5. Twenty minutes later they saw the Russians re-enter the redoubt. 6. There were two batteries of artillery far ahead of the French, and soon the redoubt disappeared under thick clouds of smoke. 7. "The cannon balls of the Russians are passing over our heads," said the lieutenant. 8. When the order "Forward, march!" was given, the captain looked at him attentively. 9. The lieutenant was delighted to feel so much at ease. 10. A half hour later the colonel was severely wounded, but the redoubt was taken.

DIX-HUITIÈME LEÇON (**94**, 1 — **102**, 27)

A. Questionnaire

1. Pourquoi, d'après le guide, Mérimée était-il venu à Ille? 2. Qu'est-ce que Mérimée avait fait à Serrabona? 3. En quoi la statue était-elle? 4. Au pied de quoi l'avait-on trouvée? 5. Qui travaillait avec le guide quand on a découvert la statue? 6. Quelle sorte d'yeux la statue avait-elle? 7. Qu'est-ce que la statue a fait à Jean Coll? 8. Au fond de quelle rue se trouve la maison qu'on dit celle de M. de Peyrehorade (*voir la gravure, page* 98)? 9. Quelle sorte de maison était-ce (*cf. page* 94, *ligne* 10)? 10. A qui M. de Peyrehorade a-t-il présenté Mérimée? 11. Quel âge avait son fils? 12. Qu'est-ce qui devait se faire deux jours après l'arrivée de Mérimée? 13. De qui la fiancée était-elle en deuil? 14. Qu'est-ce que M. de Peyrehorade voulait montrer à Mérimée? 15. Qu'est-ce que Madame de Peyrehorade voulait qu'il fasse de la statue?

B. Expressions idiomatiques

1. faire noir, *be dark, be night*
2. vouloir dire, *mean*
3. à moitié, *half*
4. tout de même, *all the same*
5. faire la noce, *celebrate the wedding*
6. c'est dommage, *it is a pity*
7. avoir raison, *be right*
8. aller mieux, *be better*
9. faire voir, *show*

C. Thème

1. They told Mérimée at Perpignan that M. de Peyrehorade had found a statue in the ground. 2. When the Parisian reached Ille, M. de Peyrehorade presented him to his son, a tall young man of twenty-six. 3. Both feared that Mérimée would be very uncomfortable in Ille, but he was not hard to please. 4. "You must learn to know Roussillon," said Peyrehorade, "and you must celebrate the wedding with us." 5. "Ah, you mean your son's marriage," said Mérimée. 6. "Yes," replied Peyrehorade, "it will take place the day after tomorrow. 7. It is a pity that there will be no ball. 8. But, instead of that, I will show you something — a great surprise. 9. It is a question of my statue; you will tell my son whether I am right in thinking it a masterpiece." 10. Peyrehorade feared that Mérimée would ridicule his statue.

DIX-NEUVIÈME LEÇON (**102**, 28 — **109**, 7)

A. Questionnaire

1. Où était la chambre de Mérimée ? 2. Quelles sont les dimensions du lit dans sa chambre ? 3. Qu'est-ce que M. de Peyrehorade lui a indiqué ? 4. Qu'est-ce que Mérimée a fait avant de se déshabiller ? 5. Qu'est-ce qu'il a vu en face ?

6. A quelle distance de la maison était la statue ? 7. A quoi servait le carré uni à coté du jardin ? 8. Qu'est-ce que l'un des passants aurait fait à la statue, si elle avait été à lui ? 9. Quel était le métier de ce passant ? 10. Qu'est-ce qu'il aurait fait à la statue, s'il avait eu son ciseau à froid ? 11. Qu'est-ce qu'il a lancé à la statue ? 12. Qu'a-t-il fait après ? 13. A quelle heure Mérimée s'est-il réveillé ? 14. Qui était auprès de son lit à ce moment-là ? 15. Combien de temps lui a-t-il fallu pour s'habiller ?

B. Expressions idiomatiques

1. avoir beau, (*to do*) *in vain*
2. donner sur, *open on*
3. rien ne me manque, *I lack nothing*
4. en ce moment, *at that moment*
5. à haute voix, *in a loud voice*
6. à peu près, *about*
7. rire de bon cœur, *laugh heartily*
8. d'un côté, *on one side*
9. se défendre de, *help*
10. faire mal, *hurt, be bad for*
11. se défier de, *distrust*

C. Thème

1. After asking Mérimée several times whether he had all he needed, Peyrehorade wished him goodnight. 2. At that moment two men passed who were speaking Catalan in a loud voice. 3. Mérimée had been in Roussillon long enough to understand nearly everything they said. 4. "I must wish the statue good evening," said the taller of the two. 5. Mérimée saw him throw something, and immediately the Catalan placed his hand on his head with a cry of pain. 6. He had thrown a stone, which rebounded from the statue and punished him for the insult. 7. Mérimée laughed heartily and fell asleep. 8. When he awoke, M. de Peyrehorade was at one side of his bed and a domestic at the other. 9. "It is eight o'clock, and

you are still in bed," said Peyrehorade; "I have been up since six o'clock." 10. He told Mérimée that it would be bad for him to sleep too much at his age. 11. The Parisian went down into the garden and found a wonderful statue before him.

VINGTIÈME LEÇON (**109,** 8 — **116,** 19)

A. Questionnaire

1. De quel village la statue porte-t-elle le nom, d'après M. de Peyrehorade? 2. Quelle sorte de ville était Bouleternère originairement, d'après M. de Peyrehorade? 3. Qui était Myron? 4. Combien de marques a-t-on aperçues sur la statue? 5. Quelle était la cause de ces marques? 6. Qu'est-ce qui a interrompu la conversation de Mérimée et de M. de Peyrehorade? 7. Qu'est-ce que son fils a montré à Mérimée? 8. De quelle qualité de sa future femme parle Alphonse de Peyrehorade? 9. Qu'est-ce qu'il devait lui donner le lendemain? 10. Où les Peyrehorade et Mérimée devaient-ils dîner ce jour-là? 11. Quel âge Mademoiselle de Puygarrig avait-elle? 12. Quel jour de la semaine le mariage devait-il se faire? 13. Qui a voulu que le mariage se fît ce jour-là? 14. Pourquoi l'a-t-il voulu? 15. A quelle heure devait-on être prêt le lendemain?

B. Expressions idiomatiques

1. faute de, *for lack of*
2. se garder de, *take care not to*
3. à mon tour, *in my turn*
4. cela va sans dire, *that is a matter of course*
5. tout le monde, *everybody*
6. ne savoir trop, *not know exactly*
7. faire de la peine, *distress*
8. à cause de, *on account of*

C. Thème

1. "You are a judge of rings," said Alphonse; "what do you think of this one? 2. I am going to give it to my betrothed tomorrow." 3. On saying this, he took a large ring from his little finger. 4. "There are twelve hundred francs' worth of diamonds in it," he added. 5. They were to dine that day at the house of the bride's relatives; they went to the castle, about a league and a half from Ille. 6. On the way back to Ille, not knowing exactly what to say to Madame de Peyrehorade, Mérimée cried, "What, Madame, you are having a wedding on Friday!" 7. She said that if that had depended only on her, another day would assuredly have been chosen. 8. "There certainly must be a reason," she said. "Why is everybody afraid of Friday?" 9. "It is on account of my Venus that I chose Friday," cried her husband. 10. The next day the civil marriage was to take place in the town hall and the religious ceremony in the castle chapel.

VINGT-ET-UNIÈME LEÇON (**116,** 20 — **123,** 32)

A. Questionnaire

1. Dans la partie de jeu de paume, pourquoi Alphonse a-t-il manqué la première balle, d'après lui? 2. Que fit-il de sa bague de diamants? 3. Quel a été le résultat de la partie de jeu de paume? 4. Qu'est-ce qu'Alphonse a dit à l'Aragonais? 5. Qu'est-ce que l'Aragonais lui a répondu? 6. Qu'est-ce qu'Alphonse fit ensuite chez lui? 7. Qui est-ce qui a suivi le cortège? 8. Quelle nouvelle Alphonse annonce-t-il à Mérimée en route? 9. Pourquoi Alphonse ne voulait-il pas envoyer quelqu'un à Ille pour chercher la bague? 10. Combien de cérémonies de mariage y avait-il? 11. A quelle heure sont-ils

partis pour Ille ? 12. Qu'est-ce qui les attendait à Ille ? 13. Pourquoi Alphonse n'a-t-il pas pu ôter l'anneau du doigt de la Vénus, selon lui ? 14. Qu'a-t-il demandé à Mérimée de faire ? 15. Pourquoi Mérimée ne voulait-il pas vérifier ce qu'avait dit Alphonse ?

B. Expressions idiomatiques

1. faire une partie, *play a game*
2. se mettre en march, *set out*
3. se fier à, *trust*
4. ce n'est rien, *it doesn't matter*
5. avoir lieu, *take place*
6. aimer mieux, *prefer*

C. Thème

1. Alphonse took off his diamond ring, ran to the statue and placed the ring on its finger. 2. Then he ran to the house, washed his face and hands, and put on his new coat again. 3. Five minutes afterwards they were on the road for Puygarrig. 4. They were going to set out for the town hall when Alphonse said to Mérimée, in a very low tone, "I have forgotten the ring !" 5. "It doesn't matter," said Mérimée, "you have another ring." 6. At four o'clock, when the lunch was over, the men went walking in the park, or looked at the country-women dancing. 7. In that way they spent some hours. 8. "It is nearly eight o'clock," said Peyrehorade; "we must prepare to leave for Ille." 9. Mérimée had a bad headache at Ille, and the supper disgusted him a little. 10. Alphonse said to him, "When we get up from the table, let me talk to you." 11. Then he said, "I do not know what is the matter with me; I cannot get the ring off the finger of the statue."

VINGT–DEUXIÈME LEÇON (**124**, 1 — **131**, 14)

A. Questionnaire

1. Qu'est-ce que Mérimée a entendu craquer fortement ? 2. Qu'est-ce qu'il a pris pour changer le cours de ses idées ? 3. Qu'est-ce qui lui arrive pendant la lecture ? 4. Comment a-t-il dormi ? 5. A quelle heure le coq a-t-il chanté ? 6. Qu'est-ce Mérimée a entendu alors ? 7. Qu'est-ce qu'il pensait en quittant son lit ? 8. Qu'est-ce qu'il fit ensuite ? 9. Qu'est-ce qu'il a entendu ? 10. Où est-il allé ? 11. Où était Alphonse ? 12. Qu'est-ce que sa mère faisait ? 13. Qu'est-ce que son père faisait ? 14. Qui a tué Alphonse, selon sa femme ? 15. Qui est-ce qui le procureur du roi a fait arrêter ?

B. Expressions idiomatiques

1. à demi, *half*
2. trouver moyen de, *manage to*
3. nulle part, *nowhere*
4. se rendre compte de, *form an idea of*
5. se disposer à, *prepare to*
6. se défaire de, *get rid of*

C. Thème

1. Mérimée took a book by M. de Peyrehorade and fell asleep at the third page. 2. It may have been five o'clock in the morning when he heard a cock crow. 3. Then he heard heavy steps on the stairs, which he had already heard before falling asleep. 4. He tried in vain to guess why Alphonse was getting up so early. 5. Mérimée dressed quickly and went out into the corridor. 6. He ran to Alphonse's room; it was full of people. 7. Alphonse, black and blue and half dressed, was lying motionless on the bed. 8. His wife was on a sofa, at the end of

the room. 9. She uttered inarticulate cries, and two strong servants could not restrain her. 10. Alphonse had been the victim of a murder. 11. Immediately Mérimée remembered the Spanish muleteer and his threat. 12. He told what he knew to the state's attorney, and the latter ordered the Spaniard arrested at once.

VOCABULAIRE

Idiomatic expressions made up of several words are generally explained under the last component; so **tomber d'accord** is defined under **accord.**

A

à to, at, on, in, by, with, or, for, around, about, until, from, against, of, according to
abaisser to lower; **s'—,** fall, sink
abandonner to abandon, forsake, leave behind, let go
l'**abattement** *m.* depression
abattre to bring down, fell, throw down
abolir to abolish
abondant, –e abundant
l'**abord** *m.* access; **d'—,** at first, previously, first; **de prime —,** from the very start
aborder to board, come up to, meet, reach
aboutir to end
abréger to abridge
l'**abreuvoir** *m.* watering trough
l'**abri** *m.* shelter; **à l'— de** in the shelter of, sheltered from (by)
absolu, –e [apsɔly] absolute
accabler to overcome, crush
accéléré, –e rapid
l'**accès** *m.* fit
l'**acclamation** *f.* shouting
accompagner to accompany, go with
accompli perfect
accomplir to carry out; celebrate
l'**accord** *m.* accord; **tomber d'—,** to reach an agreement
accorder to grant, concede
s'**accouder** to lean on one's elbow
accourir to run up, run, come at once
accoutrer to accouter, fit out, dress
accrocher to hang; **s'—,** lay hold
accueillir to receive, welcome
acheter to buy
achever to finish
l'**acier** *m.* [asje] steel
l'**acolyte** *m.* acolyte, attendant
acquérir to acquire, obtain
acquitter to acquit; **s'—,** pay one's debt(s)
l'**acteur** *m.* actor
l'**actrice** *f.* actress
adieu good-by
l'**adjectif** *m.* adjective

l'**adjoint** *m.* deputy, vice-mayor
l'**adjudant** *m.* (*highest non-commissioned officer, acting as assistant to a commissioned officer, and corresponding in rank, not in function, to a*) top sergeant
admirer to admire; wonder at; **faire —,** show
admissible possible
adosser to lean one's back against; **être adossé à** be leaning against
adoucir to alleviate
l'**adoucissement** *m.* alleviation
l'**adresse** *f.* address, skill
adresser to address, speak; pay; **s'— à** apply to
adroit, –e clever
l'**adversaire** *m.* opponent
l'**affaire** *f.* affair, business, engagement, matter in hand, case; *pl.* business; **avoir — à** to deal with, have to do with; **avoir — de** have need of; **faire une —,** do business; **ils firent leur —,** they finished their business; **j'en fais mon —,** I'll see to them (it); **se tirer d'—,** get out of a difficulty
affamé, –e famished
afficher to post
affiler to sharpen
affliger to afflict
affreu–x, –se frightful
afin (**de** *or* **que**) in order to, that

l'**âge** *m.* age; **le moyen —,** the Middle Ages
âgé, –e aged, old
s'**agenouiller** to kneel down
agir to act; **s'— de** be a question of
agiter to agitate, shake, disturb; **s'—,** struggle, be tossed about, stir about
l'**agonie** *f.* death struggle
agréable agreeable
agur laguna (*Basque*) = **bonjour, camarade**
l'**aide** *m.* assistant; **— de camp** aide-de-camp; *f.* aid, help; **être en — à** to help
l'**aiglon** *m.* eaglet
aigu, –ë sharp, piercing, shrill
l'**aile** *f.* wing
ailleurs elsewhere; **d'—,** besides, otherwise, on the other hand, moreover, although
aimable agreeable, pleasant
l'**aimant** *m.* magnet; **pierre d'—,** loadstone
aimer to love, like, be fond of
ainsi thus, so, in this fashion
l'**air** *m.* look, air, manner; tune; **avoir l'— de** to look as though, seem to; **d'un — gai** gaily
l'**aise** *f.* ease; **à son —, à l'—,** at one's ease; **mal à mon —,** ill at ease; *adj.* glad

aisément easily, readily
ajourner to postpone
ajouter to add
ajuster to adjust, aim at
Alava *province of northern Spain, capital Vitoria*
l'**alcade** *m.* (Spanish) magistrate
Alcalà (*in Spanish,* **Alcalá**) **de los Panaderos** ("*of the bakers*") *town near Seville having* 200 *flour mills*
alentour around; **d'—**, around, surrounding
les **alentours** *m.* neighborhood
l'**allée** *f.* going; corridor, alley
allemand, -e German
aller to go; draw (*of a chimney*); **s'en —**, go away; **allons ! va !** come; beyond a doubt; **comment cela va-t-il ?** how are you ?
l'**alliance** *f.* connection
s'**allier à** to be united with
allumer to light, kindle
Almanza (*correctly* **Almansa**) *small town in eastern Spain*
alors then, at that period
l'**altération** *f.* change
l'**amande** *f.* almond
l'**amant** *m.* lover
amasser to amass, accumulate; (*incorrect for* **ramasser**) pick up
l'**amateur** *m.* person interested, enthusiast
l'**âme** *f.* soul, mind, spirit; **de mon —**, *see note to page* 28, *line* 21
amen [amɛn] amen
amener to lead, bring (up, on), induce
amer [amɛʀ], **amère** bitter
l'**Amérique** *f.* America
l'**ameublement** *f.* furniture
l'**ami** *m.* friend
l'**amie** *f.* friend; **bonne —**, sweetheart; **m'—**, my love
l'**amitié** *f.* friendship
l'**amorce** *f.* priming
l'**amour** *m.* love
l'**amourette** *f.* love affair
amoureu-x, -se in love, loving; *n.* lover
l'**amour-propre** *m.* self-respect, self-esteem
amuser to amuse; **s'—**, amuse oneself, have a good time
l'**an** *m.* year
l'**ancêtre** *m.* ancestor
ancien, -ne ancient, old; former; **plus —**, ranking
andalous, -e Andalusian, from Andalusia
l'**Andalousie** *f.* Andalusia (*province in southern Spain*)
l'**âne** *m.* ass
anéantir to annihilate, overcome
l'**ange** *m.* angel
anglais, -e English; **l'Anglais** Englishman
l'**angle** *m.* corner
l'**angoisse** *f.* anguish, suffering
l'**animal** *m.* beast

animer to animate; **s'—,** become excited
l'**anisette** *f. liqueur flavored with anise*
l'**anneau** *m.* ring
l'**année** *f.* year; **depuis peu d'—s** of late years
annoncer to announce, present, indicate, inform; show, reveal; predict; **s'— pour** promise to be
annulaire *adj.* ring
l'**antichambre** *f.* antechamber, anteroom
l'**antiquaillerie** *f.* old trumpery
l'**antiquaire** *m.* antiquary
antique antique, ancient; *n. m.* relic of antiquity
Antonio (*Span.*) Anthony
l'**anxiété** *f.* anxiety
apaiser to appease, placate
apercevoir to perceive, catch sight of, see; **s'— (de)** perceive
aplatir to flatten
apostropher to accost rudely
apparaître to appear
apparemment [-am-] apparently
l'**apparence** *f.* appearance, bearing, look, show; **en —,** apparently
l'**apparition** *f.* vision
l'**appartement** *m.* apartment
appartenir to belong
l'**appel** *m.* roll call
appeler to call; **il s'appelle** his name is
appétissant, –e appetizing
l'**appétit** *m.* appetite
l'**applaudissement** *m.* applause
l'**application** *f.* place
appliquer to apply, fit
apporter to bring; serve; preserve
apprendre to learn (of), teach, tell, hear of
l'**apprenti** *m.* apprentice, tyro
l'**apprêt** *m.* preparation
apprêter to dispose, make
apprivoiser to tame, make sociable
l'**approche** *f.* approach
approcher to approach; put (bring, draw) near; **s'— (de)** approach
l'**appui** *m.* support; **point d'—,** center of movement
appuyé, –e leaning
appuyer to support, lean; **s'—,** lean
après after, afterward: *see note to page* 10, *line* 9; **d'—,** according to, in, from, after; **— que** after; **peu —,** a while later
après-demain the day after tomorrow
arabe Arabic; **l'Arabe** Arab
aragonais, –e Aragonese
l'**arbre** *m.* tree
l'**arbrisseau** *m.* shrub
archéologique [-ke-] archeological
l'**archéologue** [-ke-] *m.* archeologist; **moins —,** less of an archeologist

ardent, –e blazing
l'**argent** *m.* silver, money; — **blanc** silver money
l'**argile** *f.* clay
l'**argot,** *m.* slang, argot
l'**arme** *f.* arm, weapon
armer to arm; cock
arracher to snatch, wrench from, rouse, tear (away)
arranger to arrange, settle; **s'—,** manage, shift for oneself
arrêter to stop; decide (upon); **s'—,** stop
arrière back, rear; — **de moi !** get out of my sight ! **en —,** behind, to the rear
l'**arrière-garde** *f.* rearguard, rear
l'**arrivée** *f.* arrival
arriver to arrive, come, happen; strike; **arrivant jusqu'à** carried to the point of
l'**arrondissement** *m. one of the divisions of a department*
arroser to sprinkle, bathe
l'**article** *m.* point in question
articulé, –e connected; distinct
l'**artillerie** *f.* artillery
l'**asile** *m.* refuge
l'**aspect** [aspɛ] *m.* aspect, appearance
aspirer to aspirate
assaillir to attack
l'**assassinat** *m.* assassination
l'**assaut** *m.* assault; **donner l'—,** to make a frontal attack
l'**assemblée** *f.* gathering
asseoir to seat; **s'—,** sit, sit down
assez enough, sufficiently; rather; fairly, satisfactorily
l'**assiette** *f.* plate
assis, –e seated
l'**assistant** *m.* person present
assister to be present, witness
assit *past def. of* **asseoir**
associer to admit as partner
assommer to fell, stun
assoupi, –e hushed up
assoupir to make drowsy; **s'—,** fall half asleep
assoupissant, –e soporific
assuré, –e safe, confident
assurément certainly
assurer to assure, affirm; **s'— (de)** make sure (of)
athlétique athletic
atroce atrocious
attacher to attach, fasten, lace, put on, fix, tie
l'**attaque** *f.* attack
attardé, –e belated
atteignis *past def. of* **atteindre**
atteindre to reach, overtake; strike
l'**atteinte** *f.* reach
attelé, –e harnessed
attendre to await, wait for, wait, expect; **elle se fit —,** she came late; **s'— à** expect; **en attendant (que)** while waiting (for), until, pending
l'**attente** *f.* wait, expectation

l'attention *f.* attention; **avoir l'— de** to be attentive enough to; **faire —,** pay attention
attifer to adorn, bedeck
attirer to draw, attract, gain; **s'—,** attain; draw upon oneself
l'attrait *m.:* **— de curiosité** curious interest
attraper to catch
attribuer to attribute
attrister to sadden
l'auberge *f.* inn
l'aubergiste *m.* innkeeper
aucun, -e no, none, any
l'audace *f.* boldness
au delà beyond
au dessus (de) above
au-devant before; **— de** before; **aller — de** to go to meet
l'audience *f.* hearing; **donner —,** to receive
l'auditoire *m.* audience
l'auge *f.* trough
augmenter to increase, heighten
l'augure *m.* omen
augurer to augur, predict
aujourd'hui today; **dès —,** this very day
l'aumône *f.* alms; **faire l'—,** to be charitable
l'aune *f.* ell (*about* 46 ¾ *in. in France*)
auparavant before, previously
auprès (de) near, nearly, with, among, over by, in comparison with
aussi also, too; so, consequently, as; **— . . . que** as . . . as
aussitôt immediately, at once, forthwith; **— que** as soon as
autant as much, as many, as well; **aimer —,** to like just as well; **— que** as far as, as much as; **en faire —,** do likewise
l'auteur *m.* author, perpetrator
l'automne [otɔn] *m. or f.* autumn
autoriser to authorize; give reason
l'autorité *f.* authority
autour (de) around, around it
autre other, else; **l'un de l'—,** from one another; **l'un et l'—,** both; **nous —s** we
autrefois formerly; **d'—,** former
autrement otherwise
avaler to swallow
l'avance *f.* advance, lead; **d'—,** *or* **à l'—,** in advance
avancer to advance; stretch out; **s'—,** come forward (on), walk on; **je suis trop avancé** I have ventured too far
avant before; deep; **— de** before; **(bien) — que** (long) before; **en —,** forward, in front; **en — de** in front of; **si —,** so deeply
l'avantage *m.* advantage;

avoir l'—, to be the victor
l'**avant-poste** *m.* outpost
l'**Ave Maria** *m.* Hail Mary (*Catholic prayer*)
avec with, to
l'**aventure** *f.* adventure; **à l'—**, *or* **d'—**, at random; **la bonne —**, fortune
aventureu-x, -se adventurous
avertir to warn, give warning, inform
l'**avis** *m.* opinion, (bit of) information *or* advice
aviser to apprise, notice; **s'—**, take into one's head, presume, think (of)
l'**avocat** *m.* lawyer, attorney
avoir to have, get, find; **— faim, froid, peur, raison, soif** be hungry, cold, afraid, right, thirsty; **elle a sept ans,** she is seven years old; **il n'a rien,** nothing is wrong with him; **il y a** there is, there are; ago, for (of time); **je ne sais ce que j'ai** I don't know what's wrong with me; **malgré que j'en aie** in spite of myself; **qu'y a-t-il?** what is the matter?
avouer to avow, admit, confess
l'**axiome** *m.* rule
azuré, -e azure, blue

B

la **babine** lip (*of animal*) chap
Baetica *town on banks of the Guadalquivir*
le **bagage** baggage, luggage; **pour tout —**, as my entire baggage
la **bagatelle** trifle
la **bague** ring
la **baguette** rod; **mener à la —**, to rule with an iron hand
bah ah! stuff and nonsense!
bai, -e bay
baï, jaona (*Basque*) yes, sir
le **bâillement** yawn
bâiller to yawn
la **baïonnette** bayonet
baiser to kiss
baisser to lower, cast down; **se —**, stoop
la **baji** (*Gipsy*) fortune; *see note to page* 18, *line* 4
le **bal** (*pl.* **bals**) dance
balafrer to slash
le **balai** [-ɛ] broom
balancer to swing; **se —**, sway
balayer to sweep
balbutier [-sje] to stammer
le **balcon** balcony
la **baliverne** nonsense
la **balle** bullet, ball
le **ballot** bale
le **banc** [bɑ̃] bench
la **bande** band; expanse; crowd; side (*of ship*)
bander to bind up
la **bandoulière** shoulder belt; **en —**, slung over his shoulder

la **bannière** banner
baptisé, –e baptized
la **bar lachi** (*Gipsy*) loadstone
baragouiner to murder (*a language*)
barbare barbarian
la **barbe** beard
barbu, –e bearded
Barcelone Barcelona
Bari Crallisa (*Gipsy*) = **grande reine**
la **barque** boat
le **barratcea** *see note to page* 31, *line* 31
la **barre** bar
le **barreau** bar
la **barrière** barrier, railing
le **bas** lower part; stocking
bas, –se *adj. or adv.* low, in a low tone, down; **à — de** down from; **au — de** below; **en — de** down from; **là-—,** yonder, over there; **tout —,** in a low voice
basané, –e tanned
le **bas-empire** late Roman empire
basque Basque; **le Basque** Basque; **tambour de —,** tambourine
le **bassin** basin
Bastia *seaport in north-eastern Corsica, largest town on island*
Bastuli-Pœni *Iberian race* (*Bastuli*) *on southern coast of Spain, intermingled with Phœnicians* (*Lat. Pœni*)
la **bataille** battle, battle array
le **bataillon** battalion
le **bâtiment** building; vessel
bâtir to build
le **bâton** stick, piece of wood, cudgel, club
le **battement** clapping
la **batterie** battery
battre to beat, strike; **se —,** fight
le **bavard** chatterer
Baztan *river in the western Pyrenees, near France, continuation of the Bidassoa*
béant, –e wide open
beau (**bel** *before vowels*), **belle** beautiful, fair, handsome, lovely, good, fine; **avoir — +** *inf.* in vain; **de plus belle** louder *or* more forcibly than ever
beaucoup much, many, very much
la **beauté** beauty
la **bêche** spade
le **beignet** fritter
Bellum Hispaniense *one of three anonymous supplements to Cæsar's Commentaries; tells of struggles in Spain between Cæsar and Pompey's party, ending at Munda*
le **Bengale** Bengal; **rose du —,** China rose, blush rose
le **béret** Basque woolen cap, tam-o'-shanter
le **berger** shepherd
la **bergère** shepherdess
la **besace** leather bag, scrip

les **bésicles** *f.* spectacles
le **besoin** need; **au —,** in case of need; **avoir — de** to need
la **bête** animal, beast; fool
bête foolish, silly, stupid
la **bêtise** nonsense, stupid thing, folly
la **bibliothèque** library
le **bien** good; kind act; property
bien well, very, really, quite, many, much, very much, certainly, fully, perhaps, readily, closely, carefully, indeed, to the point, gladly, heartily; **— !** very well ! all right ! **aussi —,** in any event; **— des** many; **— du (de la)** much; **— que** although; **eh —,** well; **je vous le disais —,** I told you so; **ou —,** or indeed, or, or else; **ou — . . . ou —,** either . . . or; **se trouver — ici** to like it here
bienvenu welcome; **soyez le —,** welcome
le **bijou** jewel
le **billot** block
bimm bang !
la **Biscaïe** [biskai] Biscay (*province of northern Spain, capital Bilbao*)
le **bissac** knapsack, wallet
le **bivouac** bivouac; **au —,** in the open
bizarre strange
blanc, blanche white
Blanche de Bourbon (1335–1361) *queen of Castile, married in* 1353 *and three days later abandoned by Pedro the Cruel, to whom her death has been imputed*
blasé sur weary of
le **blessé** wounded person
blesser to wound
la **blessure** wound
bleu, -e blue
bleuâtre bluish
se **blottir** to crouch
la **Bohême** the Gipsies, Gipsydom; *see note to page* 18, *line* 3
bohémien, -ne Gipsy; **le Bohémien** Gipsy; *see note to page* 18, *line* 3
boire to drink; **donner à —,** give a drink
le **bois** wood
la **boisson** drink
la **boîte** box, (watch-)case
boiteu-x, -se lame; *n.* cripple
le **bon** the important point
bon, -ne good, kind; big; keen; **à quoi —,** what is the use of ? **en coûter —,** to cost a good lot; **faire —,** be safe; **le — Dieu** God; **pour tout de —,** in good earnest; **son compte est —,** his account will be settled; **trouver —,** be satisfied with; (le) **trouver fort —,** think it a good jest
le **bond** bound, leap, jump
bondir to bound

le **bonheur** happiness; **par —,** luckily
le **bonhomme** (*pl.* **bons-hommes**) grotesque figure
le **bonjour** good day
le **bonnet** cap
le **bonsoir** good night
le **bord** edge, border, bank; **à —,** on board; **par dessus le —,** overboard
border to border, skirt
borgne one-eyed
borner to limit
la **botte** boot, bundle
la **bouche** mouth
la **boucherie** butchery, butcher's shop
bouder to sulk, be angry with
boudeu–r, –se sulky
la **bouffée** puff, whiff
bouger to move
la **bougie** candle
bouillant, –e boiling hot
le **bouillon** bubble, stream
bouillonner to bubble
le **boulet** cannon ball
bouleverser to upset, tear up
Boulternère (*should be* **Bouleternère**) *village near Ill-sur-Têt; see note to page* 111, *line* 21
le **bourg** [bur] small town
bourgeois, –e citizen's; *n. m.* civilian
la **bourre** wad; charge; *see note to page* 81, *line* 11
la **bourrique** donkey
la **bourse** purse
la **boussole** compass
le **bout** end; bit; **au — de . . . , . . .** later; **pousser à —,** to drive too far
la **bouteille** bottle
la **boutique** shop
le **bouton** button
boutonner to button
la **boutonnière** buttonhole
le **brancard** stretcher
la **branche** branch
Brantôme, Pierre de Bourdelles (1535–1614), *author of short stories*
le **bras** arm; **à longueur du —,** at arm's length; **sur les —,** on his hands
brave brave, worthy, good; **mon —,** my good fellow, old fellow; *n. m.* brave man; bravo, hired assassin
bravo ! *applause* bravo !
la **bravoure** courage
la **brêche** breach
bref, brève short, curt
bref *adv.* in a word
la **bride** bridle; **tourner —,** to turn back
brider to bridle
le **brigadier** (*cavalry*) corporal
brillant, –e bright, brilliant
briller to shine
la **brioche** blunder
la **brique** brick
le **briquet** flint and steel, lighter
briser to break, break down
broder to embroider
brosser to brush; **se —,** brush up
brouiller to mix up; **se —**

avec get into trouble with, quarrel with
les **broussailles** *f. pl.* bushes
broyer to shatter
le **bruit** noise, clash, sound
brûler to burn, consume
brumeu-x, -se overcast
brun, -e brown, dark
brusque rude, abrupt
brusquement brusquely, short, abruptly, rudely
brutal, -e bestial, brutish
bruyant, -e noisy
bulbeu-x, -se bulbous
buon giorno, fratello (*Ital.*) good day, brother
bus *see* **boire**
le **buste** bust
but *see* **boire**
le **but** goal, purpose
le **butin** booty
le **butor** bumpkin, awkward clown

C

ça *see* **cela**
çà here; come! — **et là** here and there
la **cabane** cabin
le **cabaret** tavern
le **cabinet** office, private room
Cabra (la sierra de) *a mountain range some* 40 *miles southeast of Cordova*
se **cabrer** to rear
le **cabri** kid
Cachena (la plaine de) *imaginary place in the neighborhood of Cordova*
cacher to hide
le **cachot** dungeon
le **cadavre** corpse
le **cadeau** present
Cadix [-diks] Cadiz (*seaport in southern Spain, on the Atlantic*)
le **cadran** dial, face
le **café** coffee; café
le **caillou** pebble
la **caisse** tank, case
le **caisson** ammunition wagon
le **calcul** [kalkyl] calculation
calé *see* **calés**
la **calèche** open carriage
le **caleçon** drawers
caler to prop up
calé(s) (*Gipsy*) Gipsies (*literally* 'blacks')
le **calicot** calico
le **calife** caliph
calli (*Gipsy fem. sing.; cf.* **calés**) Gipsy
calme calm; *n. m.* calm, quiet
le, la **camarade** comrade
le **caméléon** chameleon
le **camp** [kɑ̃] camp; side
le **campagnard** country person
la **campagne** country; campaign; field; **dans la —,** across country; **se mettre en —,** to begin a campaign, set out
la **canaille** riffraff
le **canapé** sofa
canarder to snipe, fire shots from shelter
le **canari** canary bird
le **candilejo** (*Span.*) little lamp

le **Canigou** *mountain in department of Pyrénées-Orientales, last high peak of eastern Pyrenees, with celebrated view*
le **canon** cannon, barrel
le **canonnier** gunner
le **canot** canoe
le **canton** canton (*subdivision of an arrondissement*)
le **capitaine** captain; chieftain
la **capitale** capital city
le **caporal** (*Corsican*) corporal (*official originally elected by a council and later hereditary, who administered justice in most Corsican communes*); **famille caporale** family of corporal rank
les **caporali** (*Ital.*) = **caporaux;** *see* **caporal**
la **capote** (*military*) cloak, overcoat
le **caprice** caprice; passing fancy, sweetheart
la **captivité** captivity
le **capuchon** hood
car for
le **caractère** character, distinction
la **carchera** [-ʀke-] (*Corsican*) cartridge belt
la **caresse** caress; kindness
caresser to caress, fondle
Carmen [kaʀmɛn] *see note to page* 18, *line* 5
Carmencita (*Span.*) *diminutive of* **Carmen**
le **carnage** slaughter
le **carnaval** carnival
carré square
le **carreau** square
la **carrière** career
la **carte** card, map; bill
le **carton** pasteboard
la **cartouche** cartridge, case (*for coins*)
le **cas** case; conduct; event; **faire — de** to attach importance to, take notice of
casser to break, smash, break down; **se —,** break
la **cassie** acacia
les **castagnettes** *f. pl.* castanets
castillan, -e Castilian; **le Castillan** Castilian
catalan, -ne Catalan, relating to Catalonia; **le Catalan** Catalan
la **Catalogne** Catalonia (*province in Spain, capital Barcelona*)
catholique Catholic
causant, -e talkative
la **cause** cause; **à — de** because of, for the sake of
causer to cause, give; converse, talk (about)
la **cavalerie** cavalry
le **cavalier** horseman, rider, cavalryman
ce this, that, it; he, she
ce (**cet, cette,** *pl.* **ces**) this, that (*adjective*)
ceci this
céder to cede, yield, make over

le **cèdre** cedar; *see note to page* 100, *line* 13
la **ceinture** belt, girdle
le **ceinturon** sword belt
cela that; *abbreviated* **ça**
célèbre renowned
celle *see* **celui**
celtique Celtic
celui (*fem.* **celle,** *pl.* **ceux, celles**) he, him; this, that; the one; **—-ci** the latter, this one, one; **—-là** the former, that one, the other
la **cendre** ashes (*also in pl.*)
cent one hundred
la **centaine** about a hundred, some hundred
la **cépée** tuft of shoots
cependant however, nevertheless, and yet, meanwhile
le **cerceau** hoop
le **cercle** circle, band
la **cérémonie** ceremony
certain, -e sure, certain; a, some; **— jour** one day
certes certainly
la **cervelle** brain (s); **brûler (faire sauter) la —,** to blow (a man's) brains out
César Julius Cæsar (102 ?–44 B.C.) *Roman general and dictator*
la **cesse** ceasing
cet *see* **ce**
ceux *see* **celui**
chacun, -e each, everyone
le **chagrin** sorrow, vexation
la **chaîne** chain
la **chair** flesh; meat
la **chaise** chair
le **châle** shawl
la **chaleur** heat
le **chambellan** chamberlain
la **chambre** room; **robe de —,** dressing gown
le **champ** [ʃɑ̃] field; **sur le —,** at once
le **champion** contestant
chanceler to stagger
la **chandelle** candle
le **changement** change
la **chanson** song
le **chant** song, chant
chanter to sing; say (*mass*); crow
chantonner to hum
Chapalangarra *imaginary Spanish soldier*
le **chapeau** hat
la **chapelle** chapel; death chamber (*condemned Spanish criminals were kept in the prison chapel from sentence until execution*)
chaque each
le **chardon** thistle
la **charge** charge, load; duty; attack
chargé, -e laden, full
charger to charge, load, take, fill; order; **se — (de)** take care (of), take upon oneself
le **chariot** cart
Charlemagne (*about* 742–814) *founder of the Holy Roman Empire; known to the French peasantry as a hero of medieval legend*

charmant, –e charming, delightful
le **charme** charm
charmer to charm
la **charogne** carcass
la **charte** charter (*i.e. the Charte constitutionnelle de France, granted by Louis XVIII in* 1814 *and revised to include complete religious toleration, etc., in* 1830)
la **chasse** hunting, chase
la **châsse** shrine; **comme une —,** fit to kill
chasser to chase, dispel
le **chasseur** hunter
le **chat** cat
la **châtaigne** chestnut
le **châtaignier** chestnut tree
le **château** country house
la **chatte** cat
chaud, –e warm, hot; **faire —,** to be hot
le **chaudronnier** tinker
chauffer to get hot
chausser to put on (wear) shoes
le **chebec** xebec (*small three-masted Mediterranean craft*)
le **chef** chief, superior officer, leader, commander; **— d'œuvre** masterpiece; **en —,** the officer in command
le **chemin** way, road; **après un bout de —,** after going a certain distance; **voleur de grands —s** highwayman
la **cheminée** chimney, fireplace
cheminer to go on one's way
la **chemise** shirt, chemise
le **chêne** oak; *see* **vert**
cher, chère dear; **mon —,** my dear friend
chercher to search (for), look for; get; try; **aller —,** to get
chéti–f, –ve weak
le **cheval** horse; **à —,** on horseback; **fer de —,** horseshoe
la **chevalerie** chivalry
la **chevelure** hair
Cheverino *see note to page* 88, *line* 3
le **cheveu** hair; *pl.* hair; **tiré par les —x** far-fetched
la **cheville** ankle
la **chèvre** goat
le **chevreuil** roebuck
le **chevrier** goatherd
la **chevrotine** buckshot
chez at (to) the house (home, shop) of, with, in the room (country, shop) of, etc.; **— eux** at home; **de — nous** from our village (country)
le **chien,** la **chienne** dog
le **chiffon** rag
chiné, –e watered
chipe calli (*Gipsy*) Gipsy language
chirurgical, –e surgical
le **chirurgien** surgeon; **—-major** regimental surgeon
le **choc** blow, shock
le **chocolat** [ʃɔkɔla] chocolate

le **chœur** [kœʀ] choir
choisir to choose, select
le **choix** choice; pleasure
choli *for* **joli**
choquer to shock
la **chose** thing; **autre** —, something else; **bien autre** —, quite different things; **peu de** —, a small matter; **quelque** —, *m.* something, anything
le **chou** cabbage
chrétien [-tjɛ̃] Christian; **le Chrétien** Christian; **mourir en** —, to die a Christian death; **vieux** —, of an old family (*not descended from converted Moors or Jews*)
la **chufa** (*Span.*) *the edible root of a kind of sedge*
la **chute** climax
la **cicatrice** scar
le **cidre** cider; **pommier à** —, cider apple tree
le **ciel** (*pl.* **cieux**) sky, heaven; part of the world
le **cierge** wax taper
le **cigare** cigar
le **cimetière** cemetery
la **circonstance** circumstance(s), juncture
le **cirque** circus, amphitheater
le **ciseau**: — **à froid** cold chisel
ciseler to chisel, emboss
citer to mention
le **citoyen**, la **citoyenne** citizen
clair, -e clear, light (*color*)
la **clairière** clearing
la **clameur** shouting
claquer to rattle, crack
la **clarté** light
classique classic; *see note to page* 113, *line* 4
la **clé** *or* **clef** [kle] key
le **clergé** clergy
la **clientèle** dependents
le **clignement** winking; **—s d'yeux** winks
cligner to wink; — **(de) l'œil** wink
le **climat** [klima] climate
le **clin** wink, twinkling
la **cloche** bell
clopiner to limp
clore to close; **nuit close** quite dark
la **cocarde** cockade
le **cocher** coachman
le **cœur** heart; courage; **de bon (tout)** —, heartily, vigorously; **homme (gaillard) de** —, courageous man (fellow), proud man, man of spirit; **joli** —, lady's man; **rester sur le** —, to rankle within
le **coffre** chest, box; **—-fort** strong box, safe
coi, coite quiet
coiffé, -e with one's hair dressed; — **de** wearing on his (her) head
coiffer to put on the head, put in the hair
le **coin** corner
le **col** collar
la **colère** anger, wrath; **en** —, angry; *adj.* choleric, irascible

Coll (Jean) *see note to page* 95, *line* 25
la **collation** light meal
le **collège** college; *see note to page* 18, *line* 12
le **collègue** colleague
le **collet** collar (*of a coat*)
Collioure *small seaport in Roussillon, noted for its wines*
la **colonne** column
colorer to color; **se —,** become colored
le **combat** fight, duel, struggle, battle
le **combattant** combatant
combattre to fight
combien how much, how many
le **comble** height
commander to order, command
comme as, when, like, how, as if, though, such as, as well as
le **commencement** beginning
commencer to commence, open
comment how, what! **— s'appelle (se nomme)-t-il?** what is his name? **— cela** how is that?
le **commentaire** commentary; **les Commentaires de César** Cæsar's Commentaries (*on the Gallic and Civil wars; editions of them frequently include the "Bellum Hispaniense"*)
le **commerce** business; **faire —,** to trade
la **commère** godmother, gossip, comrade (*cf. note to page* 28, *line* 12) old woman
commettre to commit
la **commission** errand, request
commodément comfortably; **être —,** to be at ease
commun, -e common
la **commune** township
communiquer to lead
la **compagnie** company; **la bonne —,** society
le **compagnon** companion
la **comparaison** comparison
le **compère** godfather; friend; *see note to page* 28, *line* 12
se **complaire à** to take pleasure in
la **complaisance** good nature
complet, complète complete
le **compliment** compliment; **faire son —,** to congratulate
complimenter to praise
le **complot** plot
comprendre to understand, heed
compromettre to compromise
compte [kɔ̃nt] count, account; **à bon —,** cheaply; **se rendre — de** to realize, determine exactly; **sur le — de** concerning
compter to count; intend, expect, rely; **à pas comptés** with slow steps

le **comptoir** counter
le **comte** count
concentré, –e violent, utter
concevoir to conceive
la **concision** brevity
conclure to conclude
concurremment [-am-] together
condamner to condemn
le **conducteur** driver
conduire to conduct, lead, take, bring, accompany
le **cône** cone; exterior
la **conférence** lecture, conference
le **confesseur** father-confessor
la **confession** confession; **—!** a confessor!
la **confiance** confidence
la **confidence** confidential remark; **faire des —s** to confide in
confier to entrust; confide
confire to conserve
le **confiseur** confectioner
confisquer to capture
la **confiture** preserves, jam
confondre to confound, confuse; intertwine; **se —**, mix
la **conformation: défaut de —**, physical defect
conforme accordingly
confus, –e confused
la **confusion** embarrassment
le **congé** leave
la **conjuration** conspiracy; spell
conjurer to conjure, call up
la **connaissance** acquaintance; consciousness; **figure de —**, familiar face; **sans —**, unconscious
le **connaisseur** expert
connaître to be (become) acquainted with, know; **se — en** be a judge of, be an expert in
connu, –e known
conquérir to conquer, attain
consacrer to dedicate
le **conscrit** conscript
le **conseil** counsel, council; *pl.* advice
conseiller to advise
conséquent, –e consistent
conséquent: par —, consequently, therefore
conserver to preserve, retain, save
considérable important
la **considération** consideration, respect; reason
considérer to look at
la **consigne** orders
consommé, –e expert
constamment constantly
consterner to dismay
la **construction** building
construire to construct, build
contagieu–x, –se contagious
le **conte** tale
contempler to contemplate, look at
la **contenance** bearing, appearance
contenir to contain, hold, restrain

content, –e contented, satisfied, pleased, glad
le **contenu** contents
conter to tell, recount, tell of; **en — de toutes les couleurs** try to win (them) by talking all sorts of nonsense
contigu, –ë adjoining
le **contour** form
contraindre to force
contraire contrary, opposite; **au —,** on the contrary
le **contraste** contrast
contre against, contrary to; at, toward, behind, on, with
la **contrebande** smuggling; contraband, smuggled goods
le **contrebandier** smuggler
à **contre-cœur** unwillingly
le **contre-coup** recoil
contredire to contradict
la **contrée** country
le **contrefort** spur (*of a mountain-chain*)
la **contre-marche** (*now written* **contremarche**) countermarch
contribuer to contribute, add
convaincre to convince
convenable proper, suitable
la **convenance** convenience, material advantage; **mariage de —,** marriage for money *or* position
convenir to suit, be best; agree, admit
le *or* la **convive** guest
la **convoitise** greed
le **coq** rooster, cock
coquet, –te coquettish
la **coquette** flirt
la **coquille** shell
le **coquin,** la **coquine** rogue, unprincipled person, scoundrel
le **corbeau** raven
la **corbeille** basket; bride's presents
la **corde** rope, cord, line
le **cordon** cord
Cordoue Cordova (*famous Spanish city in Andalusia*)
la **corne** horn
le **corps** body; body of troops; **— à —,** hand to hand
le **corrégidor** (*Span.*) chief judge of a town
le **correspondant** agent
correspondre to correspond
corriger to correct, punish; **se — de** break oneself
la **Corse** Corsica
corse Corsican; **le Corse** Corsican
Corte [-te] *town in the center of Corsica*
le **cortège** procession
la **côte** rib; slope, coast; **rire à se tenir les —s** to split one's sides laughing
le **côté** side, direction; **à — de** alongside of, beside; **de —,** to (on) one side; **de son —,** on the other hand; **du — de** towards; toward that part

of; **d'un autre —,** on the other hand
le **coteau** hillock
le **coton** cotton
la **cotonnade** cotton goods
le **cou** neck; **sauter au —,** to throw one's arms around the neck of
la **couche** bed
couché, -e lying, lying down, in bed
coucher to lay, lay down, sleep; **se —,** go to bed, lie down; set; **aller se —,** go to bed; **chambre à —,** bedroom
le **coucher** bed; **— du soleil** sunset
le **coude** elbow; **coup de —,** push of the elbow
coudre to sew
couler to flow, sink
la **couleur** color
la **coulisse** groove; wings (*theater*); **faire les yeux en —,** to glance sidewise
le **coup** blow, stroke; "haul"; shot; **— d'œil** glance; **à deux —,** double-barreled; **boire un —,** to take a drink; **pour le —,** for once; **tout à —,** suddenly; **tout d'un —,** all at once
coupable blameworthy, to blame
couper to cut, cut off, slash, cut up
le **couplet** stanza
la **cour** court, yard
courageu-x, -se courageous
courber to curve, bend
le **coureur** runner
courir to run; be in
la **couronne** crown, wreath
couronner to crown
le **cours** course
la **course** course, ride, race, journey, walking about; fight; **à la —,** by running; **au pas de —,** at the double quick; **se mettre en —,** to start out
le **coursier** race horse
court, -e short, brief; **pour le faire —,** in short
le **courtisan** courtier
le **cousin,** la **cousine** cousin
Coustou *family of French sculptors, the best known of whom was Nicolas Coustou* (1658–1733); *statues in gardens of Tuileries and Versailles*
le **couteau** knife
coûter to cost; involve
la **coutume** habit(s); **de —,** usually
le **couvent** convent
le **couvert** shelter; **à —,** sheltered, from cover
la **couverture** cover, blanket
couvrir to cover, thatch; **se — de** put on
cracher to spit
craindre to fear
la **crainte** fear
crainti-f, -ve terrified
le **craquement** cracking, creaking
craquer to crack, creak
le **crayon** pencil

la **créance** credence
le **créancier** creditor
le **créateur** creator
le **crédit** influence; credit
le **credo** [kʀedo] creed
le **crêpe** crape
crépu, -e curly
le **crépuscule** twilight
creuser to dig
le **creux** hollow
creux, creuse hollow
crever to burst; die (*of animals or contemptuously*)
le **cri** cry, scream, shout
crier to cry, scream, shout; creak
le **crin** horsehair
critiquer to criticize
le **crochet** hook
croire to believe, think; **se —,** think oneself, feel
croiser to cross, fold
le **croiseur** cruiser
croître to increase
la **croix** cross (*see note to page* 87, *line* 16); **faire la —,** to make the sign of the cross
la **crosse** butt-end
la **croupe** croup; **(porter) en —,** (to carry) behind one (*on horseback*)
la **cruauté** cruelty
le **cuarto** *Spanish copper coin, no longer minted, worth about* $\frac{3}{5}$ *cent*
le **cuervo** (*Span.*) raven; **Venta del —,** Raven Inn
le **cuir** leather
la **cuirasse** breastplate
cuire to cook, bake
la **cuisine** kitchen
la **cuisse** thigh
cuit, -e: terre —e terra cotta
le **cuivre** copper
culbuter to upset, overturn
la **culotte** breeches
le **culte** religion; **liberté des —s** religious freedom
cultiver to cultivate
le **curé** priest, curé
curieusement inquisitively
curieu-x, -se curious; interesting
la **curiosité** curiosity; **de —,** inquisitive
cursi-f, -ve running

D

daigner to deign
le **daim** fallow deer
le **dais** canopy; *see note to page* 92, *line* 5
la **dame** lady; **Notre-Dame** Our Lady
le **damier** checkerboard
le **dancaïre** (*Span.*) gambler (*who places other people's money*)
danois, -e Danish
dans in, into, to, on, at
danser to dance; **les faire —,** play dance music for them; have them dance
le **danseur,** la **danseuse** dancer
davantage (the) more, further, any better
de of, from, with, about, by, to, at, on, in, for,

among; than (*with numerals*); some (*partitive*)
débarrasser to rid
le **débat** discussion
débattre to debate; **se —,** struggle
déboucher to uncork
debout upright; up; **se tenir —,** to remain standing
débrider to unbridle
le **débris** remnants, wreckage
le **début** start
deçà this side of; this way
décamper to be off
décapiter to behead
la **décharge** discharge
décharger to unload; **se —,** empty
déchiqueter to hack apart
déchirant, –e piercing
déchirer to tear
décider to decide, decide upon; **décidé à** ready to; **se —,** be decided, make up one's mind; **— de** decide
décontenancer to disconcert
découplé, –e strapping
le **découragement** discouragement
décourager to discourage; **se —,** lose courage
la **découverte** discovery
découvrir to discover, find
le **décret** decree
décrire to describe
dédaigner to disdain
dédaigneu–x, –se disdainful
le **dédain** disdain
dedans inside, within; **en —,** within; **là-—,** in it, in there
dédier to dedicate
dédire: s'en —, to break one's word
la **déesse** goddess
défaillant, –e faltering
défaire to undo, open, unpack, remove; **se —,** dispose (of)
le **défaut** fault, defect
défendre to defend, forbid; **je ne pus m'en —,** I could not refuse (*help*)
la **défense** defense; **légitime —,** self-defense
le **défi** challenge, defiance
défier to defy, dare, challenge; **se — de** distrust
définir to define, describe
défoncer to smash
dégagé, –e indifferent, free and easy
le **dégagement** disengagement; **salle de —,** retiring-room
dégager to set free
dégaîner to unsheathe (*one's sword*)
dégénérer to get worse
dégoûter to disgust, revolt
la **dégradation** reducing to the ranks
dégrader to reduce to the ranks
le **degré** degree, step
déguiser to disguise
dehors (*or* **en —**) outside; **en — de** outside of
déjà already

déjeuner to lunch
le **déjeuner** lunch
delà beyond; that way; **au — de** beyond; **deçà et —**, back and forth
délicat, -e delicate, difficult, critical
délivrer to free
demain tomorrow
la **demande** request, offer of marriage
demander to ask, ask for, beg (*pardon*); **se —**, ask oneself, wonder
la **démangeaison** itching
démanger to itch; hurt
le **démêlé** difficulty
se **démener** to work hard
démesurément excessively, very widely
demeurer to remain, stay, accrue to, live
demi, -e half; **à —**, halfway, commonplace
la **demi-douzaine** half dozen
la **demi-heure** half hour
la **demi-lieue** half league
demi-mort, -e half dead
la **demoiselle** young lady, unmarried girl
le **démon** devil
la **démonstration** show
démontrer to demonstrate
dénicher to take from their nest
dénoncer to inform against
dénoter to show
la **dent** tooth; **sous la — de** from the bite of
la **dentelle** lace
le **départ** departure, parting
le **département** department (*France is divided into 90 departments*)
dépasser to pass beyond
dépeindre to depict
dépendre to depend
les **dépens** [depɑ̃] *m. pl.* expense
dépenser to spend
déplaire to displease
déployer to unfold, stretch out, display
déposer to put down, lay
la **déposition** testimony; dethronement
le **dépôt** depository, supply
dépouiller to strip
dépourvu, -e destitute, lacking
depuis from, since, for, after, afterwards; **— que** since
déraciner to uproot
déranger to disturb, interfere with
derni-er, -ère last
dérober to steal
derrière behind; from behind; **par —**, behind
dès from, ever, since, after; **— aujourd'hui** this very day; **— demain** not later than tomorrow; **— le lendemain** the very next day; **— lors** from that time on; **— que** as soon as
désagréable disagreeable
désarmer to disarm
le **désastre** misfortune
le **désavantage** disadvantage
descendre to descend, alight, get down, land,

go *or* come down, go off (guard)
désert, -e deserted
désespéré, -e desperate, disheartened
désespérer to despair; **désespérant** disheartening; excessive
le **désespoir** despair, scene of despair
déshabiller to undress
désigner to designate, call, mean
désoler to grieve deeply
le **désordre** disorder
désormais henceforth; from that time on
dessécher to dry
le **dessein** purpose, intention
le **dessin** drawing
dessiner to design, form, draw
dessous below, underneath; **en —,** below; **avoir le —,** to have the worst of it
dessus above, over, over (on) it; **au-— de** above; **la-—,** thereupon, forthwith; concerning that; **par-—,** over
le **destin** destiny
destiner to intend (for), assign (to)
le **destructeur** destroyer
le **détachement** squad
détacher to detach; **se —,** stand out, come off
la **détente** trigger
déterminer to persuade
le **détour** detour, side trip, turn
détourner to turn away; **se —,** make a detour, push
détremper to soak
détruire to destroy, ruin
la **dette** debt
le **deuil** mourning
deux two; **— à —,** two by two; **en —,** double; **piquer de —** (**éperons** *understood*) to set (both) spurs to one's horse; **tous (toutes) (les) —,** both
deuxième second
devant before, in front of; **au-— de** to meet
développer to develop; justify more fully
devenir to become; **que devient-il** what is becoming of him?
deviner to guess, discover; imagine; determine
dévisager to stare out of countenance
deviser to chat
devoir must, ought, to owe, will; be to, be destined to; can
le **devoir** duty, obligation; **se mettre en — de** to set about
le **dévolu** claim; **jeter son — sur** to have designs upon
dévorer to devour, eat ravenously, swallow
dévot, -e devout
dévotement devoutly
le **dévouement** devotion
le **diable** devil; **— de fille** fiendish girl; **donner au**

—, to consign to the devil, curse; **se donner au —,** be at one's wits' end

la **diablerie** deviltry, devilish device

diabolique diabolical, devilish

le **diamant** diamond

la **diane** reveille, waking signal

le **dictionnaire** dictionary

le **dicton** saying

le **Dieu** God; **bon — !** great heavens ! **mon —,** heavens ! well; **par —,** I assure you

différemment [-am-] differently

difficile difficult, hard to please

difficilement with difficulty

digne worthy

la **diligence** stagecoach

le **dimanche** Sunday

diminuer to lessen, fall off, relieve

la **diminution** reduction

dîner to dine

le **dîner** dinner

Diomède *see note to page* 113, *line* 3

dire to say, tell, talk, speak of, call, report, proclaim; **à vrai —,** to tell the truth; **au — de** according to; **c'est à —,** that is (to say); **se —,** describe oneself as; **vouloir —,** mean

diriger to direct, supervise, turn, point, steer, guide; **se —,** go, be bound

discuter to discuss

disparaître to disappear

la **disparition** disappearance

disperser to scatter

dispos, -e active

disposer to arrange, prepare; **se —,** get ready

la **disposition** inclination, tendency

disputer to dispute; **se —,** quarrel (over)

le **disque** disk

la **dissertation** study, treatise

distinguer to distinguish, descry

la **distraction** absent-mindedness

distraire to distract, divert

distrait, -e absent-minded

distribuer to distribute

divers, -e various

le **divertissement** amusement

la **divinité** divinity

la **divisa** (*Span.*) = **cocarde** cockade

divulguer to make known

dix [dis] ten

dixième tenth

dix-neuf nineteen

la **dizaine** some ten

le **doigt** [dwa] finger

dois *see* **devoir**

domestique domestic, tame; *n. m. & f.* servant

le **domicile** dwelling

le **dominicain** Dominican (*order of preaching friars formed by St. Dominic in* 1215)

le **dommage** pity

don (*Span.*) Don (*title used only before first name; formerly restricted to men of high rank, but now used more extensively*); **seigneur —,** Mr.
donc ([dɔ̃], *in liaison and for emphasis* [dɔ̃k]) so, then, hence, therefore; please
donner to give, offer, bid; play; make; bear; appoint; **— de mon sabre (couteau)** drive my sword (knife); **— sur (dans)** open upon
dont of which, whose, with (in, on, at, to) which; **— était Pastia** of whom Pastia was one
doré, –e gilded, golden
dorer to gild
dormir to sleep
Dorothée Dorothea
le **dos** back
la **dot** [dɔt] dowry
doucement sweetly, gently, gradually, quietly
la **douleur** pain, sorrow; **lit de —,** sick-bed
le **douro** (*Span.* **duro**) silver dollar
le **doute** doubt; **mettre en —,** to suspect
douter to doubt; **se — (de)** suspect
douteu–x, –se in doubt
doux, douce sweet, gentle, mild, soft, agreeable
la **douzaine** dozen
douze twelve, a dozen
le **dragon** dragon, dragoon
le **drap** cloth
le **drapeau** flag
la **draperie** drapery
dresser to raise
la **drogue** drug
droit, –e straight, right, erect; **tout —,** straight on; *n. f.* right hand
le **droit** right; **à bon —,** by good right, with good reason; **faire — à** to grant (*a request*)
le **drôle** scoundrel, rascal; **— de** queer
druidique Druidical, ancient Celtic
dû (*past part. of* **devoir**) due
le **duc** duke
le **ducat** ducat (*old Spanish coin; gold = about* $2.25; *silver = about* $1.05)
dûment properly
dur, –e hard, harsh, resistant
la **durée** duration
durer to last
la **dureté** hardness, harshness
Dyrrachium *ancient city in Illyria, now Durazzo, Albania*

E

l'eau *f.* water; **— de Cologne** cologne; **—-de-vie** brandy
s'ébahir to be amazed
l'ébène *f.* ebony
éblouir to dazzle
écarlate scarlet; *n. f.* scarlet cloth

écarquiller to open wide
écarté, –e out of the way
écarter to turn aside, throw back; **s'—,** step aside
l'**échalas** *m.* pole, prop
l'**échange** *m.* exchange
échanger to exchange
l'**échantillon** *m.* sample
échapper to escape, fall, let fall, let slip, run away; **faire —,** arrange the escape; **laisser —,** emit, not to repress; **s'—,** escape (*with* **à**)
l'**écharpe** *f.* scarf (*worn by mayors on duty*)
Ecija *town* 35 *miles south of Cordova*
éclaircir to clear up
éclairer to light, light up clear up
l'**éclat** *m.* splinter; brilliancy, burst
éclatant, –e shining, brilliant
éclater to burst, be given vent to
l'**école** *f.* school
écorcher to skin, flay
écouler to run out; **s'—,** elapse
écouter to listen (to)
écraser to crush, smash
l'**écrevisse** *f.* crawfish; Redcoat
s'**écrier** to cry, exclaim
écrire to write, write down
l'**écriture** *f.* handwriting
l'**écu** *m.* shield; crown (*former coin worth* 3 *or* 5 *francs*)
l'**écurie** *f.* stable
effacer to efface; **s'—,** disappear
effarer to frighten
effaroucher to scare
effecti–f, –ve in effect, for practical purposes
effectuer to accomplish
l'**effet** [efɛ] *m.* effect, impression; **en —,** in fact, indeed
s'**efforcer** to try, strive
l'**effraction** *f.* breaking in
effrayant, –e terrifying
effrayer to frighten; **s'—,** be frightened
l'**effroi** *m.* terror
effronté, –e shameless, brazen
effroyable horrible
également equally, likewise
l'**égard** *m.* regard, consideration; **à l'— de** in regard to
égarer to mislay, lose; **s'—,** get lost
l'**église** *f.* church; **être d'—,** to go into the Church, be a priest
égorger to cut the throat of
l'**Égypte** *f.* Egypt; the Gipsies, Gipsy affairs; *see note to page* 18, *line* 3
eh: — bien well ! I say !
élancer to throw; **s'—,** leap, gush forth, pounce, spring
élargir to widen; **s'—,** widen out
élégamment elegantly
élégant, –e elegant; *n. m.* dandy

élevé, –e elevated, high
élever to raise, erect, bring up; **s'—**, rise, lift, come
Elizondo *village in Basque country, about 30 miles north of Pampeluna*
elle she, it
éloigné, –e distant, far, absent
éloigner to remove, keep apart; **s'—**, go away, move away, leave, withdraw
Elzévir *family of Dutch printers* (1583–1680), *famous for books of small format in beautiful type*
l'**émanation** *f.* odor, effluvium
l'**embarcation** *f.* boat
l'**embarquement** *m.* embarcation, shipment
embarquer (*or* **s'—**) to embark, take ship
l'**embarras** *m.* embarrassment, trouble
embarrasser to embarrass, puzzle; make heavy; **s'—**, have difficulty
embobeliner to wheedle, get around
l'**embrassement** embrace, kiss
embrasser to embrace, kiss
l'**embrasure** *f.* embrasure, opening in fort for cannon
l'**embuscade** *f.* ambuscade; **tendre des —s** to set a trap
embusquer to ambush; **s'—**, lie in ambush
emmener [ɑ̃məne] to lead (take) away, carry off, bring back
l'**émotion** *f.* feelings, concern
émoucher to drive away the flies
s'**emparer** (**de**) to seize, take charge of
empêcher to prevent, keep out; **s'— de** avoid, help
l'**empereur** *m.* emperor
l'**emphase** *f.* emphasis
l'**emplacement** *m.* location, site
l'**emplette** *f.* purchase
emplir to fill
l'**emploi** *m.* duty; use
employer to use, spend
empoigner to grasp, get
emporter to carry off, bear away, take; **l'—**, win
empreint, –e (*past part. of* **empreindre**) imprinted
l'**empreinte** mark, print
empressé, –e eager
l'**empressement** *m.* eagerness; **avec —**, promptly
s'**empresser** (**de**) to be eager, hasten, hurry, press (throng) about
ému, –e moved
en some, any, of it, of him (her, them, one), with (of, by, for, from, to) it, on this account
en in, as, like, at, while, by, on (*often not needed in English when it precedes a present participle*)
l'**enceinte** *f.* inclosure; **mur d'—**, city wall

l'**encens** *m.* incense
encenser to offer incense
enchanté, -e charmed
enchasser to set
l'**enclos** *m.* inclosure
encombrer to obstruct, block; load
encore still, again, also, yet, besides; longer; — **un** another; **pas (point)** —, not yet
encourir to incur, undergo
endormi, -e asleep
endormir to put to sleep; **s'—**, fall asleep
l'**endroit** *m.* place
l'**énergie** *f.* force
énergique active
énergiquement vigorously
l'**enfance** *f.* childhood
l'**enfant** *m. & f.* child; **bon —**, good natured
l'**enfer** *m.* hell
s'**enferrer** to run upon (*a sword*) and be transfixed
enfin at last, finally, after all
enflammé, -e burning
enflammer to set on fire
enflé, -e swollen
enfoncer to sink, drive in, thrust, press on; **s'—**, sink down; **s'— dans** go far into the interior of
enfourcher to straddle, bestride
s'**enfuir** to run away, flee
engager to engage, allure, urge; **s'—**, enlist
enivrer [ɑ̃nivʀe] to intoxicate
enjamber (par-dessus) to stride (over)
enjôleu-r, —se wheedling, winning
l'**enlèvement** *m.* carrying off
enlever to take away, carry off, remove
ennemi, -e hostile; *n. m. & f.* enemy
l'**ennui** [ɑ̃nɥi] ennui, boredom, tediousness, tiresomeness, vexation, bore
ennuyer [ɑ̃nɥije] to weary, bore, annoy; **s'—**, be bored
énorme enormous; serious
enrager to enrage, be mad, be furious
enricher to set with
enrôler to enroll; admit
enroué, -e hoarse
l'**enseigne** *f.* sign
ensemble together
ensorceler to bewitch
l'**ensorcellement** *m.* bewitching
ensuite then, afterwards
s'**ensuivre** to follow
entamer to cut into
l'**entendeur** *m.* hearer, **à bon —, salut** a word to the wise is sufficient
entendre to hear, understand, listen to; **s'—**, come to an understanding; **bien entendu (que)** of course; **faire —**, utter; **se faire —**, be heard; make oneself understood
enterrer to bury

entêté, –e obstinate
l'**enthousiasme** *m.* enthusiasm
entiché, –e devoted
enti–er, –ère whole, complete
entièrement entirely
entonner to strike up, begin to sing
entourer to surround
entraîner to drag, lead (to); persuade
entre between, in, at; **d'—**, of, among; **— eux,** together
entrecoupé, –e unsteady, broken
l'**entrée** *f.* entrance, entering
entrelacer to clasp
entrer to enter; **— dans** enter; **faire —**, get in
entretenir to entertain, think over
l'**entretien** *m.* conversation
l'**entrevue** *f.* interview
entr'ouvert, –e partly open
envelopper to envelop, wrap up, cover
envers towards, to
l'**envie** *f.* desire; **avoir — de** to feel inclined to, wish, want
envier to envy
environ about
environner to surround
les **environs** *m.* vicinity; suburbs
envoyer to send; hurl
épais, –se thick
épargner to save; **s'—**, escape
l'**épaule** *f.* shoulder
l'**épaulement** *m.* breastwork
l'**épée** *f.* sword
épeler to spell out
l'**éperon** *m.* spur
l'**épi** *m.* ear (*of grain*)
épicer to spice
l'**épingle** *f.* pin
l'**épinglette** *f.* priming wire (*brass pin formerly used for cleaning the touch-hole through which the spark passes to the powder*)
l'**épinglier** *m.* pin maker
l'**épithète** *f.* epithet, appellation
l'**époque** *f.* epoch
l'**épouse** *f.* wife
épouser to marry
épouvantable dreadful
épouvanter to terrify
l'**époux** *m.* husband
l'**épreuve** *f.* test; **à toute —**, endless
éprouver to experience, feel
épuiser to exhaust, wear out
l'**équivoque** *f.* pun
erañi (*Gipsy*) lady
l'**ermitage** *m.* hermitage
l'**ermite** *m.* hermit
errer to wander, wander about
l'**erreur** *f.* error, mistake
l'**escabeau** *m.* stool
l'**escalier** *m.* stairway
l'**escarpement** *m.* steep cliff, precipice
escoffier (*thieves' slang*) to put out of the way
l'**escopette** *f.* carbine
l'**escorte** *f.* convoy

l'**espace** *m.* space
l'**Espagne** *f.* Spain
espagnol, –e Spanish; **l'Espagnol** Spaniard
l'**espagnolette** *f.* window-fastening
l'**espèce** *f.* sort, kind, species
l'**espérance** *f.* hope
espérer to hope
l'**espingole** *f.* blunderbuss
l'**espion, –ne** *m. & f.* spy
l'**espoir** *m.* hope
l'**esprit** *m.* mind, wit; spirit; **homme d'—,** clever man; **se remettre bien dans — de** to regain the favor of
l'**essai** *m.* test
essayer to try; **s'— avec** match oneself with
essuyer to wipe
l'**est** *m.* east
l'**estampe** *f.* engraving
Estepona *town on Mediterranean* 25 *miles north-east of Gibraltar*
estimer to esteem
l'**estrade** *f.* platform
estropier to maim; murder (*a language*)
et and
établir to establish, place, settle, make; **s'—,** take position
l'**état** *m.* state, condition; **en — de** able to, fit to; **hors d'— de** unable to
etc. [ɛtsetera] and so forth
Etchalar (*Span.* **Echalar**) *small mountain town near Elizondo, some two miles from French border*

l'**été** *m.* summer
éteindre to put out; **s'—,** go (be put) out
éteint, –e faint
étendre to stretch, spread out, stretch out; **s'—,** stretch oneself out, lie down
étendu, –e extensive
l'**étendue** *f.* extent
éternel, –le eternal
Étienne Stephen
étinceler to sparkle
l'**étoile** *f.* star; **à la belle —,** *see note to page* 12, *line* 10
l'**étole** *f.* stole
l'**étonnement** *m.* astonishment
étonner to astonish; **s'—,** be astonished
étouffer to stifle, smother, suffocate, choke
étourdir to stun, make dizzy
étrange strange
étrang–er, –ère strange, foreign, alien; *n. m. & f.* stranger, foreigner
étrangler to choke
être to be, go (*in past tense*); **— à** belong to, be busy (at), be connected (with); **— de** belong to; **elle s'en fut à** *see note to page* 51, *line* 5; **quoi qu'il en soit** however that may be
l'**être** *m.* being, man, creature
étreindre to squeeze, clasp
l'**étrier** *m.* stirrup

étroit, –e narrow
l'**étude** *f.* study
étudier to study
l'**étui** *m.* case
l'**étymologie** *f.* derivation, etymology
européen, –ne [-jɛ̃] European
eus *see* **avoir**
Eutychès Myron *name of person who had statue of Venus of Ille made*
s'**évader** to escape; **faire —,** aid to escape
s'**évanouir** to faint
éveillé, –e awake
éveiller to awaken, arouse; **s'—,** awake
l'**événement** [-vɛn-] *m.* event
éventrer to disembowel
s'**évertuer pour** to try to
évidemment [-am-] evidently
éviter to avoid
exact, –e [ɛgzakt] exact, punctual
exactement exactly
l'**examen** [-ɛ̃] *m.* examination
l'**excès** *m.* [ɛksɛ] excess
excessi–f, –ve unusual
excommuniquer to excommunicate
exécuter to execute, carry out
l'**exemple** *m.* example; **par —,** indeed, really; for example
exercer to exercise, practise; **s'—,** drill; be produced
l'**exercice** *m.* exercise; **faire l'—,** to drill
exhiber to show
l'**exil** [ɛgzil] *m.* exile
exister to be in existence, exist
l'**expérience** *f.* experience, experiment
expiatoire in atonement for sin
l'**explication** *f.* explanation; dispute
expliquer to explain; **s'—,** give an explanation
l'**exprès** *m.* special messenger
exprès, expresse on purpose
l'**expression** *f.* word, expression
exprimer to express
exquis, –e exquisite
exténuer to wear out
exterminer to exterminate
extraordinaire extraordinary
l'**extravagance** *f.* excess
extravagant wild, preposterous
l'**extrémité** *f.* end, last resort

F

la **fabrique** factory; make; mark
fabriquer to make
la **face** face; **en —,** opposite, openly; **en — (de)** opposite, in front (of)
facile easy
facilement easily, readily

la **façon** fashion, way; **de — à** so as to; **sans —,** without ceremony
la **faction** sentry-duty; **être en — (de)** *or* **faire —,** to be on guard
le **factionnaire** sentinel
faible feeble, weak, scanty
la **faiblesse** weakness
la **faïence** earthenware
la **faim** hunger; **avoir —,** to be hungry
faire to do, make, prepare, form, execute, produce, attend to, get; play; write; be, accustom, have; commit; pay; go; cast; give; tell, ask; engage in; **— si bien que** succeed in; **fait comme un voleur** looking like a thief; **elle est bien faite** she has a good figure; **être fait pour** be born to; **laisse-moi —,** let me manage; **laisser —,** let one do a thing, let pass; **ne — que** only (*with a verb*); **pour quoi —,** why, for what purpose; **que —,** what is (was) to be done; **se —,** be made, become, be, occur
le **faisceau** stack; **remettre en —,** to pile
le **fait** fact, deed; **sûr de mon —,** certain of what I had suspected; **tout à —,** quite
fait: si —, yes, I (you, he) did (*or* it is; *used in contradicting a previous statement*)
le **falbala** furbelow
falloir to be necessary, must; **femmes comme il faut** women of position, ladies; **il fallait voir** you should have seen; **ou peu s'en faut** or very near it; **peu s'en fallut que je** I almost
famé, –e famed; **bien (mal) —,** of good (bad) repute
fameu–x, –se famous, important, precious (*ironical*)
se **familiariser** to become familiar
famili–er, –ère familiar
la **famille** family
la **fanfare** flourish
fanfaron, –ne boastful; *n. m.* braggart
le **fantôme** phantom
la **farce** trick
le **fardeau** burden
farouche wild, stern, ferocious, fierce, forbidding, sullen
fasciné spellbound
la **fatigue** weariness
fatiguer to weary
le **fatras** rubbish
le **faubourg** suburb
faut *pres. of* **falloir**
la **faute** fault, error, transgression
faux, fausse false, wrong
favoriser to favor, aid in
feindre to feign
la **félicitation** congratulation

féliciter to congratulate
la **femme** [fam] woman, wife; **prendre —**, to marry
fendre to split; **yeux bien fendus** large eyes
la **fenêtre** window
féodal, -e feudal
le **fer** iron; **— à (de) cheval** horseshoe; **les quatre —s en l'air** on her back
la **ferme** farm
ferme firm
fermer to close, shut, inclose; **se —**, close
le **fermier** farmer
ferré, -e tipped with iron
fertiliser to fertilize
la **ferveur** fervor
la **fête** festival, festivities, holiday; **se faire une — de** to look forward with pleasure to
le **feu** fire, shot; **arme à —**, firearm; **couleur de —**, flaming red; **coup de —**, shot; **faire —**, to fire; **lance à —**, slow-match; **me faire du —**, give me a light; **mettre le —**, set fire; **pierre à —**, flint
la **feuille** leaf
fi fie ! **— donc !** shame on you !
le **fiancé** betrothed, bridegroom
la **fiancée** betrothed, bride
fiancer to betroth
fichu, -e 'done for,' 'I've got mine'
le **fichu** neckerchief
fier to trust; **se — à** trust
fier [fjɛr], **fière** proud; great
fièrement proudly
la **fierté** pride
la **fièvre** fever
le **figuier** fig tree
la **figure** face, figure
figurer to appear; **se —**, imagine, picture
le **fil** [fil] wire
la **file** file, line; **chef de —**, leader
le **filet** network
la **fille** daughter, girl
le **filleul,** la **filleule** godson, goddaughter, godchild
le **filou** rogue
le **fils** [fis] son
la **fin** end; **à la —**, at last; **tirer à sa —**, to draw to an end
fin, -e fine, delicate, dainty; thin; clever, knowing; fast
la **finesse** cunning, trick
finir to finish, end, come to an end
fis *past def. of* **faire**
fixement fixedly
fixer to fix, fasten, stare at
le **flacon** bottle
flairer to smell
flamand, -e Flemish; **un — de Rome** a Gipsy; **le Flamand,** la **Flamande** Fleming
le **flambeau** torch
flamber to flame, burn
flamenca de Roma (*Gipsy*) Gipsy
la **flamme** flame, flash
le **flanc** [flɑ̃] flank

la **fleur** flower, blossom
la **fleurette** little flower; gallant speech; **conter —s** to flirt with
le **fleuve** river
le **flot** wave; **à —,** afloat
flotter to float, waver
la **foi** faith; **de bonne —,** fair-minded, in earnest; **ma — !** faith ! to tell the truth
le **foin** hay
la **fois** time; **à cette —,** this time; **à la —,** at the same time, at once
folle *see* **fou**
foncé, -e dark
la **fonction** duty
le **fond** bottom, end, background, foundation; **à —,** thoroughly
fondre to melt, melt down, cast; **— en larmes** burst into tears
le **fonds** funds; **être en —,** be well off
Fontainebleau *see note to page* 87, *line* 21
la **force** force, might, strength, violence; a great many, much; **à — de** by dint of, as a result of, of; **— lui fut** he was obliged
la **forêt** forest
le **forgeron** blacksmith
se **formaliser** to take offense
formellement flatly
la **formule** formula
fort, -e strong, heavy, loud, full, big, considerable, large; **c'était plus — que moi,** I couldn't help it; **esprit —,** freethinker
fort *adv.* very, very much, much; greatly, closely; **si —,** with such force
fortement strongly, firmly, very, clearly, loudly
la **fosse** [fos] grave
fou, folle mad, crazy; *n. m.* madman
foudroyant, -e terrible
le **fouet** whip, flogging
fouetter to whip up, lash
fouiller to search, ransack
la **foule** crowd, throng
fouler to trample
le **four** furnace
la **fourbe** fraud
fourbir to polish
fourré, -e thick, dense
fourrer to thrust; **se —,** hide
le **fracas** din, uproar
fracasser to shatter
fraîche *see* **frais**
frais, fraîche fresh, cool
franc [frã], **franche** frank, free; true; abandoned; perfect
français French; **le Français** Frenchman
francesa (*Span.*): **à la —,** in French fashion
franchement frankly
franchir to cross
frapper to strike, knock, hit; **— du pied** stamp one's foot
le **fraudeur** smuggler
la **frayeur** fright
le **freluquet** coxcomb

fréquemment [-kam-] frequently
le **frère** brother
fricasser to fricassee (*fry or stew meat in pieces and serve with sauce*)
le **fripier** old-clothes dealer
le **fripon,** la **friponne** rogue, rascal
frire to fry
frisé, **–e** curled, curly
friser to curl
le **frisson** cold shiver
frissonner to shudder
frit, **–e** fried
la **friture** fried food (*fish, fritters, etc.*)
froid, **–e** cold, chill
froidement coldly
le **fromage** cheese
froncer to wrinkle, knit, contract
le **front** brow, forehead
le **frontispice** frontispiece
frotter to rub
fuir to flee
la **fuite** flight, escape
la **fumée** smoke
fumer to smoke
fumer to fertilize
funèbre funereal
les **funérailles** *f.* funeral
la **fureur** fury, rage
furieu–x, **–se** furious, half-mad; *n. m.* madman
la **fusée** rocket
le **fusil** [fyzi] gun; **tirer un coup de —,** to fire a gun
fusiller to shoot
futé, **–e** cunning
futur, **–e** future
le **futur** intended husband
la **future** intended wife
fuyant *pres. part. of* **fuir**

G

gager to wager
gagner to gain, win, get, earn, deserve; reach
gai, **–e** gay, merry
la **gaieté** gaiety, mirth
gaillard, **–e** gay; *n. m.* jolly fellow, fellow
galant, **–e** gallant, courteous; *n. m.* suitor, lover
la **galanterie** gallantry
la **gale** itch
la **galère** galley; **aux —s** in prison (*convicts were formerly made to row galleys*)
la **galerie** corridor
le **galon** stripe, ribbon
le **galop** gallop
galoper to gallop
la **gamba** (*Ital.*) leg
la **gambade**: **faire des —s** to cut capers
le **gant** glove
garantir to protect
le **garçon** boy, bachelor, fellow
la **garde** guard; **corps de —,** guardhouse; **de —,** on duty; **mettre en —,** to put on one's guard; **monter —,** mount guard; **n'avoir — de** take care not to; **prendre —,** take care; **prendre — à** pay attention to; take care of, beware; **prendre — de** take care not to

le **garde-côte** coast guard
le **garde-manger** pantry, closet for food
le **garde-meuble** storeroom
garder to guard, keep, take care of; **se — de** take care not to, dare not
gardien, -ne guardian; *n. m.* keeper
gare (**à**) look out (for)!
le **garnement** scamp
garnir to furnish, fill, provide, trim
garnisonner to garrison
la **garrote** (*Span.; French =* **la garrotte**) garrote, strangulation
garrotter to garrote, execute by strangling, bind
le **gars** [gɑ] young fellow
gaspacho *see* **gazpacho**
gaspiller to waste
gâter to spoil, injure
gauche left; *n. f.* left hand
la **gaucherie** awkwardness
Gaucin *mountain town about* 36 *miles north of Gibraltar*
le **gazpacho** (*Span.*) *a cold soup, made of water, oil, and vinegar, in which are placed slices of bread, pieces of onion and garlic, and generally tomatoes, cucumbers, and red peppers*
le **géant** giant
Gédéon Gideon; *see note to page* 5, *line* 22
geler to freeze, be frostbitten
gémir to groan
le **gémissement** groan
la **gendarmerie** military police
le **gendre** son-in-law
la **généalogie** family tree, pedigree
gêner to embarrass, be in the way of, make uncomfortable
général, -e general; **avocat —,** state's (prosecuting) attorney; **capitaine —,** general
généreu-x, -se generous, noble, spirited
le **génie** genius, spirit
le **genou** knee; **se mettre à —x** to kneel
les **gens** *m.* (*but an adj. before* **gens** *is feminine*) people; servants; **jeunes —,** young men, young people
gentil [ti], **-le** kind, amiable, charming
le **gentilhomme** [-tijɔm] gentleman
le **géographe** geographer
géographique geographical
le **geôlier** jailer
Germanicus *Roman general, conqueror of the Teuton leader Arminius* (*died* 19 A.D.)
le **geste** gesture
gesticuler to gesticulate
Gianetto (*Ital.*) Johnny, Jack
la **giberne** cartridge-box
Gibraltar *British fortified port in southern Spain*
gigantesque gigantic

la **gitanilla** little Gipsy
le **gitano,** la **gitana** (*Span.*) Gipsy
le **gîte** lodging, shelter
Giuseppa (*Ital.*) Josepha
la **glace** ice; **de —,** icy
glaner to glean
glisser to slide, slip, glide; fall; **se —,** slip
la **gloire** glory; **s'en faire —,** to be proud of
glorieu-x, -se glorious
goguenard, -e quizzical
gonfler to swell
la **gorge** throat, gorge; rear entrance, neck (*of redoubt*)
la **gorgée** mouthful
gothique Gothic; old English
la **gourde** canteen
le **goût** taste; style
goûter (**à**) to taste
le **gouvernail** helm, rudder
le **gouvernement** government
le **gouverneur** governor; warden
la **grâce** grace, favor, pardon, mercy; **— à** thanks to; **faire — à** to pardon, let off
gracieu-x, -se gracious, graceful; **peu —,** disagreeable
le **grade** rank
le **gradin** tier, seat
grand, -e great, tall, large, broad, grown-up; principal, main; **grand'-chose** much; **cela ne me fit pas grand'chose** that did not worry me much
la **grandeur** greatness, size
grandir to grow
gras, -se fat
la **gratification** present, bonus, tip
gratter to scratch
grave serious
graver to engrave, impress
gravir to climb
la **gravure** engraving, cut
le **gré** taste, will, pleasure; **savoir** (**bon**) **— à** to be grateful to
grec, -que Greek
la **Grèce** Greece
Grenade Granada (*city in southern Spain*)
le **grenadier** pomegranate tree; grenadier
la **grenouille** [-uj] frog
grièvement severely
la **griffe** claw; **porter la — à** to reach for
la **grille** grating
la **grippe** whim; **prendre en —,** to take a dislike to
gris, -e gray; **en voir de —es** have a bad time
la **grisette** working girl
grogner to grumble
gros, -se big, thick, great, high, heavy, coarse, rough, large, deep, loud (*voice*)
grossi-er, -ère coarse, crude, uncultivated, rude, low
grossièrement roughly
la **grotte** cave
le **groupe** group
Gruter, Jan (1560–1627) *Belgian editor of famous*

collection of Latin inscriptions
Guadalquivir *Spanish river emptying into the Atlantic; Cordova and Seville are on its banks*
le **gué** ford
la **guenille** rag
guère scarcely; **ne ... —,** scarcely, hardly
guérir to cure, recover
la **guerre** war
guerri–er, –ère war, warlike
le **guerrier** warrior
le **guet** [gɛ] watch; **faire le —,** to keep watch
la **guêtre** gaiter
guetter to lie in wait for, watch for
le **gueux,** la **gueuse** beggar, hussy
guillotiner to guillotine
guinder to hoist; **se —,** climb up
la **guinée** guinea (= 21 *shillings*)
la **Guinée** Guinea (*country in western Africa*)
Guipuzcoa *province of northern Spain; capital San Sebastian*
la **guise** manner, way; **en — de** as a

H

(**'h** =aspirate **h**)

habile clever
l'**habileté** *f.* skill
habiller to dress, put in uniform; **s'—,** dress
l'**habit** *m.* coat, uniform, clothes; *pl.* clothes
l'**habitant** *m.* inhabitant
habiter to inhabit, dwell
l'**habitude** *f.* habit, practice, custom
la **'hache** ax
'hagard, –e haggard, troubled
le **'haillon** rag
la **'haine** hatred
'haïr to hate
'haler to tan, sunburn
'haletant, –e out of breath
'haleter to pant
le **'hallier** thicket
la **'halte** halt, resting-place; **—-là** hold !
le **'hameau** hamlet
la **'hanche** hip
le **'hangar** shed
le **'haras** [ara] stud
'harasser to wear out
'hardi, –e bold
la **'hardiesse** boldness
'hardiment boldly
Haroûn-al-Raschid *caliph of Bagdad* (763–809)
le **'hasard** chance, danger; **au —,** at random
se **'hasarder à** to risk
'hasardeu–x, –se dangerous
la **'hâte** haste; **à la —,** in haste
'hater to hasten; **se —,** hasten, hurry
'hausser to shrug
'haut, –e high, tall, lofty; loud, loudly; **avoir ... de —,** be ... high; **— de ...,** ... high; **l'arme**

—**e,** with guns raised; **le** —, upper part
'hautement aloud, with vigor
la **'hauteur** height
la **'Havane** Havana; **de la** —, Havana
hélas [elɑs] alas
'hennir [anir] to neigh
le **'hennissement** neighing
l'**herbe** *f.* grass
'hérissé, –e bristling
'hérisser to bristle
hériter to inherit; be the heir of
l'**hériti–er, –ère** heir, heiress
héroïque heroic
le **'héros** hero
hésiter to hesitate
l'**heure** *f.* hour, time, o'clock; **à la bonne** —, well and good; **de bonne** —, early; **quelle** —, what time; **tout à l'**—, in a little while, in a moment, a while ago
heureusement fortunately
heureu–x, –se happy, successful, good, propitious, safe
'heurter to strike
l'**hidalgo** *m.* hidalgo (*Spanish gentleman of rank*)
'hideu–x, –se hideous
hier [jɛʀ] yesterday; **d'**—, yesterday
'hisser to hoist, lift
l'**histoire** *f.* history, story
historique historical
'hola hello !
l'**homme** *m.* man, human being; **galant** —, gentleman; **bon** —, grotesque figure
honnête honest, honorable, respectable, worthy; courteous
honnêtement honestly, respectably
l'**honneur** *m.* honor, sense of honor; **d'**— (*for* **parole d'**—) upon my word !
la **'honte** shame
'honteu–x, –se ashamed
l'**hôpital** *m.* (charity) hospital
le **'hoquet** hiccup
l'**horreur** *f.* horror, terror, dread, dislike
horrible horrible; hideous
horriblement frightfully
'hors (de) out of, outside of, beyond; — **d'elle-même** beside herself; — **d'ici** get out of here !
l'**hôte** *m.* host; guest
l'**hôtelier** *m.* hotel keeper
le **'hourra** cheer
la **'huée** hoot
l'**huile** *f.* oil
'huit eight; — **jours** a week
humain, –e human, kindly
humaniser to humanize; **s'**—, become friendly
'humer to inhale
l'**humeur** *f.* disposition, humor; **de mauvaise** —, in a bad humor
humide damp
'hurler to howl
hybride hybrid, made of elements from different languages

l'**hysope** *m.* hyssop

I

ici here; **d'—,** here
l'**idée** *f.* idea; **se faire une —,** to form an idea
l'**idiome** *m.* language
l'**idole** *m.* idol
Iéna Jena (*battlefield where Napoleon conquered the Prussians in* 1806)
ignorer to be ignorant of, not to know
l'**île** *f.* island
Ille [il] **(-sur-Têt)** *small town on river Têt, dept. of Pyrénées-Orientales, between Perpignan and Prades*
illois of Ille; *n. m.* man of Ille
illustre celebrated
imaginer to conceive the idea; **s'—,** suppose
imiter to imitate
immobile motionless, stock-still
immobilité calm
impassible unmoved
imperceptible very slight
impérieu–x, –se pressing, peremptory
impitoyablement pitilessly
implorer to beg for
important, –e important; **l'—,** important thing
importer to be important; **n'importe** no matter; **peu importe** it matters little; **qu'importe ?** what does it matter ?
importun, –e disagreeable, tiresome
l'**imposteur** *m.* cheat
l'**impression** *f.* printing, publication
imprimer to give; impress
impromptu extempore, unprepared (*originally an adverb; sometimes treated as indeclinable*)
inarticulé, –e inarticulate, meaningless
inattendu, –e unexpected
l'**incendie** *m.* fire, conflagration
l'**incertitude** *f.* uncertainty
l'**inclination** *f. see* **tête**
incliner to incline, bend; **s'—,** bow
l'**incognito** [-ɔɲi-] *m.* incognito; desire to remain unknown
incommode inconvenient
inconnu, –e unknown, strange; *n. m. & f.* stranger
incrédule incredulous
l'**incrédulité** *f.:* **d'—,** incredulous
incroyable unbelievable
incruster to inlay
l'**Inde** India; **les Indes** *f.* Indies, India
l'**indice** *m.* evidence
indigne unworthy
indigné, –e indignant
indigner to exasperate; **s'—,** become angry
l'**indignité** *f.* unworthiness, wickedness
indiquer to indicate, in-

form concerning, point out; tell of
indiscr–et, –ète indiscreet; *see note to page* 17, *line* 11
l'**indiscrétion** *f.* intrusion
l'**individu** *m.* individual
inégal, –e unequal, irregular
infâme infamous
infatigable indefatigable
infecte ill-smelling
inférieur, –e lower
infidèle unfaithful; **l'—,** unfaithful person
infini, –e endless
infiniment infinitely
l'**infinité** *f.* infinite number
l'**in-folio** [ɛ̃] *m.* folio volume
infortuné, –e unfortunate
l'**infraction** *f.* violation
ingénieu–x, –se clever
inhospitali–er, –ère inhospitable
inintelligible unintelligible
injecter to inject; **s'—,** become full
l'**injonction** *f.* injunction
l'**injure** *f.* insult
inoffensi–f, –ve harmless
inqui–et, –ète anxious, uneasy
inquiéter to disturb; **s'—,** be uneasy, fret, trouble (**de** about)
l'**inquiétude** *f.* concern, uneasiness, restlessness, anxiety
insensé, –e mad
insensible indifferent
insensiblement gradually
l'**insigne** *m.* badge; *pl.* insignia
insigne notorious
insister to insist; push one's questions further
l'**insouciance** *f.* unconcern, indifference
l'**inspecteur** *m.* inspector
inspirer to arouse
installer to seat
l'**instant** *m.* instant, moment, time; **à l'—,** just, immediately
l'**instinct** [-stɛ̃] *m.* instinct, impulse
instruire to inform
instruit, –e learned
l'**instrument** *m.* instrument, means
insurger to rouse; **s'—,** revolt
intéressant, –e interesting
intéresser to interest; **s'— à** take an interest in
l'**intérêt** *m.* interest
intérieur, –e inner, inside; *n. m.* interior, inside
intérieurement inwardly, mentally
interroger to question, ask
interrompre to interrupt; **s'—,** stop
l'**intervalle** *m.* interval
intime intimate
intimement intimately, closely
intimidé, –e in terror
intrépide dauntless, fearless
introduire to introduce, show in; — **auprès de** . . . take to . . . 's room; **s'—,** enter
l'**intrus, –e** *m. & f.* intruder

inutile useless, needless, in vain
l'**invité, -e** *m. & f.* guest
inviter to invite
involontaire involuntary
invoquer to call upon, invoke
l'**ironie** *f.* irony
ironique ironical
irriter to irritate, anger
Isabelle Ire, la Catholique (1451–1504) *Isabella of Castile, queen of Spain, wife of Ferdinand of Aragon*
isolé, -e lonely
isoler to isolate
l'**ivoire** *m.* ivory
ivre drunk
l'**ivresse** *f.* intoxication
l'**ivrogne** *m.* drunkard

J

le **jabot** shirt-front
jaillir to gush forth, spurt
le **jais** jet
la **jalousie** Venetian blind
jalou-x, -se jealous; **faire le —,** to be jealous
jamais never, ever; **ne . . . —,** never
la **jambe** leg; **à toutes —s** at full speed
le **jambon** ham
le **jaque** (*Span.*) bully, ruffian
le **jardin** garden
le **jardinier,** la **jardinière** gardener
la **jarre** jar
la **jarretière** garter
la **jatte** bowl
jaune yellow; **rire le moins — que . . .** to laugh as heartily as . . .
Jean John
Jerez *city in Andalusia, south of Seville; sherry wine derives its name therefrom*
Jésus [-zy] Jesus; heavens !
jeter to throw, throw down (away); **se —,** rush, cast oneself, leap
le **jeu** game; **laisser franc —,** to give free play
jeune young, recent
la **jeunesse** youth
la **joie** joy, pleasure, jollity
joindre to join, reach; **se —,** meet
joli, -e pretty, handsome, fine
le **jonc** [ʒɔ̃] rush
José (*Span.*) Joseph
José Maria *Spanish bandit (nineteenth century; the name of the Virgin Mary or that of her mother St. Anne may be used as a man's name in Catholic countries)*
Joseito (*Span.*) Joe
la **joue** cheek; **coucher (mettre) en —,** to aim (at)
jouer (**de**) to play, work; **— du stylet (couteau)** use the stiletto (knife); **faire —,** work
le **joueur** player
jouir (**de**) to enjoy
le **jour** day, daylight, light;

amoureux de deux —s lovers on a honeymoon; **au —,** at dawn; **au grand —,** at sunrise; **le —,** (in) the daytime; **par —,** a day; **tous les —s** every day
la **journée** day; **de la —,** to-day
joyeu-x, -se merry
Juan (*Span.*) John; **Juanito** Jack
le **juge** judge
le **jugement** judgment, trial
juger to judge, consider, conclude
juif, juive Jewish
le **Juif,** la **Juive** Jew, Jewess
la **jument** mare
la **jupe** skirt
le **jupon** skirt
le **jurement** oath
jurer to swear, swear to do
jusque as far as, up to, to, until; **jusqu'à** up to, as far as, to, until, even; **jusqu'où** to what point? **jusqu'à ce que** until
le **justaucorps** jerkin
juste just, right; *n. m.* righteous man
la **justice** justice, law, the officers of the law, court
le **justicier** just, executor of justice
justifier to justify, clear

L

là there, here (*often added to other words*)
le **laboureur** ploughman
le **lac** lake
lâcher to loosen, release, let go, turn loose, discharge
laguna ene bihotsarena (*Basque*) = **camarade de mon cœur**
laid, -e ugly
la **laine** wool
laisser to let, leave, let go; **— là** let alone; **elle ne laissa pas de** it did not fail to
le **lait** milk
la **laitière** milch (cow)
le **laiton** brass
Lalorò (*Gipsy: 'the red land'*; **lalo** = 'red') Portugal
lambrisser to panel
la **lame** blade
lamentable piteous
lampe lamp
lancer to throw, hurl, drive, let go, give; **se —,** dare, fly
le **lancier** lancer, horseman bearing lance
le **langage** language
la **langue** tongue, language; **avoir une —,** to have a sharp tongue
languir to languish
le **laquais** lackey
large broad, large, wide; **au —!** halt!
la **largeur** width
la **larme** tear
las [lɑ], **-se** weary, tired
la **latinité** Latinity, Latin style
laver to wash

lécher to lick
la **leçon** lesson
le **lecteur** reader
la **lecture** reading
lég–er, –ère light, slight
légèrement lightly, slightly
la **légèreté** lightness, swiftness
légitime legitimate
léguer to leave
le **lendemain** the next day
lent, –e slow
lentement slowly
lequel, laquelle (lesquels, lesquelles) who, whom, that, which
leste nimble, quick; improper, coarse
lestement lightly, quickly
la **lettre** letter
levé, –e raised; up
lever to raise; **se —,** rise, stand up; break
le **lever** rising
la **lèvre** lip
la **liberté** liberty, freedom; **rendre la —,** to set free, turn loose
libre free; **laisser place —,** to make way for
le **licol** halter
lier to bind, tie up; **se —,** become intimate with
le **lieu** place, spot; **avoir —,** to take place, have occasion; **au — de** instead of
la **lieue** league (*in France* = 4 *kilometers or* $2\frac{1}{2}$ *miles*)
le **lièvre** hare
la **ligne** line; **sur une —,** in line
lillipendi (*Gipsy* **lilipendi**) = **imbécile**(**s**)
la **lime** file
limer to file
le **linge** linen
la **liqueur** cordial; liquor
lire to read, read about
lisible legible
le **lit** bed
la **litanie** litany
la **litière** litter
livide livid, black and blue
le **livre** book
livrer to deliver (*see note to page* 13, *line* 6), hand over, wage, reveal (*a secret*); **se — à** engage in, abandon oneself to
le **logis** house, dwelling; **maréchal de —,** sergeant (*cavalry or artillery*)
la **loi** law; rule; **prendre la — d'Egypte** to become a Gipsy; **les —s** the law; **se faire une —,** make a rule
loin far; **de —,** afar; **— de moi !** get away from me !
le **loisir** leisure, opportunity; **avoir tout le — de** to have a good opportunity to
Londres London
long, –ue long; **le —,** length; **en savoir plus —,** to know more about it; **le — de** along; **tout de son —,** at full length
Longa, Francisco (*died after* 1831) *Spanish gue-*

rilla leader in Napoleonic wars, later a general
longer to go beside
longtemps a long time, long, for a long time; **depuis —**, long since
longue *f. of* **long**
longuement for a long time, at length
la **longueur** length
lorgner to look at
lors then; **depuis (dès) —,** since then
lorsque when
la **louange** praise; **à sa —,** to his credit
louche suspicious
louer to praise
louer to hire, rent
Louis-Philippe (1773–1850) *king of the French* (1830–1848)
le **loup** wolf
lourd, –e heavy
Lucas Luke
la **lueur** light
lugubre mournful
luire to shine
luisant, –e shining
la **lumière** light
lumineu–x, –se luminous
luncheon (*Eng.*) luncheon
la **lune** moon
le **luron** fearless fellow
lustré, –e lustrous, shining
luthérien, –ne Lutheran
la **lutte** struggle, wrestling, conflict
lutter to struggle
le **luxe** luxury
le **lynx** [lẽks] lynx
le **lys** [lis] lily

M

M. *abbreviation for* **Monsieur**
machinalement mechanically
madame (*pl.* **mesdames)** Mrs., Madam, the lady
mademoiselle Miss, the young lady
la **Madone** Madonna; **parée comme une —,** dressed like a queen
le **magicien** magician, sorcerer
la **magicienne** sorceress
la **magie** magic
magique *adj.* magic
le **magistrat** magistrate
la **magistrature** magistracy
magnifique magnificent; *title of certain Corsican gentry*
maigre thin
la **main** hand; **battre des —s** to clap one's hands; **en venir aux —s** come to blows; **frapper dans la —,** shake hands; **sous la —,** at hand
maint, –e many, many a
maintenant now
maintenir to maintain, keep; **se —,** remain
le **maintien** maintenance, demeanor
le **maire** mayor
la **mairie** town hall
mais but
la **maison** house, household
le **maître** master
la **maîtresse** mistress

maîtriser to master, control
la **Majari** (*Gipsy: Majarí*) saint, virgin
la **majesté** majesty
majestueu-x, -se majestic
le **major** chief surgeon
mal badly, ill, wrong(ly), poorly, uncomfortable, imperfectly; sore; *n. m.* evil, harm, pain, trouble
malade ill, sick; *n. m.* sick man, patient
la **maladie** disease
Malaga *celebrated seaport northeast of Gibraltar*
malédiction! damnation!
malgré despite, in spite of; **— que j'en aie** in spite of myself
le **malheur** misfortune, bad luck, accident
malheureusement unfortunately
malheureu-x, -se unhappy, unfortunate, unlucky; *n. m.* wretch
malhonnête unbecoming
la **malice** mischievousness, trick, malice
malignement maliciously
malin, maligne clever, sly; **faire le —,** to try to be clever
la **malle** trunk
malmener to ill-treat
maltraiter to ill-treat
mañana será otro día (*Span.*) *see note to page* 38, *line* 9
la **manche** sleeve
le **manche** handle
la **mandoline** mandolin
manger to eat; **avoir (donner, porter) à —,** have (give, carry) something to eat; **salle à —,** dining room
manier to handle, brandish
la **manière** manner, kind, fashion, way; *pl.* manners; **de — à** so as to; **de — que** in such a way that; **il changea de —s** his manner changed
la **manœuvre** handling, treatment
manquer to be missing, lack, miss, come near; **je n'y manquerai pas** I shall not fail to do it
la **mante** cloak
le **manteau** cloak
la **mantille** [-tij] mantilla (*long, black veil covering head and shoulders of Spanish women*)
la **manufacture** factory
le **manuscrit** manuscript
Manzanilla *village producing famous white wines, some* 35 *miles west of Seville*
le **maquignon** horse-dealer
le **maquila** (*Basque makila, from Lat. bacillum*) iron-tipped club
le **mâquis** (*commoner spelling* **maquis**; *Ital. macchia*) Corsican jungle *or* brush (*covered with shrubs and underbrush*)
le **maraud** scoundrel

Marbella *small seaport in southern Spain, between Gibraltar and Malaga*
le **marc** [maʀ] grounds
le **marchand,** la **marchande** merchant, seller, dealer
marchander to haggle
la **marchandise** goods, stock
la **marche** march, walking, step, motion, progress
le **marché** market, market-place, bargaining; **à bon —,** cheaply; **avoir bon — de** to make short work of; **par dessus le —,** in the bargain
le **marchepied** step
marcher to walk, march, go on
la **mare** pond
le **marécage** marsh
marécageu-x, -se marshy
le **maréchal** marshal; sergeant
le **mari** husband
le **mariage** marriage
Marie Padilla (*died* 1361) *favorite of King Pedro the Cruel*
la **mariée** bride
marier to marry off, marry; **se —,** get married
marin, -e marine; *n. m.* sailor
le **maroquin** Morocco leather
la **marque** mark, token
marquer to mark, incise
le **marquis** marquis
la **marraine** godmother
martial, -e (*pl.* **martiaux**) warlike
la **masse** mass; **en —,** altogether; **tout d'une —,** all at once
le **matelas** [-la] mattress
le **matelot** sailor
Mateo Falcone (*correct Italian form is Matteo*) Matthew Falcon
la **matière** matter; **en — de** as regards; **entrer en —,** to broach the subject
le **matin** morning; **le —,** (in) the morning, next morning
matin *adv.* early
maudire to curse
maudit, -e accursed
le **Maure** Moor
mauresque Moorish; **le** *or* **la Mauresque** Moor
mauvais, -e bad, unfortunate, severe, wretched, evil, unfitting, undesirable, poor, inferior
le **mécanisme** mechanism
la **méchanceté** wickedness; mean trick
méchant, -e wicked, mean, ill-tempered, malicious, wretched
la **mèche** wick
le **mécréant** unbeliever
la **médaille** medal, locket
le **médecin** physician
la **médecine** medicine
médicamenter to give medicine
la **méfiance** distrust
se **méfier** (**de**) to distrust, suspect
meilleur, -e better; **le —,** best

mélancolique melancholy
mêler to mingle, mix, confuse; **se — de** meddle with, attend to
mélodieu–x, –se melodious
le **membre** member, limb
même *adj.* same, very; *pron.* self; *adv.* even; **il en est de —,** the situation is the same; **tout de —,** all the same, nevertheless
la **mémoire** memory
le **mémoire** study, article
la **menace** threat
menacer to threaten
le **ménage** household, housekeeping; **faire bon —,** to live happily together
ménager to save, treat considerately
la **ménagère** housewife
mener to lead, take (along), accompany
le **mensonge** lie
mentalement mentally, to oneself
mentir to lie
le **menton** chin
se **méprendre** to be mistaken
le **mépris** contempt
la **mer** sea
la **mercerie** notions
la **merci** mercy, thanks
la **mère** mother
le **mérite** merit
mériter to merit, deserve
la **merluche** dried cod
la **merveille** wonder; **à —,** splendidly
merveilleusement wonderfully
merveilleu–x, –se wonderful
la **messe** mass
les **messieurs** *pl. of* **monsieur**
la **mesure** measure, arrangement; **à — que** in proportion as, as, while; **chargé outre —,** overloaded; **en — de** in a position to; **par — de** as a
la **métaphore** metaphor, figure of speech
le **métier** business, profession, calling
mettre to put, place, turn, lay, set, take; **— pied à terre** dismount; **se —,** take position; **se — à** begin, apply oneself; **se — dans** go to; **se — en chemin (marche, route)** set out, proceed; **se — toutes contre** unite against
le **meuble** furniture
meubler to furnish
le **meurtre** murder
meurtri, –e bruised
le **meurtrier** murderer
la **meurtrissure** bruise
le **micocoulier** nettle tree
le **midi** noon, south
mien, –ne mine
la **miette** crumb
mieux better, more; **aimer —,** to prefer; **de son —,** as best he can; **tant —,** so much the better
mignon, –ne dainty, pleasing
la **miliasse** corn-cake

le **milieu** middle, midst; **au —**, among, in; **au — de** in the midst (center) of, among
militaire military; *n. m.* soldier
mille a thousand
le **mille** mile
le **milord** lord
Milton, John (1608–1674) *English poet, author of Paradise Lost*
Mina, Francisco Espoz y Mina (1781–1836) *Spanish guerilla leader against Napoleon, who ended by serving as general against the Carlists*
mince thin
minchorrô (*Gipsy*) = **amant, caprice**
la **mine** mien; **faire mauvaise —**, to be displeased; **faire piteuse —**, cut a sorry figure
le **minois** face
les **miñons** (*Span.*) *m.* provincial military police
le **minotaure** Minotaur (*mythical monster, half man and half bull, living on human flesh*)
le **minuit** midnight
le **miquelet** Spanish soldier
le **miroir** mirror
le **misérable** wretched man
la **misère** misery, hardship
la **mitraille** grapeshot
la **mode** fashion
le **modèle** model
modeste modest
la **modestie** modesty
moindre less; **le —**, least, the slightest
le **moineau** sparrow
moins less, less of; **au —**, at least; **de —**, less; **du —**, at least; **— de** less, fewer; **tout au —**, at the very least
le **mois** month
la **moitié** half; **à —**, half
mol, molle *see* **mou**
le **moment** moment, time
la **momie** mummy
le **monarque** monarch
Monda *small town some 30 miles southwest of Malaga; not the site of Munda*
le **monde** world, people; **le Nouveau Monde** the New World; **revenir au —**, to come back to life; **sortir de ce —**, quit this life; **tout le —**, everybody
la **monnaie** change, money
le **monsieur** [məsjø] (*pl.* **messieurs**) sir, (this) gentleman, the master; *abbreviated* **M.**, Mr.
le **monstre** monster
monstrueu-x, -se monstrous
le **mont** mount, mountain
le **montagnard** mountaineer
la **montagne** mountain(s)
monter to mount, come (go) upstairs, go up, come up, get in
Montilla *town 20 miles southeast of Cordova, near Aguilar de la Frontera*

la **montre** watch
montrer to show, point out; **se —,** be, appear
la **monture** mount, horse
le **monument** monument, remains
moquer to mock; **se — de** make fun of, ridicule, snap one's fingers at, play a trick upon
la **moralité** morality, honesty
le **morceau** bit, piece, work; **mettre en —x** cut to pieces
mordre to bite
morne gloomy
la **morsure** bite
mort, –e dead; dying; spent; **balle —e** spent ball; **raide —,** stone dead; *n. m.* dead man
la **mort** death; **à la vie à la —,** for life or death; **une guerre à —,** a war to the death
mortel, –le mortal
mortifier to mortify
le **mot** word, retort
le **motif** motive, reason
mou, molle soft
la **mouche** fly
le **mouchoir** handkerchief
le **mouflon** moufflon (*large wild mountain sheep*)
mouiller to wet
mouler to model
mourir to die
la **mourre** *game in which one player shows quickly a hand with some fingers raised, of which the other tries to guess the number*
la **mousqueterie** musketry
la **mousse** moss
la **moustache** mustache
le **mouton** sheep; lamb
le **mouvement** movement, motion, action, impulse; **sans —,** motionless
moyen, –ne average, moderate, middle
le **moyen** means, way, possibility; **au — de** by means of, by
moyennant for
muet, –te silent
la **mule** mule (*female*)
le **mulet** mule (*male*)
le **muletier** muleteer
Munda [mɔ̃da] (**Baetica**) *Roman colony in southern Spain; scene of Cæsar's victory over Pompey's sons* (45 B.C.); *probably near Aguilar de la Frontera, some* 7½ *miles southwest of Montilla and* 26 *miles southeast of Cordova*
munir to provide (with)
la **munition** ammunition
le **mur** wall
mûr, –e mature, ripe
la **muraille** wall
le **murmure** muttering
le **musée** museum
la **musique** music, band
musulman, –e Musulman, Mohammedan
mutuellement mutually
Myron *Greek sculptor* (*5th century* B.C.); *see page* 159, *introductory note to la Vénus d'Ille*

le **mystère** mystery
mysterieu-x, -se mysterious

N

le **nain** dwarf
la **naissance** birth
naître to be born
la **narine** nostril
la **nation** race, people
national, -e native, national
la **natte** mat; braid; shallow basket
naturel, -le natural; *n. m.* disposition, nature, naturalness
naturellement naturally
navarrais, -e of Navarre; **le Navarrais** Navarrese
Navarre Navarre (*province in northern Spain, capital Pampeluna*)
navarrois *older form of* **navarrais,** *see above*
le **navire** ship
né, -e born
nécessaire necessary
la **négligence** negligence; **avec —,** carelessly
négliger to neglect, fail, slight
le **négociant** merchant
le **nègre** negro
le **négro** (*Span., lit.* ' black ') liberal, anti-Carlist
la **neige** snow
nerveu-x, -se nervous; sinewy
net [nɛt], **nette** neat, clear; clean
nettement clearly
neuf nine
la **nevería** (*Span.*) ice-cream parlor
le **neveu** nephew
le **nez** [ne] nose; **le — sur** busily working at; **mener par le bout du —,** to lead about by the nose; **mettre . . . devant son —,** cover her face with . . . ; **sous le —,** squarely in the face; **sur le —,** on his face
niais, -e silly, foolish; *n. m.* simpleton
Nicolas (saint) Saint Nicholas, Santa Claus (*the bringer of gifts*)
nier to deny
noblement in gentlemanly fashion
la **noblesse** nobility
la **noce** wedding; **faire la —,** to celebrate the marriage
le **nœud** knot, bow
noir, -e black, dark; **faire —,** to be dark
le **noir** negro
noirâtre blackish
noirci, -e blackened
noircir to blacken
le **nom** name
le **nomade** nomad
le **nombre** number, portion; **le plus grand —,** the larger part
nombreu-x, -se numerous
nommer to name, give the name of, call; **se —,** be called

non no, not; — **baptisé** unbaptized
nonchalamment carelessly
nonobstant notwithstanding
le **nord** [nɔʀ] north
le **nord-ouest** [nɔʀdwɛst] northwest
nos *see* **notre**
la **note** note; **changer de —,** to change one's tune
noter to note; **mal noté** having a bad record
notre (*pl.* **nos**) our; **Notre-Dame** Our Lady
le **nougat** nougat (*confection of sugar, nuts, etc.*)
nourrir to rear
la **nourriture** food, keep
nouveau (**nouvel** *before vowels*) **nouvelle** new, other; **de —,** again
la **nouvelle** news, piece of news; **les —s** news
nouvellement freshly
noyer to drown
nu, –e naked, nude, bare
le **nuage** cloud
nuire to injure, do harm (*with* **à**)
la **nuit** night; **cette —,** last night, in the night; **la —,** at night, that night, in the dark
nul, –le no, not a, no one
nullement by no means, at all
le **numéro** number (*abbreviated* **n°**)
la **nuque** nape of the neck

O

ô O !
obéir to obey (*with* **à**)
l'**objet** *m.* object, article
obligeant, –e kind
obliger to oblige, make
l'**obscurité** [ɔp-] *f.* darkness
observer [ɔp-] to observe, watch, remark
obstiné, –e [ɔp-] obstinate
obtenir [ɔp-] to secure
l'**obus** [ɔby] *m.* shell
l'**occasion** *f.* opportunity
occulte occult, mystic
l'**occupation** *f.* business, work
occuper to occupy, employ; **s'—,** keep oneself busy, be busy
l'**odeur** *f.* odor; **bonne —,** perfume
odieu–x, –se hateful
l'**œil** (*pl.* **yeux**) *m.* eye, look; **coup d'—,** glance
l'**œuf** [œf] *m.* egg; **jaune d'—,** yolk of egg
l'**œuvre** *f.* work; **chef d'—,** masterpiece
offenser to offend, wrong, insult
l'**officier** *m.* officer
l'**offrande** *f.* offering
l'**offre** *f.* offer
offrir to offer, afford
offusquer to offend
l'**ognon** *m.* onion (*usually written* **oignon**)
oh ! oh !
l'**oiseau** *m.* bird
oisi–f, –ve idle; **l'—,** idler
oligarchique oligarchical

olivâtre olive-colored
l'**olivier** *m.* olive tree
l'**ombrage** *m.* shade, foliage
ombrager to shade
l'**ombre** *f.* shade; **mettre à l'—,** to put out of the way
l'**once** *f.* ounce, ounce of gold (*worth about* $17.00)
l'**oncle** *m.* uncle
l'**ongle** *m.* nail
onze eleven
opérer to work, go about one's work
opiniâtre persistent
opposé, –e opposite
opposer to oppose; **s'— à** oppose, object to
l'**or** *m.* gold
or now, but
l'**orage** *m.* storm
orageu–x, –se stormy
l'**oranger** *m.* orange tree
l'**orateur** *m.* orator
ordinaire ordinary, usual; **d'—, à l'—,** usually; **selon d'—,** as usual
ordinairement ordinarily
ordonner to order
l'**ordre** *m.* order; **à ses —s** at his command
l'**oreille** *f.* ear; **à l'— de** in a low tone to; **dire à l'— à** to say in a low tone to, whisper to; **dormir sur les deux —s** sleep soundly; **se faire tirer les —s** be reluctant
l'**oreiller** *m.* pillow
Orellius, Johann Caspar von Orelli (1787–1849) *Swiss editor of an important collection of Latin inscriptions*
l'**orgeat** *m.* orgeat, cooling drink (*used by Mérimée for Span. horchata, a kind of ice*)
originaire native; **— de** from
originairement originally
l'**origine** *f.* origin
orné, –e ornate
orner to ornament, adorn
l'**os** [ɔs], les **os** [o] *m.* bone; **faire de vieux —,** to reach old age
osciller to oscillate, dangle
oser to dare
osseu–x, –se bony
Osuna *town about* 45 *miles southwest of Cordova; abode since* 1562 *of the dukes of Osuna and formerly* (1549–1824) *seat of a university; see note to page* 3, *line* 7
ôter to remove, take off
ou or; **— . . . — (bien),** either . . . or
où where, in which, when; a place where; **au moment —,** at the moment when; **d'—,** whence, from where, from which; **par —,** which way, by which, by the way
l'**oubli** *m.* oblivion
oublier to forget
oui yes; **—-dà** indeed
l'**ourlet** *m.* hem
outrager to insult
l'**outrance** *f.* extreme; **à —,** flatly

l'**outre** *f.* leather bottle
outre beyond, besides; **en —,** besides
ouvert, -e open
l'**ouvrage** *m.* work
ouvragé, -e finished
l'**ouvrier** *m.* workman
l'**ouvrière** *f.* working woman
ouvrir to open, open the door; begin; **s'—,** open

P

paf ! paf ! whiz ! bang !
le **païen** [pajɛ̃] pagan
la **paille** straw
la **paillette** spangle
le **pain** bread, loaf of bread, roll; **petit —,** roll
la **paire** pair
paître to pasture
la **paix** peace; **faire la —,** to make peace
le **palais** palace
pâle pale
pâlir to turn pale
la **palissade** stockade
la **palombe** wood pigeon
Pampelune Pampeluna (*capital of Navarre*)
los **panaderos** (*Span.*) *m.* bakers
le **panier** basket
panser to dress (*wounds*)
le **pantalon** trousers
la **panthère** panther
la **pantoufle** slipper
le **paon** [pɑ̃] peacock
le **pape** pope
le **papelito** (*Span.*) cigarette
le **papier** paper
le **paquet** package, bundle
par by, through, about, by way of, because of, in, with, on; **de —,** by, in the name of
le **paradis** paradise
paraître to appear; seem
le **parapet** parapet; low wall bordering quay
le **parapluie** umbrella
le **paravent** (large) screen
parbleu gad !
parce que because
le **parchemin** parchment
parcourir to wander through, traverse
par-dessus over, on top of, above
le **pardon** pardon; **demander —,** to ask to be excused
pardonner to forgive
pareil, -le such, such a, equal; **sans —,** without a peer
le **parent,** la **parente** relative; parent
la **parenté** relationship
parer to adorn, dress up; parry
parfait, -e perfect
parfaitement perfectly, completely, entirely
parfois sometimes
le **parfum** [-œ̃] perfume
parfumer to perfume
parier to wager, bet
parisien, -ne Parisian; **le Parisien** Parisian
parler to speak, tell, talk, talk of
le **parler** speech
parmi among
la **parole** word, speech; **a-**

dresser la — à to speak to; manquer de —, break one's word
parsemer to strew, sprinkle, intersperse, dot
la **part** part, side, share, choice; **à —**, aside; **à — moi** within myself; **d'autre —**, on the other hand; **de la — de** from; on behalf of; **de — en —**, through and through; **de sa —**, on his (her) part; **quelque —**, somewhere
le **partage** sharing
partager to share, divide
partant accordingly
le **parti** party, decision, match, side; **de — pris** intentionally; **prendre le (son) —**, to make up one's (his) mind, make a decision; **prendre un —**, come to a decision
particuli-er, -ère particular, special; **en —**, in private
le **particulier** citizen
le **partido** (*Span.*) district
la **partie** part, portion, match, game, party; **faire la — de** to play with
partir to depart, leave, go, set out; go off, burst out, be fired; come (from)
partout everywhere
la **parure** adornment
parvenir to reach, succeed, arrive; **— à** reach
le **pas** step, pace, sill; **à deux —**, close by; **au — de course** at the double-quick
pas: **ne —**, not; **non —**, not at all
passablement passably, rather, somewhat
le **passage** passageway, way through
le **passant** passer-by
passé, -e past, last
le **passeport** passport
passer to pass, pass over, cross, spend; pass by (through), go, be beyond; place upon; **— pour** be taken for, be considered; **se —**, pass, happen, go on, be spent, elapse, take place; **se — de** do without
la **passion** passion; **à la —**, passionately
passionner to stir to passion; **se — pour** take a great interest in
à **pastesas** (*Gipsy*) = **avec adresse**; *see note to page* 45, *line* 29
patatras ! bang !
la **pâte** paste, dough
le **pater** [-ɛR] paternoster, Lord's Prayer
pathétique touching
patiemment [pasjam-] patiently
la **patine** patina (*incrustation on old bronze*)
le **patio** [pat-] (*Span.*) courtyard
le **patois** dialect

patriarcal, –e patriarchal, conservative
la **patrie** fatherland, home
le **patron** patron, master (*of a ship*)
la **patronne** patroness
la **patte** paw, foot
le **pâturage** ranch, cattle-breeding establishment
la **paume** palm; **jeu de —,** pelota; pelota court; **jouer à la —,** *see note to page* 25, *line* 14; **joueur de —,** pelota player
la **paupière** eyelid; eyelash
pauvre poor
pauvrement poorly
le **pavé** pavement
payer to pay, pay for, repay; treat to
le **payllo** (*Gipsy*) non-Gipsy
le **pays** [pɛji] country, place; **au (du) —,** in (from) our country
le **pays** fellow-countryman
le **paysan,** la **paysanne** peasant
les **Pays-Bas** *m.* Low Countries
la **payse** fellow-country-woman
la **peau** skin, leather; **amandes sans leur —,** blanched almonds
pécaïre ! *see note to page* 97, *line* 12
la **peccadille** [-dij] peccadillo, small offence
la **pêche** fishing, kind of fishing
Pedro (Pèdre) le Cruel (1333–1369) *king of Castile* (1350–1369), *ferocious despot, murdered by his brother Henry; see Mérimée's "Histoire de don Pèdre"*
le **peigne** comb
peindre to paint; **se —,** be depicted
la **peine** difficulty, trouble, pain, penalty; **à —,** scarcely; **ce n'est pas la —,** it is not worth while; **fort en —,** much disturbed
peiner to pain
peint, –e painted
peler to peel, lay bare
le **peloton** ball of worsted; platoon
la **pelouse** lawn, bit of (green)sward
penaud, –e sheepish
penché, –e bowed
pencher to bend, lean; **se —,** lean over
pendant during, for; **— que** while
le **pendement** hanging; *see note to page* 23, *line* 28
pendre to hang; **se — à** hang on to
pendu, –e hung, hanging
pénétrer to penetrate, enter, fathom, go in
pénible difficult, painful
péniblement painfully
la **pensée** thought, thinking
penser to think; **on pense bien (aisément) que** you can readily imagine that
pensi–f, –ve thoughtful

la **pente** slope
Pepa (*Corsican diminutive form of* **Giuseppa**) Josie
percer to pierce, run through, penetrate; **percé de deux coups de feu** with two bullets in his body
perché, –e placed, perched
perclus, –e paralyzed
perdre to lose, ruin; **se —,** disappear
perdu, –e lost
le **père** father
le **peril** [peʀil] danger
périr to perish, die
permettre to permit
la **permission** permit
perpendiculairement at right angles
se **perpétuer** to persist
Perpignan *capital of Roussillon*
le **personnage** person of importance
la **personne** person, body, self; **le —,** any one, no one; **ne . . . —,** no one
personnel, –le personal
persuadé, –e convinced
la **perte** loss
le **pesant** weight
peser to weigh; **pesait tout entière** bore down with its whole weight
la **pétale** petal
petit, –e small, little; **ses —s** her young
le **petit-maître** dandy
pétrifier to turn to stone
peu little, not very, a little, few; **avant —,** before long; **dans —,** shortly; **depuis — (d'années)** a short time (a few years) ago, recently; **— à —,** little by little; **quelque —,** a little, slightly (related); **un — sorcière** something of a witch
le **peuple** people, common people
la **peur** fear; **avoir —,** to be afraid; **faire — (à)** frighten; **mourir de —,** be in mortal terror
peut-être perhaps
Peyrehorade *small town in department of Landes, near Bayonne*
la **phalange** phalanx; bone of finger
phénicien, –ne Phœnician
le **philtre** love-potion
la **phrase** sentence
la **physionomie** face, appearance
physique physical
piaffer to prance
la **piastre** piaster (*Span., about* $1)
le **pic** pick, peak; **à —,** vertical, very steep
le **picador** (*Span.*) picador (*horseman with lance in bullfight*)
la **pièce** piece; room; document; coin; **la —,** apiece; **la bonne —,** the good soul; **mettre en —s** to break, tear to pieces; **tout d'une —,** with his entire form

la **piécette** peseta (*Spanish coin, face value* 19.3 *cents*)
le **pied** foot, leg; **à —,** on foot; **de la tête aux —s** from head to foot; **haut d'un —,** a foot high; **sauter en —s** leap to one's feet; **se lever en —,** stand up; **sur la pointe du —,** on tiptoe
le **piédestal** pedestal
pien *for* **bien**
Piero (*Ital.*) Peter
la **pierre** stone; **— à feu** flint
le **pieu** post; **raide comme un —,** like a log
la **pieve** (*Ital.*) parish, district
pif ! crack !
piller to pillage
le **piment** red pepper, Cayenne pepper
le **pin** pine; **pomme de —,** pine cone
la **pincée** pinch
le **pinson** finch; **gai comme un —,** gay as a lark
la **pioche** pickax
piocher to dig
piquant, -e piercing, biting, sharp, stinging, keen
le **pique** spades (*at cards*)
piqué, -e nettled
piquer to prick
le **piquet** tent peg; **raide comme un —,** stiff as a poker
pire worse; **le —,** the worst
pis worse; **tant —,** so much the worse
Pise Pisa (*city about* 100 *miles southeast of Genoa*)
le **pistolet** pistol
piteu-x, -se pitiful
la **pitié** pity, compassion
pittoresque picturesque
la **place** place, room; bull-ring; market; **en —,** in place, instead
placer to put; **se —,** take a stand
le **plafond** ceiling
la **plaie** wound
plaindre to pity, grudge; **se — (de)** complain (of), lament
la **plaine** plain
plaire to please (*with* **à**); **se —,** be pleased; **elle me plaît** I like her; **plût à Dieu** would to God
la **plaisanterie** jest, trick
le **plaisir** pleasure; **se faire —,** to be delighted
la **planche** plank, board; **immobile comme une —,** stock-still
le **plancher** floor
la **plante** plant; **Jardin des Plantes** *famous botanical and zoölogical garden in Paris*
planter to plant; **arrive qui plante** what is to be will be (*literally,* ' whoever plants, let whatsoever is to be, come up ')
le **plat** dish
plat, -e flat; insignificant; **le —,** the flat (part)
le **plateau** waiter, tray

le **platine** platinum
le **plâtre** plaster
plébéien, -ne plebeian
plein, -e full, open, broad; **en —**, fully
pleurer to weep, mourn; **— à chaudes larmes** weep bitterly
pleuvoir to rain
le **pli** fold; ridge
plisser to pleat
le **plomb** lead, bullet; weights; (*see note to page* 67, *line* 6); **brûlé par un soleil de —**, consumed by the sun beating down upon us
plonger to plunge, immerse, dip
ployer to fold, bend; **— en deux** crouch
la **pluie** rain
la **plume** feather, pen
la **plupart** most, most part; **la — des** most
plus more, no more; **de —**, besides, more; **de — en —**, more and more; **ne . . . —**, no longer; **non —**, either; **— de . . . !** no more . . . ! **tout au —**, at most; **— . . . (et) —**, the more . . . the more
plusieurs several
plut, plût *see* **plaire**
plutôt rather
la **poche** pocket, pouch
le **poêle** [pwal] stove
le **poète** poet
poétique poetic
le **poids** weight
le **poignard** dagger
poignarder to stab
la **poignée** handful, hilt
le **poing** fist, hand; **au —**, in hand
le **point** point, place; **au dernier —**, to the last degree; **au — où nous en étions** in our situation; **rendre des —s** to give a handicap
point not at all; **ne . . . —**, not at all, not by any means; **— de** no
la **pointe** point, tip
pointu, -e pointed
la **poire** pear; horn
le **poisson** fish
la **poitrine** breast, chest; **inflammation de —**, pneumonia
la **police** police, (maintenance of) law and order; **bonnet de —**, forage cap; **salle de —**, guardhouse
poliment politely
polisson, -ne mischievous; *n. m.* ragamuffin
la **politesse** politeness, courtesy
la **pomme** apple
le **pommier** apple tree
la **pompe** pomp, splendor
Pompée *see note to page* 3, *line* 26
pomponner to bedizen
le **pont** bridge, deck
populaire popular
le **port** harbor, wharf; tonnage
la **porte** door, gate

la **portée** reach, range, shot; **à —**, within range; **à — d'un fusil** within gunshot
le **portefeuille** pocketbook
porter to carry, bear, wear, bring, put; command; be burdened with; make; **se —**, be; **y — la griffe** reach for it
le **porteur** bearer
le **portier** janitor
le **portique** portico
Porto-Vecchio [vɛkkjo] (= 'Old Port') *town on gulf of Porto-Vecchio in southeastern Corsica*
le **portrait** picture; **tirer en —**, to draw
poser to place, put, rest, set down
positivement clearly, surely
posséder to possess, take possession of, have; **se —**, control oneself
le **possesseur** owner
possible: le plus tôt (moins) —, as soon (little) as possible
la **poste** post; **de —**, postilion's
le **poste** (military) post, position, place
poster to station
le **postillon** postilion
la **posture** position
la **potence** gallows
le **pouce** thumb, inch; **mouvement du —**, turn of the wrist
la **poudre** powder
poudrer to powder
poudreu-x, -se dusty
la **poule** hen; **chair de —**, gooseflesh
le **poulet** chicken; **avoir un cœur de —**, to be chicken-hearted
la **pouliche** female colt, filly
la **poupe** stern
pour for, in order to, that, to, as, as to, as for, as for being, about; **— que** in order that, so that, that, for
pourquoi why
pourrir to rot
la **poursuite** pursuit
poursuivre to pursue, continue; **au moment de la —**, in setting out to pursue her
pourtant however, nevertheless, but
pourvoir to provide
pourvu que provided that
pousser to push, thrust; produce, utter, give, urge
la **poussière** dust
pouvoir to be able, can, may; **arrive que pourra** come what may; **cela se peut** (that) is possible; **comme l'on pourrait** as they saw fit; **comme vous pourrez** as best you can
le **pouvoir** power, effect
Prades *small town in Roussillon, about* 28 *miles southwest of Perpignan*
pratiquer to practise, make
précéder to precede

précieusement carefully
précieu–x, –se valuable
précipité, –e rapid
précipiter to precipitate; **se —,** rush forward, hurl oneself
précis, –e precise, exact
précisément exactly
prédire to predict
la **préférence** preference; **de —,** preferably
préférer to prefer
le **préjugé** prejudice
préjuger to prejudge, decide in advance
se **prélasser** to saunter on (*originally* ' to strut like a prelate,' *Fr. prélat*)
premi–er, –ère first, former
prendre to take, take on, take from, catch, hold, use, seize, capture, come over, strike; have, put on; **à tout —,** all in all; **— par ce sentier** take this path; **s'en — à** blame; **se — à** begin, go about; **se — de** get into, apply oneself to
le **preneur** taker
préoccuper to concern
préparer to prepare; plan; **se — à** get ready to
près (*with* **de**) near, nearly; **à peu —,** almost, nearly; **de —,** near, closely
présager to forebode
la **présence** presence
présent, –e present; **à —,** at present, now; *n. m.* gift
présenter to present, give, offer; **se —,** be presented, come up; **se — à** face
préserver to preserve, protect
le **président** president, chairman
présider to preside, preside over
le **presidio** (*Span.*) prison
presque almost
pressant, –e pressing, urgent
pressé, –e in a hurry; **avoir . . . —,** to be in a hurry about . . .
presser to press, hurry, urge; **se —,** be in a hurry, hasten
prêt, –e ready, in readiness (*with* **à**)
prétendre to lay claim, maintain, say, insist, pretend
prétendu, –e pretended, supposed; intended (husband)
la **prétention** claim, demand
prêter to lend, pay (attention)
le **prêtre** priest
la **preuve** proof
prévenir to anticipate, inform, apprise, warn, get ahead of
prévoir to foresee
prier to pray, beg, ask; **je vous en prie** I implore you; **se faire —,** need urging
la **prière** prayer, entreaty
prime: de — abord at the very first

le **prince** prince
la **princesse** princess
le **printemps** spring
la **prise** capture; hold; pinch; **lâcher —,** to let go
le **prisonnier,** la **prisonnière** prisoner
privilégier to privilege
le **prix** price, prize, worth, return
probablement probably
le **problème** problem, question
procéder to proceed
le **procès** lawsuit
le **procès-verbal** minutes, official report
prochain, –e next; approaching
prochainement shortly, soon
proche near
procurer to get; **se —,** get
le **procureur** state's (prosecuting) attorney; **— général** attorney general
prodigieusement de an enormous amount of
prodigieu–x, –se extraordinary
produire to produce, make
le **produit** product, produce
le **professeur** professor
la **profession** profession; **faire —,** to profess
profiter to profit, take advantage (of), make progress
profond, –e deep, deep-seated; good
profondément deeply, fast
la **proie** prey; **en — à** a prey to
le **projet** plan
projeter to plan
prolixe prolix, lengthy
prolonger to prolong; **se —,** extend
la **promenade** walk, drive; **mener à la —,** to take riding
promener to take out; **se — (par)** take a walk (about), ride, etc., walk about
la **promesse** promise
promettre to promise
prononcer to pronounce, utter
la **prononciation** pronunciation
la **prophétie** [-si] prophecy
prophétique prophetic
le **propos** purpose, remark, talk; **à —,** opportunely; **à — de** in regard to
proposer to propose; **se — de** plan to, think of
la **proposition** proposal
propre clean, own
le, la **propriétaire** proprietor, proprietress, landowner
la **propriété** property, estate
prosaïque prosaic
le **proscrit** outlaw
protégé, –e favorite
protéger to protect
protester to protest
prouver to prove, show
la **Provence** Provence (*former province in southeastern France*)
provenir to arise, come (from)
le **proverbe** proverb

providentiel, –le [-si-] lucky, fortunate
la **province** province; country; **les –s** the Basque provinces (*Alava, Biscay, Guipuzcoa, part of Navarre*)
la **provision: avoir —,** to carry a supply; **faire sa —,** lay in a supply
prudemment [-am-] prudently
pu *past part. of* **pouvoir**
publi–c, –que public
publier to publish
puis *pres. ind. of* **pouvoir**
puis then
puisque since
la **puissance** power
puissant, –e powerful, mighty
la **punaise** bedbug
punir to punish
la **punition** punishment
pur, –e pure, genuine
Puygarrig *see note to page* 94, *line* 16

Q

qu' *see* **que**
le **quai** quay
la **qualité** good quality, excellence, rank, capacity; **en ma — de Parisien** because I was a Parisian
quand when
quant (à) as for
la **quantité** quantity, a number, many
la **quarantaine** quarantine; about forty
le **quart** quarter; watch; **de —,** on duty; **un — d'heure** a quarter of an hour
le **quartier** quarter(s), block; *pl.* lodgings
quasiment almost
quatre four; **se mettre à —,** to work with all one's might
que that, as, than, whether, why, when, how, but, let, would that, see that (*see also note to page* 73, *line* 25); **c'est —,** it is because; **est-ce —,** *expression serving to introduce a question;* **ne ... —,** only, but, except; **nul —,** no one but; **si bien —,** so that
que whom, which, what, that, ever; *sometimes omitted in translation* (*see note to page* 13, *line* 11); **à ce —,** as; **ce —,** what; **ce que c'est —,** what . . . is; **qu'est-ce — c'est** what is it? **qu'est-ce — (c'est —) cela** what is that? **qu'est-ce — (qui)** what? **savoir ce — c'était qu'un caporal** to know what a corporal was
que what?
quel, –le what, what a, which, who
quelque some, a, any; *pl.* a few, several (*see note to page* 3, *line* 4);

— . . . que however; **— . . . que ce fût** any . . . whatsoever; **—s . . . que** whatever
quelquefois sometimes
quelqu'un, -une (quelques-uns, -unes) someone
la **querelle** quarrel; **chercher —**, to pick a quarrel with
la **question** question; **faire —**, to be suspicious
qui who, whom, which, the one who, (anyone) what; **ce —**, which; **— . . . —**, some . . . others
qui who? whom? which? what?
quiconque whoever
quid dicis, doctissime? what do you say, most learned sir? (*phrase in which chairman of committee examining candidate for Doctor's degree in French university invited members to give their opinions*)
quinze fifteen
quitte quits; out of danger; **jouer — ou double** to play double or quits (*throw deciding whether player shall pay twice what he owes or nothing*), stake everything; **être —**, get off
quitter to quit, leave, lay down, take off
quoi what, which; **— !** or something of the sort! **de —**, the wherewithal, the means; **— que** whatever; **je ne sais — (de)** something, anything; **à — bon** what is the good of?
quoique although

R

raccommoder to reconcile, repair
la **racine** root
raconter to tell, tell of, relate
radieu-x, -se radiant
rafraîchir to refresh, water, cool
la **rage** madness, fury
raide stiff, steep
raidir to stiffen
railler to joke, tease
la **raison** reason, judgment, good sense; **avoir —**, to be right; **parler —**, talk sense; **perdre la —**, lose one's mind
raisonnable reasonable, moderate
le **raisonnement** reasoning, argument
rallier to rally; **se —**, rally
rallumer to relight
ramasser to pick up
ramener to bring back, lead back, take home
ramer to row
la **rancune** rancor; **garder —**, to bear a grudge
le **rang** rank, row

ranimer to revive, enliven
râper to grate
rapide rapid, steep
rapidement rapidly
rappeler to recall, call back, remind; **se —,** remember
le **rapport** report, relation; **sous ce —,** in this respect
rapporter to bring back (in), repeat, report; **s'en — à** rely on
rapproché, –**e** close together; **— de** near
rapprocher to bring near; **se — (de)** draw near to; resemble
la **raquette** racket
rarement rarely
raser to shave, graze
rasibus quite close; **piller —,** to strip clean
rassembler to assemble, bring together
se **rasseoir** to sit down again
rassurer to reassure; **se —,** take heart
le **ravin** ravine
se **raviser** to change one's mind
rayer to stripe
le **réal** (*Span.*) real (*five cents*)
rebelle mutinous
rebondir sur to rebound from
le **rebord** edge, ledge; **à —s** with raised edges; *see note to page* 6, *line* 27
recevoir to receive, accept, be struck (touched) by; entertain
le **rechange** replacement; **de —,** spare
la **recherche** research, investigation; **à la — de** in search of
rechercher to seek again, seek (for)
le **récit** story; **faire le — de** to recount
réciter to recite
réclamer to ask to have back, request, protest
la **récolte** harvest
la **recommandation** recommendation
recommander to recommend, introduce; **il est bien recommandé** (*ironical*) there is abundant proof of his guilt (without your testimony)
recommencer to begin again, do again
la **reconnaissance** gratitude; reconnoitering tour
reconnaissant, –**e** grateful
reconnaître to recognize, ascertain; **se —,** get one's bearings
reconquérir to win back
recoucher to lay down again; **se —,** lie down again
recourir to have recourse
recouvrir to cover up
le **reçu** receipt
recueillir to gather, pick up; **se —,** collect one's thoughts
reculer to recoil, withdraw, fall back, draw back

redescendre to go down again
redevenir to become again
la **redingote** frock-coat
redoubler to repeat, increase
redoutable formidable
la **redoute** redoubt, fort
redouter to dread, fear
redresser to straighten; **se —,** straighten up
réduire to reduce
réel, –le real
refermer to close again
réfléchir to reflect, think about (of the fact that)
le **reflet** reflection, flash; **à —s bleus** with a blue sheen
la **réflexion** thought; **faire —,** to reflect; **inspirer des —s** give pause
refroidir to cool; **blessure refroidie** wound which has ceased bleeding
le **réfugié** refugee
se **réfugier** to take refuge
refuser to refuse; **se —,** refuse
regagner to regain, go back to
régaler to treat
le **régalia** (*Span.*) large cigar of good quality
le **regard** look, glance
regarder to look at, concern, watch, face
le **régime** rule, government
régler to regulate, settle, make
le **règne** reign
régner to reign, extend
regretter to regret
réguli–er, –ère regular
la **reine** queen
les **reins** *m. pl.* loins
rejeter to throw back, reject
rejoindre to rejoin, reach, overtake, join
réjouir to rejoice, delight
relâcher to release
relater to mention, tell
relati–f, –ve regarding
relever to lift again, raise, turn back; **se —,** get up, rise, right oneself
le **relief** relief; **en —,** raised
religieu–x, –se religious; *n.f.* nun
remarquable remarkable
remarquablement very
remarquer to remark, notice; **faire —,** point out
le **remède** remedy, help
remendado (*Span.*) ragged
remercier to thank
remettre to put back, put on again, hand (give) over, recover, replace; pardon; transfer, restore; **se — à** begin again; **se — en route (marche)** start *or* set out again
la **rémission** pardon, mercy
remonter to remount, come up again, go upstream, go up
le **remords** remorse, regret
le **rempart** rampart; **comme un —,** a sort of barricade
remplacer to replace

rempli, -e full
remplir to fill
remuer to move, disturb, stir
la **rencontre** meeting, encounter, circumstances; **à la —,** to meet; **à sa —,** towards him; **ma —,** meeting me
rencontrer to meet, find, strike; **se —,** agree
le **rendez-vous** appointment, meeting; **se donner —,** to make an appointment with each other
rendormir to put to sleep again; **se —,** go to sleep again
rendre to render, deliver, give (back), requite for, make, do, return, express; **se —,** make, do oneself; surrender, go
renfermer to pen up, inclose
renforcé, -e reënforced; **une provinciale —e,** ultra-provincial
le **renfort** reënforcement; **à grand — de** *see note to page* 109, *line* 14
la **renommée** renown
renoncer (**à**) to renounce, give up
renouveler to renew, replace, replenish; **se —,** recur
le **renseignement** bit of information, reference
rentré, -e close together
rentrer to reënter (*the house*), go back, return

à la **renverse** backwards, on one's back
renverser to overturn, throw down, upset, prostrate; convulse
renvoyer to return, dismiss
répandre to spread; **se —,** scatter, spread
reparaître to reappear
réparer to repair, make up for
reparler to speak again
repartir to go away again, leave; retort
le **repas** meal
repasser to pass again, go through again; **passer et —,** move back and forth
se **repentir** to repent, be sorry for
le **repentir** repentance
répéter to repeat
la **répétition** repetition; **montre à —,** repeating watch
replier to bend; **se —,** fall back
reployer to bend back
répondre to answer, reply; **— de** answer for, be responsible for; **en —,** assure
la **réponse** response, answer, reply
le **repos** rest, inactivity
reposer to rest; **se —,** rest
repoussant, -e disagreeable
repousser to push away, repulse, reject
reprendre to take again, take up, continue, re-

sume, regain, take back; reply; **se —,** correct oneself
la **représentation** performance
représenter to represent; **se —,** picture to oneself, imagine, come up again
réprimer to repress
le **reproche** reproach, taunt
se **reproduire** to recur
réserver to reserve, save
résider to reside
résigner to resign
la **résistance** opposition; **faire quelque — pour** to be somewhat reluctant to
résister (**à**) to resist, withstand
résolu, -e determined, decided
résolûment resolutely (*generally spelled* **résolument**)
résolve *see* **résoudre**
résoudre to decide
le **respect** [-pɛ] respect
respectable deserving respect
respecter to respect
respectueu-x, -se respectful
la **respiration** breathing
respirer to breathe, inhale
resplendissant, -e brilliant
responsable responsible
ressemblant, -e a good likeness
ressembler (**à**) to resemble
ressentir to feel
le **ressort** lock; spring
ressortir to stand out (*in contrast*)
la **ressource** resource
le **reste** rest, remains; **au —, du** (**de**) **—,** for the rest, besides, well, but then, as a matter of fact
rester to remain, be left, stay at home; **qui me restaient** which I had left
restreindre to restrict
le **résultat** result
rétablir to reëstablish; **se —,** recover
retarder to delay
retenir to hold back, detain, keep, restrain
retentir to resound, ring out
retirer to retire, draw back, remove, take out (off), draw away; **se —,** retire, leave, withdraw
retomber to fall
retoucher to alter
le **retour** return; **de —,** back; **en — à** (**en, dans**) on one's return
retourner to return, turn around (back); **se —,** turn around; **s'en —,** go back
la **retraite** retreat, tattoo
le **retranchement** intrenchment
retrousser to roll up
retrouver to find again (still), find, regain; **se —,** meet again, be found again, turn up

la **réunion** meeting, junction
réunir to reunite, combine, connect; **se —**, meet, come together
réussir to succeed
la **réussite** success
la **revanche** revenge; **en —**, on the other hand
le **rêve** dream
le **réveil** awakening
réveiller to awaken; **se —**, awake
révéler to reveal; **se —**, show oneself
revenir to come back, return, recover; **en —**, go back; **— à soi** come to oneself; **...ne me revient pas** I don't like ...
rêver to dream
la **révérence** reverence, bow; *see note to page* 96, *line* 10
le **revers** reverse, facing, (boot-)top
revêtir to put on
revoir to see again
révolter to revolt; **se —**, rebel
la **revue** review; **à la —**, in review; **passer la —**, to be reviewed
le **rez-de-chaussée** [RE-] ground floor
le **rhume** cold
ricaner to sneer, giggle
riche rich; *n. m.* rich person
richement richly
la **richesse** (*also in pl.*) wealth, riches
ricocher to rebound
le **rideau** curtain
ridicule ridiculous; *n. m.* ridicule
le **rien** nothing, anything; **n'avoir —**, to be well; **ne . . . —**, nothing; **— que** only
la **rigueur** rigor; **à la —**, at a pinch; **de —**, obligatory; **tenir —**, to be denied
riposter to reply
rire to laugh; **éclater de —**, burst out laughing
le **rire** laugh, laughter; **rire d'un gros —**, to laugh loudly
le **risque** risk, danger
risquer to risk
le **rivage** shore
la **rive** (river) bank
la **rivière** river
le **riz** rice
la **robe** robe, dress, gown
robuste robust
le **roc** rock
le **rocher** rock, cliff
le **roi** king
rollona (*Span., colloquial*) nurse
le **rom** (*Gipsy*) husband
Roma (*Gipsy*) The Gipsies
romain, -e Roman; Rommany, Gipsy; **le Romain** Roman, Gipsy
la **romalis** (*Gipsy*) a Gipsy dance
le **roman** novel
les **Romé** (*Gipsy*) Gipsies
la **romi** (*Gipsy*) wife
le **rommani** Rommany, Gipsy language

rompre to break, break off, interrupt
rond, –e round; **le —,** round; **à dix lieues à la ronde** for ten leagues about
Ronda *small city, surrounded by steep hills, about* 67 *miles northeast of Gibraltar*
la **ronde** round, patrol; **à la —,** roundabout
rose pink, rose-color
le **roseau** reed
la **rosse** jade; old horse
la **rotule** knee-cap
rouge red
le **rouge** redness, blood
rougir to blush, turn red
la **rouille** rust
le **roulement** rolling, roll, rattle
rouler to roll; turn; **se —,** roll about
le **Roussillon** *former French province, corresponding to the department of Pyrénées-Orientales, taken from Spain in* 1659
roussillonnais, –se of Roussillon; **le —,** a Roussillonian
la **route** route, way, journey, road; **arrêter sur la grande —,** to rob on the highway; **faire —,** travel
la **routine** mechanical regularity
le **royaume** kingdom
la **royauté** royalty
le **ruban** ribbon
rude rough, harsh, difficult
rudement rudely, roughly
la **rue** street; **faire une —,** to cut a swath
la **ruelle** alley; space between bed and wall
la **ruine** ruin; **en —,** in ruins
ruiner to ruin
le **ruisseau** stream, brook
ruisseler to drip
rusé, –e crafty, cunning
russe Russian; **le Russe** Russian

S

la **Sabine** Sabine woman; **l'enlèvement des —s** the rape of the Sabine women (*legendary kidnaping of the wives and daughters of the Sabines by the Romans under Romulus, who needed wives*)
le **sable** sand
le **sabot** wooden shoe
le **sabre** saber
le **sac** bag, sack
saché *see* **savoir**
sacrifier to sacrifice
sacrilège sacrilegious, godless
sage good, well-behaved, wise
sain, –e healthy, sound
saint, –e holy, sacred; *n. m.* saint
Saint-André (croix de) Saint Andrew's cross (= X)
Saint-Roc San Roque

(*small town about* 6 *miles north of Gibraltar*)
saisir to seize, catch, seize upon; **se — de** seize
le **saisissement** start
la **salade** salad
salé, –e salt
la **salle** hall, room
le **salon** drawing-room
saluer to salute, bow to, greet
le **salut** bow, greeting, salvation, welfare
salutaire wholesome, wise
le **sandale** sandal
le **sang** blood; **jusqu'au —,** till the blood comes
le **sang-froid** coolness
sanglant, –e bloody
le **sanglier** wild boar
le **sanglot** sob
sangloter to sob
la **sangsue** leech
Sanpiero (*Ital.*) *see note to to page* 73, *line* 16
sans without, except for; **— que** without
la **santé** health
le **Satan** *see note to page* 11, *line* 1
satisfaire to satisfy
satisfaisant, –e satisfactory
le **saucisson** thick sausage
le **saut** leap
sauter to jump, leap (over), bound in the air, blow (up, out); run for; **— sur** leap on; **faire —,** gouge out
sauvage wild, uncivilized; *n. m.* savage
le **sauve-qui-peut** stampede, rout
sauver to save, redeem; **se —,** run away
savant, –e learned, wise; *n. m.* scholar
savoir to know, know to be, know how, learn, can; **je (ne) sais** *see notes to page* 13, *line* 7, *and page* 36, *line* 7; **je ne sais où** somewhere or other; **je ne sais quel** some; **je ne sais quoi** something or other; **je n'en saurais dire autant** I can't say as much; **que je sache** so far as I know; **que sais-je?** how should I know? **—?** really? that remains to be seen
le **savoir** knowledge
le **scandale** scandal
scandaliser to shock
le **scélérat** villain
le **sceptre** scepter
le **schako** shako (*soldier's high hat*)
scier to saw, saw through *or* off
scrupuleusement carefully
scruter to search
sculpter [skylte] to carve, engrave
le **sculpteur** sculptor
le **séant** sitting; **se lever (mettre) sur son —,** to sit up
la **sébile** bowl
sec, sèche dry, thin, sharp, curt

second, -e [səgɔ̃] second
la **seconde** [səgɔ̃d] second
secouer to shake
secourir to succor, aid
le **secours** succor, aid, help; **venir au — de** to aid
le **secret** secrecy
séduisant, -e attractive, charming
le **seigneur** lord, Mr. (*used by Mérimée for Span.* **señor**)
le **sein** breast
le **séjour** sojourn, stay; abode
le **sel** salt
la **selle** saddle
selon according to
la **semaine** week
semblable such, similar, of the sort
sembler to seem; **où bon leur semblerait** wherever they pleased
semer to sow
le **sénat** senate
le **Sénégal** *French colony in western Africa*
señor (*Span.*) = **monsieur**
le **sens** [sɑ̃s] sense, direction, meaning
la **sensibilité** feeling
sensiblement perceptibly
le **sentier** path
le **sentiment** feeling; **avoir le — de** to feel
la **sentinelle** sentinel; **faire mettre en —**, to put on guard; **— avancée** outpost
sentir to feel, see, realize; smell; suggest; **se —**, be conscious of, feel
séparer to separate; **se —**, separate, part
le **sergent** sergeant
sérieusement seriously, earnestly
sérieu-x, -se serious
le **sérieux** gravity; **reprendre son —**, to become serious again
le **serment** oath
le **serpent** serpent; **rue du Serpent** (*really* **calle de las Sierpes,** 'street of the serpents') *chief and fairly straight, though narrow, street in Seville, so called from the serpents on a tavern sign*
Serrabona *see note to page* 95, *line* 12
serré, -e tight, close, serried; **bien — dans** wearing a close-fitting
serrer to squeeze, tighten, crowd, clench, close, clasp; shake
la **serrure** lock
le **serrurier** locksmith; **apprenti —**, locksmith's apprentice
la **servante** maid-servant, handmaid
serviable obliging
le **service** service, favor; **de —**, on duty
servir to serve, wait on, be of use, be used; set (*a table*); **— de** be used as; **se — de** use
le **serviteur** servant; **votre grand —**, your obedient servant

le **seuil** threshold
seul, –e alone, single, only, very, sole; **à lui —,** by himself, alone
seulement only, even, as much as, just
Sevilla, Francisco *see note to page* 17, *line* 29
sévillan, –e Sevilian; **le Sévillan** Sevilian
Séville [sevil] Seville (*city in Andalusia*)
le **sexe** sex
si if; to see if; whether; suppose; *see note to page* 8, *line* 26; **— ce n'est** except
si so, so much, such, yes (*after a negative*); **le —,** condition; *see note to page* 18, *line* 30
le **siècle** century
le **siège** seat, driver's seat; siege
siéger to sit (*of assemblies*)
la **Sierra** (*Span.*) mountain-range
le **sifflement** whistling, hissing
siffler to whistle
le **sifflet** whistle (*instrument*)
le **signal** order
le **signalement** description
le **signe** sign
signer to sign; **se —,** cross oneself
le **signor** (*Ital.*, *pl.* **signori**) squire
le **silence** silence, pause; **garder le —,** to be silent; **rentrer dans le —,** become silent again
silencieu–x, –se silent
la **silhouette** outline
simple simple, mere
le **singe** monkey
la **singularité** curiosity
singuli–er, –ère singular, peculiar, strange
singulièrement singularly, strangely
sinistre dismal
sinon if not, except
sire sire (*title given the king*)
sitôt so soon; **— que** as soon as
la **situation** position
situé, –e located
situer to place
six [sis] six
la **société** party
le **socle** pedestal
la **sœur** sister
la **soie** silk
la **soierie** silk
la **soif** thirst; **avoir —,** to be thirsty
soigner to care for
soigneusement carefully
le **soin** care, concern; **les —s** care, attention(s); **avoir —,** to take care
le **soir** evening; **le —,** the (in the) evening
la **soirée** evening, evening party
soit so be it, whether; **— . . . —,** either . . . or
le **sol** ground, soil
le **soldat** soldier; **simple —,** private
le **soleil** sun, sunlight
solennel [sɔlanɛl], **–le** solemn

solennellement solemnly
solide strong, sturdy, steady
solitaire lonely
la **sollicitation** entreaty, request
solliciter to see (about)
sombre somber, gloomy, dark
la **somme** sum; **en —,** in short, in a word
le **somme** nap
le **sommeil** sleep
sonder to sound, test
le **songe** dream
songer to dream, think; — **à** think of, consider; arrange
sonner to ring, ring the time; **à minuit sonnant** on the stroke of midnight
la **sonnerie** ringing
la **sonnette** bell
sonore loud
le **sorbet** sherbet
la **sorcellerie** witchcraft
le **sorcier** sorcerer
la **sorcière** sorceress
le **sort** fate, lot
la **sorte** sort, kind; **de (en) — que** so that; **de la —,** in that (this) way
la **sortie** leaving, exit
le **sortilège** spell
sortir to go (come) out, protrude, emerge, come from, leave, graduate from; — **de** leave; be placed in
sot, –te foolish; *n. m.* fool
la **sottise** foolishness, act of folly, foolish thing
le **sou** sou, cent; **gros —,** *see note to page* 95, *line* 19
soucier to disturb; **se — de** care to, be concerned about
soudainement suddenly
le **souffle** breath
souffler to blow, breathe
le **soufflet** box on the ear
souffrir to suffer, allow; — **pour . . . de** sympathize with . . . on account of
le **souhait** wish
souhaiter to wish
soulever to raise; **se —,** rise
le **soulier** low shoe
le **soupçon** suspicion; **donner des —s à** arouse suspicion in
soupçonner to suspect
souper to sup, have supper; **donner (apporter) à —,** give supper
le **souper** supper
soupir sigh
soupirer to sigh
souple lithe
la **source** spring
le **sourcil** [suRsi] eyebrow; **froncer le —,** to frown
sourd, –e deaf, dull
sourire to smile; **en souriant** with a smile
le **sourire** smile
la **souris** mouse
sous under, in
soutenir to sustain, support, reinforce, uphold
le **soutien** support
le **souvenir** memory, remembrance, recollection

se **souvenir (de)** to remember; **il me souvient** I recall
souvent often, frequently
le **spectacle** spectacle, show
le **spectateur** spectator
la **statistique** statistics, collection of numerical information
stupéfait, -e stupefied, astonished
la **stupeur** stupefaction
stupide stupid
le **stylet** stiletto
suave graceful
subir to undergo
subit, -e sudden
succéder to follow (*with* **à**); **se —,** follow one another
le **succès** success
le **successeur** successor
succomber to fall, yield
sucré, -e sugared
le **sucrier** sugar-bowl
le **sud** [syd] south, southern
la **sueur** perspiration
suffire to suffice
la **suie** soot
la **suite** following, retinue; consequence, result; **par —,** consequently; **tout de —,** immediately
suivre to follow, recognize
sujet, -te subject
le **sujet** subject; **au — de** as regards
superbement magnificently
supérieur, -e superior, higher, upper
la **supériorité** superiority
superstitieu-x, -se [-sjø] superstitious
la **superstition** superstition; **avoir plus de —,** to be more superstitious
le **supplice** torture; **au —,** on the rack
supplier to implore
supporter to support
supposer to suppose, infer
sur on, upon, with, over, concerning, at, to, from, about, by, in; **— le-champ** at once, on the spot; **trois fois — quatre** three times out of four
sûr, -e sure, trustworthy, certain, safe
la **sûreté** safety
surhumain, -e supernatural, ghostly
surnaturel, -le supernatural
surnommer to call, nickname
surpasser to outshine
surprendre to surprise, take by surprise, overtake, catch
le **sursaut** start; **réveiller en —,** to awaken with a start
surtout especially
surveiller to watch
le **survivant** survivor
sus *past def. of* **savoir**
susdit [syzdi], **-e** aforesaid
suspect [syspɛ *or* -pɛkt], -e suspicious
suspendre to suspend, hang; stop
suspendu, -e hanging
suspens [-pɑ̃]: **en —,** in suspense

svelte slender
syllogiser (*obsolete*) to reason, reckon
synonyme synonymous
le **système** method, way; **par —**, regularly

T

t. *abbreviation of* **tome**
le **tabac** [taba] tobacco, snuff; *pl.* kinds of tobacco, tobacco
la **tabatière** snuff-box
la **table** table
le **tabouret** stool
la **tache** stain, spot
tâcher to try
taciturne taciturn
le **taffetas** [-ta] taffeta, silk
la **taille** cut, size, waist, stature, build
le **taillis** thicket
taire: se —, to be *or* become silent
le **talon** heel; **sur ses —s** at his heels; **tourner les —s** to turn on one's heel
le **tambour** drum; drummer
tandis meanwhile; **— que** while
tant (de) so much (so), so many; **fais — que de** manage to; **— que** as long as, as much as
la **tante** aunt
tantôt soon, just now; **— . . . —**, now . . . now
tapageu-r, -se noisy
taper to strike
le **tapis** carpet
tapisser to carpet, line
la **tapisserie** tapestry
tard late
tarder to be late, delay; **ne — pas** not to be long till, not to be slow in
Tarifa *town west of Gibraltar*
le **tas** pile
la **tasse** cup
tâter to feel, sound
le **taureau** bull; **courses de —x** bullfights; **des —x** bullfighting
teindre to dye, stain
le **teint** complexion, tint
la **teinte** tint, hue, coloring
tel, telle such, such and such; **dans — le rue** in a certain street; **un —**, such a, such a one, so and so
tellement so, so much, to such an extent
le **témoignage** evidence
témoigner to give evidence, show
le **témoin** witness
la **tempe** temple
le **temps** [tã] time, weather; period; **avec le —**, in time; **de — à autre, de — en —**, from time to time; **en tout —**, always
les **tenailles** *f.* pincers
tendre to stretch, offer, extend, hand; hang
la **tendresse** tenderness, caresses
les **ténébres** *f.* darkness
tenez come ! here ! by the way ! look !

tenir to hold, keep, have, get; **il ne tient qu'à moi** I can perfectly well; **savoir à quoi s'en —,** know what to believe; **se —,** remain, stay, stand, feel; **— à** insist on, depend on; **— à ce que** be due to the fact that
la **tentation** temptation
la **tentative** attempt
la **tente** tent
tenter to tempt, try, incline, make
la **tenture** hanging, tapestry
le **terme** statue, column *or* pillar (*surmounted by figure, serving as support in buildings or ornament in gardens*); term, word
la **terminaison** termination
terminer to finish; **se —,** end, etc.
le **terrain** soil, ground, piece of land
terrasser to knock down
la **terre** earth, land, ground; **à —,** to (on) the ground (floor); **en —,** *see note to page* 95, *line* 16; **par —,** on the ground (floor)
la **terreur** terror
terriblement terribly
la **terrine** earthenware bowl
le **testament** will
la **tête** head; **de —,** mental; **faire —,** to make a stand; **inclination de —,** nod; **mal de (à la) —,** headache; **signe de —,** nod
Tétricus, C. Pius Esuvius, *sometimes wrongly called Pivesuvius, proclaimed Roman emperor at Bordeaux in* 267 *during revolt of Gaul against Gallienus; his wife's name is unknown*
le **théâtre** theater, scene
la **théologie** theology
la **théorie** theory
tiens why! listen! what!
tient *pres. ind. of* **tenir**
le **tiers** third
le **tigre** tiger
la **tigresse** tigress; **expression de —,** tiger-like appearance
le **tillac** deck
timidement timidly
le **tintement** tinkle
Tiodoro (*Ital.*) Theodore
le **tir** shooting
la **tirade** tirade, long speech
tirailler to fire (*repeatedly and irregularly*)
le **tirailleur** sharpshooter, skirmisher
tirer to draw, pull, take out, shoot, fire; extricate, rescue; **s'en —, se — de** extricate oneself; deal with; **se faire — la bonne aventure** have one's fortune told
le **tireur** marksman
le **tison** firebrand
la **toile** cloth; awning; **—s** toils, net
la **toilette** toilet, dress, appearance; dressing table; **en —,** dressed

for the occasion; **songer à sa —**, to dress
toiser to eye
le **toit** roof
tomber to fall; empty
le **ton** tone
le **tonneau** cask, barrel
tonner to thunder
topique local
tordre to twist, wring
le **tort** wrong, harm; **à —**, wrongly; **avoir —**, to be wrong
tortueu-x, -se winding
tôt soon, early
toucher to touch, concern; move
touffu, -e tufted, thick
toujours always, constantly, continually, still
la **tour** tower
le **tour** turn, circuit; trick; **— à —**, by turns, one after another
tourmenter to torment, annoy, trouble
le **tournant** turn
la **tournée,** circuit, official visit
tourner to turn, form, flank, turn around; **se —**, turn, turn round
la **tournure** shape, appearance
tous *see* **tout**
tout, -e (*pl. tous, toutes*) all, every, any, whole; *n. m.* whole, everything; **du —**, at all
tout *adv.* wholly, quite, entirely, altogether, precisely; ~~ne~~ **à fait** altogether; **— au moins (plus)** at least (most); **— de même** all the same; **— en** (+ *pres. part.*) while
toutefois however, still, nevertheless
la **toux** coughing
le **traban** halberdier
la **trace** mark
tracer to mark
la **traduction** translation
traduire to translate
trafiquer to trade
trahir to betray; **se —**, show
la **trahison** act of treason
le **train**: **en — de** in the act of
traîner to drag, draw; **se —**, drag oneself along
le **trait** trace, line, stroke, piece; feature; shaft, arrow
la **traite** journey
le **traité** treaty, agreement
traiter to treat
le **traître** traitor
la **traîtresse** traitress
le **trajet** journey, passage
tranchant, -e sharp
la **tranche** slice
trancher to cut; **— de** pose as
tranquille [-kil] quiet, unconcerned; **laisser —**, to let alone; **soyez (sois) —**, don't worry
tranquillement [-kil] quietly, calmly
la **tranquillité** calmness
transcendant, -e extraordinary

la **transition: par la — de** in connection with
transparent, -e transparent; *n. m.* lined paper; transparency
transpirer to perspire
traquer to hunt down
le **travail** work
travailler to work, be active
le **travers** breadth; **à —,** through; **au — de** through, over; **en — (de)** crosswise
la **traversée** crossing, passage
traverser to cross, pass through
tremper to soak
la **trentaine** about thirty
le **trépignement** noisy footsteps
très very, very much
le **trésor** treasure
tressaillir to start
Triana *see note to page* 29, *line* 21
tricher to cheat
le **triomphe** triumph
triste sad, unhappy, sorry
tristement sadly
la **tristesse** sadness; **avec —,** sadly
tromper to deceive; **se —,** be mistaken, make a mistake
le **tronc** [tʀɔ̃] tree trunk
le **tronçon** stump
le **trône** throne
trop too, too much, too well; **ne sachant —,** not knowing exactly; **le —,** excess
le **trophée** trophy
le **trot** trot; **grand —,** fast trot
trotter to trot
le **trou** hole
le **trouble** embarrassment
trouble muddy, dim
le **trouble-fête** kill-joy
troubler to disturb
troué, -e full of holes
trouer to make a hole in
la **troupe** troop, crowd, band, school; soldiers
le **troupeau** herd
la **trousse** bundle; **à nos —s** at our heels
le **trousseau** outfit, bunch (*of keys*)
la **trouvaille** find, discovery
trouver to find, think; **comment trouvez-vous H.?** what do you think of H.? **se —,** be, be found to be, happen to be; **venir —,** join
la **truelle** trowel
la **truffe** truffle, mushroom
tuer to kill
la **tuile** tile
tumultueu-x, -se uproarious
turbulent, -e tumultuous, riotous
turc [tyʀk], **turque** Turkish; **le Turc** Turk; **à la turque** cross-legged
le **turon** (*Span.*, **turrón**) kind of nougat, sweetmeat (*of roasted nuts, honey, etc.*)

U

un, -e one, a, an; **de deux choses l'une** either one

thing or the other; **les —s . . . les autres (d'autres)** some . . . others; **l' — et l'autre** both
uni, -e smooth, uniform in color
uniforme uniform
unique unique, single
uniquement solely
unir to unite; **s'—,** be united
l'**unisson** *m.:* **à l'— de** in harmony with
l'**usage** *m.* usage, use, habit, custom; **mettre en —,** to take
user to wear out *or* away; make use of
l'**ustensile** *m.* utensil, thing used
utile useful

V

le **vacarme** noise
la **vague** wave
vaguement indefinitely
vaillant valiant
vaincre to conquer, beat
le **vainqueur** conqueror
vais 1*st. pers. sing. pres. ind. of* **aller**
le **vaisseau** vessel
le **val** dale, valley; **par monts et par vaux** up hill and down dale
Valence Valencia (*seaport on eastern coast of Spain*)
valencien, -ne of Valencia, Valencian; **le Valencien** Valencian; *see note to page* 15, *line* 15
le **valet** valet, manservant; **— de chambre** valet
la **vallée** valley
valoir to be worth; equal, be comparable with; **— mieux** be worth more, be better
le **Vandale** Vandal, destroyer of works of art
le **vandalisme** destruction of works of art
vanter to boast of, praise; **se — de** boast of
la **vapeur** vapor
vaste large, extensive
le **vaurien** good-for-nothing
Véger Veger de la Frontera (*town about* 28 *miles southeast of Cadiz*)
la **veille** eve, day before; lack of sleep, watch; **la —,** the previous day *or* night
le **velours** velvet
le **vendeur** dealer
vendre to sell
le **vendredi** Friday
venger to avenge; **se —,** take vengeance
venir to come; **aller et —,** go back and forth; **en — à** resort to, come to the point of; **— de** have just
le **vent** wind
la **venta** (*Span.*) wayside inn
le **ventre** belly, abdomen; **à plat —,** flat on the ground
la **venue** coming
Vénus [-ys] Venus
verdâtre greenish

véreu–x, –se wormy; open to criticism
vérifier to verify
véritable real
véritablement veritably, really
la **vérité** truth; **en (à la) —,** in truth, to be sure
vermeil, –le crimson
la **vermine** vermin
vernir to varnish; **(souliers) vernis** of patent leather
le **verre** glass
le **verrou** bolt; **sous les —s** behind the bars
vers toward, about, near
verser to pour, shed, pour out
vert, –e green; hot; lively; **chêne —,** evergreen oak, holm oak
vertement severely
la **vertu** virtue; **en — de** as a result of
la **veste** jacket
le **vêtement** garment
vêtir to clothe, dress
le **veuf** widower
la **veuve** widow
veux *pres. ind. of* **vouloir**
la **viande** meat
la **victime** victim
la **victoire** victory
vide empty
la **vie** life, living; **changer de —,** to change one's manner of life; **en —,** living, alive
le **vieillard** old man
la **vieille** old woman
Vienne Vienna
la **vierge** virgin; **la (sainte, bonne) Vierge** the (Holy, Blessed) Virgin
vieux (vieil *before vowels*), **vieille** old; *n. m.* old man
vif, vive lively, quick, active, keen, hearty; living; **haie vive** quickset hedge
la **vigne** vine, vineyard
vigoureusement summarily
vigoureu–x, –se strong
la **vigueur** strength, power
vilain, –e mean, vile, wretched, ugly; *n. m.* peasant, commoner
la **ville** city
le **vin** wine
la **vingtaine** score
le **vingt-quatre** town councillor, alderman (*in Andalusia, in charge of police and other departments of city government*)
violemment [-am-] violently
le **violon** violin; violinist
vis *past def. of* **voir**
le **vis-à-vis** person opposite; **— de** opposite
le **visage** face
viser to aim (at)
la **visite** visit; **faire — à** to call on
visiter to visit, inspect, examine
vite active; quickly; **au plus —,** immediately
la **vitre** windowpane
Vitoria *city in northern Spain; see* **Alava**

la **vivacité** liveliness
vivant, -e alive
vivement quickly, energetically, closely
vivre to live, be alive
le **vivre** victual, food
vli, vlan slap, bang !
le **vœu** prayer
voici behold, this is, these are, here is (are); **le** —, here he (it) is
la **voie** way
voilà there is (are, was, were), there, then, that's it, that is, now, here is, **le —**, there he (it) is; **— que** suddenly; **te —**, now you're . . .
la **voile** sail; **faire — pour** to set sail for
voir to see; **à —**, worth seeing; **aller —**, go and see about it; **laisser —**, to show, reveal; **qu'as-tu à y voir** what have you to do with it? **voyez** see, come now ! **voyez-vous** see, you see; **voyons** come ! **vu** considering
voisin, -e neighboring, adjoining; *n. m.* neighbor
le **voisinage** neighborhood, proximity
la **voiture** carriage, conveyance
la **voix** voice
le **vol** theft, robbery
le **volcan** volcano
voler to steal, rob
voler to fly
le **volet** shutter
le **voleur,** la **voleuse** robber
la **volonté** wish
volontiers [-tje] willingly, gladly
le **voltigeur** light infantryman
voluptueu-x, -se sensual; charming
vouloir to wish, will, insist upon, be willing; like, care, please; try; expect; **en — à** have a grudge against, be angry with; **que lui veut-elle** what does she want of him? **veuillez** be kind enough to; **— bien** be willing, like, be kind enough to
la **voûte** vault
le **voyage** trip, journey; **compagnon de —**, traveling companion; **en —**, when one is traveling
voyager to travel
le **voyageur,** la **voyageuse** traveler
vrai, vraie true, real, genuine; *n. m.* truth; **dire —**, to tell the truth
vraiment truly, really
vraisemblable [-sɑ̃-] probable, likely
vu *past part. of* **voir**
la **vue** view, sight; **à sa —**, at the sight of him (her); **perdre de —**, lose sight of; **porter la — sur** to catch sight of
Vulcain Vulcan (*husband of Venus*)

Y

y there, to (at, in, by) it, to, at, in(to) them, about it, here

la **yema** (*Span.*) yolk; confection made of yolk of egg and sugar

les **yeux** *see* **œil**

Z

le **z** [zɛd] z

le **Zacatin** (*Arabic, old clothes dealers' quarter*) *in Mérimée's time picturesque and important business street in Granada*

le **zaguán** (*Span.*) covered entry to a large house, vestibule

le **zèle** zeal

le **zorcico** *Basque tune in* $\frac{5}{8}$ *time, originally intended for dancing*